Cézanne, la vie, l'espace

Du même auteur

Romans

L'Or et la Soie, *1983*

Photo souvenir, *1980*

La Rivière nue, *1978*

La Fontaine obscure, *1976*
également au Livre de Poche, 1978 ; Points Roman, 1983

La Femme attentive, *1974*

La Ligne 12, *1973*
et Points Roman, 1981

Les Deux Printemps, *1971*
également publié par UGE, coll. « 10-18 », 1978

La Vive, *1968*

Récit

L., *1982*

Essais

Pratique de la littérature : *poésie/roman, 1978*

La Poétique du désir
(Nerval, Lautréamont, Apollinaire, Éluard), *1975*

Pour Gabrielle
Introduction aux Lettres de Prison de Gabrielle Russier, 1970

Paul Éluard, *« Écrivains de toujours », 1966*

Gérard de Nerval, *« Écrivains de toujours », 1964*

Les Lunettes
récit, Gallimard, 1984

Un fantasme de Bella B. et autres récits
nouvelles, Actes/Sud, 1984

Le Village
roman, Albin Michel, 1966

La Littérature et le Réel
essai, Albin Michel, 1965

Hélène et les Oiseaux
livre pour enfants, Éd. de La Farandole, 1965

Les Grilles
roman, Albin Michel, 1963

La Conférence
roman, Albin Michel, 1961

Les Ruines de New York
roman, Albin Michel, 1959

Fiction & Cie

Raymond Jean
Cézanne, la vie, l'espace

biographie/Seuil

Seuil, 27, rue Jacob, Paris 6e

CE LIVRE EST LE SOIXANTE-DIX-NEUVIÈME TITRE
DE LA COLLECTION « FICTION & CIE »
DIRIGÉE PAR DENIS ROCHE

ISBN 2-02-009084-8

Espace couleur de pomme. Espace, brûlant compotier.

René CHAR, *Contre une maison sèche.*

1

Baigneuses

Rencontrait-on, vers 1850, au bord de l'Arc, modeste rivière d'Aix-en-Provence, de ces merveilleuses *baigneuses* nues que Cézanne peignait encore obstinément à l'extrême fin de sa vie ? Peu probable. La ville était bourgeoise, décente, pudibonde, jusque dans sa campagne. Mais Paul, lui, *voyait* ces femmes.

Il avait, à ce moment-là, onze ans. La joie de ses moments de liberté et de ses dimanches était de parcourir, avec ses copains Baille et Zola, les rives de l'Arc et celles de la Torse, autre ruisseau de ce pays sec. Zola a d'ailleurs raconté cela fort bien dans *la Confession de Claude* : « Nous étions trois amis, trois galopins qui usaient encore leurs culottes sur les bancs du collège. Les jours de congé, les jours que nous pouvions voler à l'étude, nous nous échappions en des courses folles à travers la campagne, nous avions un besoin de grand air, de grand soleil, de sentiers perdus au fond des ravins, dont nous prenions possession en conquérants... L'hiver, nous adorions le froid, la terre durcie par la gelée qui sonnait gaiement, et nous allions manger des omelettes dans les villages voisins... L'été, tous nos rendez-vous étaient au bord de la rivière, car nous étions pris alors de la possession de l'eau. » *La possession de l'eau*, c'est le mot. Cézanne, quand on l'interrogera, à trente ans, sur son occupation préférée, dira : *peindre*. Et à une autre ques-

9

tion sur le délassement jugé par lui le plus agréable : *la natation*. L'eau lui plaît. Pour des raisons sérieuses, qui ne relèvent pas seulement de l'imaginaire. Sur une lettre à Zola datée du 20 juin 1859 (il a vingt ans, cette fois, mais il n'a pas épuisé les plaisirs de la rivière), il dessine, avec une très curieuse précision, trois jeunes garçons qui s'ébrouent dans l'eau, au pied d'un grand arbre planté sur la rive : l'un d'eux porte une sorte de chapeau de paille et a le teint très hâlé, presque basané (fines hachures transversales), le second nage la tête hors de l'eau, les cheveux tirés, le troisième plonge, cul par-dessus tête, on voit son postérieur tendu dans le maillot et ses pieds qui sortent de la rivière. Lequel des trois est Cézanne ? Celui qui exécute la culbute ? Pourquoi pas ?

De toute façon, il avait l'œil exact, comme on peut en juger par ce dessin. Il épiait le détail. « Te souviens-tu, écrit-il à Zola (toujours à lui, l'ami, l'inséparable), du pin qui, sur le bord de l'Arc planté, avançait sa tête chevelue sur le gouffre qui s'étendait à ses pieds ? Ce pin qui protégeait nos corps par son feuillage de l'ardeur du soleil, ah ! puissent les dieux le préserver de l'atteinte funeste de la hache du bûcheron ! » Ici, bien entendu, Paul, qui était un excellent élève du collège Bourbon d'Aix et un remarquable latiniste, se souvient de Ronsard et des poètes latins. Mais c'est tout de même le pin et son feuillage qu'il cadre d'abord avec précision. Il y reviendra un peu plus tard dans une autre lettre au même correspondant : « J'ai beaucoup aimé te voir ressouvenir du pin qui ombrage les bords de Palette. » Palette, un minuscule hameau, sur l'Arc. Le *pin* est là. Cézanne adolescent l'a vu et bien vu. Il en verra d'autres, il en peindra d'autres. Par exemple, *le Grand Pin et les Terres rouges* qu'il exécutera vers 1885 et qui flamboie maintenant à l'Ermitage de Leningrad. Ou ce *Grand Pin* convulsé de 1892 qui se tord au musée de São Paulo. Mais celui qu'il garde caché, niché, au creux de sa mémoire, c'est celui du bord de l'Arc. D'ailleurs, l'Arc tout entier est sa mémoire. Dans la toute première lettre que nous possédons de lui — et, bien entendu, adressée à son cher Émile —, il rime :

> *Enfin je prends la plume*
> *Et selon ma coutume*
> *Je dirai tout d'abord*
> *Pour nouvelle locale*
> *Qu'une forte rafale*
> *Par son ardent effort*
> *Fait tomber sur la ville*
> *Une eau qui rend fertile*
> *De l'Arc le riant bord...*

De l'Arc le riant bord. Belle et sage inversion. Pour cerner une belle et sage image. Celle qui ne cessera d'habiter la mémoire. Ce *riant bord*, c'est peut-être celui de tous les paradis, de tous les rêves, de tous les désirs, de toutes les nostalgies de Cézanne. Sans doute est-ce là le sens de la nage dans cette rivière sans profondeur : un lent glissement, enveloppant, vers l'eau matricielle et protectrice, ses secrets, sa fraîcheur. On peut le croire, à voir l'insistance que met Cézanne à rimer sur ce thème. Toujours à l'intention de son inséparable compagnon :

> *Adieu, mon cher Émile...*
> *Quand nos bras agiles*
> *Comme des reptiles*
> *Sur les flots dociles*
> *Nageaient à la fois.*

Et, mieux encore :

11

Zola nageur
Fend sans frayeur
L'onde limpide
Son bras nerveux
S'étend joyeux
Sous le doux fluide.

Il n'est pas du tout indifférent que ces sensations subtiles soient captées et rendues par des vers de collégiens qui, pour gauches ou conventionnels qu'ils soient, n'en traduisent pas moins un très impérieux besoin de mettre dans une forme la rencontre sensuelle de la vie élémentaire. Cézanne a toujours profondément admiré et pratiqué Baudelaire, dont il savait plusieurs poèmes par cœur. Il y a peut-être un moment de sa jeunesse où il s'est trouvé au croisement de la poésie et de la peinture, sans être tout à fait sûr du chemin qu'il prendrait. Certes, il ne se faisait pas d'illusion sur ses « petits vers ». Mais il les composait, en sachant bien qu'une *forme* se cherchait dans leurs ricochets de sonorités. Comme le montre cette très curieuse et plaisante lettre à (encore) Zola, du 9 juillet 1858 (dix-neuf ans !). Une salutation latine, pour commencer : *Carissime Zola, Salve...*, puis :

Révolte	*Zola*	*métaphore*	*brun*
récolte	*voilà*	*phosphore*	*rhum*
vert	*bachique*	*bœuf*	*aveugle*
découvert	*chique*	*veuf*	*beugle*

	chimie	*uni*	*borne*
	infamie	*bruni*	*corne*

Avec ce commentaire : « Lesquelles susdites rimes tu auras la licence, primo de les mettre au pluriel, si ta sérénissime majesté ainsi l'aura jugé ; secundo tu pourras les mettre dans l'ordre que tu voudras ; mais, tertio, je te demande des alexandrins ; et enfin, quarto, je veux — non, je ne veux pas —, mais je te prie de tout mettre en vers, même Zola. » Il est clair que, dans cette période, Paul préférait ces exercices à ceux des mathématiques qui ne lui inspiraient, au collège, qu'une sympathie médiocre. Notamment l' « horrible géométrie », pour laquelle il dit, encore en vers, son peu d'attirance :

Si je qualifie
Ainsi la géométrie !
C'est qu'en l'étudiant je me sens tout le corps
Se fondre en eau, sous mes trop impuissants efforts.

L'envers de la nage, en somme. Lui qui se rendra célèbre sur le tard en affirmant qu'il fallait traiter la nature par *la sphère, le cône et le cylindre !*
Mais c'est aussi la langue de sa naïve poésie qui lui permet d'évoquer les visions féminines prises aux filets de son imagination. Toujours à l'ami Zola, dans un poème de jeunesse :

Cette taille de déesse
Ces yeux, ce front, tout enfin
De tes attraits la finesse
En toi, tout semble divin,
Joli mirliton, etc.

Aimable petit salut, où le *mirliton* joue son rôle, franchement érotique, à lire le poème entier. Et, dans un autre morceau, au même destinataire :

Tu sais de qui je chéris les appas,
C'est d'une gentille femme.
Brun est son teint, gracieux est son port,

Bien mignon est son pied, la peau de sa main fine
Blanche est sans doute,

> [ici, une merveilleuse petite note : Cézanne a
> précisé que la demoiselle portait des gants]
>   *enfin dans mon transport*

J'augure en inspectant cette taille divine,
Que de ses beaux tétons l'albâtre est élastique,
Bien tournés par l'amour. Le vent en soulevant
Sa robe d'une gaze en couleurs magnifiques
Laisse d'un rond mollet deviner le charmant
Contour...

La sensualité est relativement précise, appuyée même, et le lyrisme plus descriptif que romantique. C'est intéressant à noter, de la part de ce très jeune homme qui deviendra un homme adulte bourru à qui les femmes, a-t-on dit, faisaient peur. Peur, peut-être, mais pas au point de ne pas savoir les regarder ni les dire. Et puisque c'était dans ces vers faciles qu'il les disait, il faut bien constater qu'il pouvait monter le ton d'un cran dans la franchise, comme il l'a fait dans un autre poème, griffonné au dos d'une esquisse de *l'Apothéose de Delacroix* :

Voici la jeune femme aux fesses rebondies
Comme elle étale bien au milieu des prairies
Son corps souple, splendide épanouissement !
La couleuvre n'a pas de souplesse plus grande...

Ce qui nous ramène aux *Baigneuses.* Car cette femme lovée, ce *corps souple,* ce *splendide épanouissement,* cet étalement *au milieu des prairies,* c'est bien une suite d'images que vont mettre en scène tant de toiles, inlassablement reprises, à divers moments du travail du peintre, mais surtout à la fin de sa vie, sur un thème unique — sompteux *concert champêtre,* pour parler comme Gior-

gione, ou simplement *baignade*, pour parler comme
Manet qui désignait ainsi son *Déjeuner sur l'herbe* —
magnifiquement orchestré. Et orchestré par quoi ? Sinon
par la force de ces visions imaginaires (imaginaires ?) de
l'adolescence. Il suffit de regarder. Sur la grande toile de
la National Gallery de Londres, elles sont pleines d'une
lumière jaune qui travaille leur chair, ces superbes
Grandes Baigneuses, vraiment *étalées*, saisies de dos, montrant leurs fesses, leurs reins, leurs épaules, les taches
rousses ou brunes de leurs chevelures dénouées, avec
cette radiance chlorotique, ou peut-être simplement chlo-
rophyllienne, qui semble descendre obliquement sur elles
des arbres, des masses de végétation qui les entourent (et
qui les construisent). Dans celle du Petit Palais, qui
s'appelle *les Trois Baigneuses*, les poses sont nettement
plus franches, presque obscènes dans leur candeur,
jambes écartées, seins et sexe offerts de face, avec une
clarté rose-violette qui est bien celle de la peau quand se
diffracte sur elle ce poudroiement de jaune, de vert, de
mauve, tombé du feuillage sur l'eau : torsades des chevelures, serviette enroulée au poignet, pied sur l'herbe, tout
vibre. Pour *les Baigneuses* de 1885, qui sont maintenant
au musée d'Aix, c'est la féerie verte qui domine, mais une
féerie tellement bâtie, tellement « triangulée » que les
deux groupes de femmes donnent l'impression de s'archi-
tecturer dans le monde végétal qui les entoure, d'échanger
avec lui d'étranges connivences, des appels, des signes,
des osmoses, que viennent manifester çà et là ces touches
rouges qui fusent sur les chairs. Quant aux *Grandes Baigneuses* de Philadelphie, les plus célèbres peut-être, si
leurs tons bistre-ambré-orange sont plus discrets, elles
combinent un peu toutes les autres dans un aboutisse-
ment (Cézanne aboutissait-il jamais ?) difficile, fruit d'un
travail poursuivi avec un acharnement fou, de 1898 à 1905
— année précédant celle de la mort —, dont témoignent les

innombrables propos de tous ceux qui ont vu l'immense toile ou une de ses multiples versions en perpétuel chantier dans l'atelier des Lauves. Et là, l'authenticité du paysage est si précise que l'on ne peut que citer cette phrase de Cézanne dans une lettre à son fils, deux mois à peine avant sa disparition : « Il est quatre heures, il ne fait pas d'air. Le temps est toujours étouffé, j'attends le moment où la voiture me conduira à la rivière. J'y passe quelques heures agréables. Il y a de grands arbres, ils forment la voûte au-dessus de l'eau. » Car c'est exactement ça : *la voûte des grands arbres au-dessus de l'eau*, elle est là ! Elle « induit » tout le tableau. Elle domine, encadre et structure ces corps de femmes. Un excellent commentaire, celui de Jean Arrouye : « Dans *les Grandes Baigneuses*, les arbres se tendent les uns vers les autres dans un élancement quasi érotique, mais ne se rejoindront qu'au-delà de la toile : comme très souvent chez Cézanne, toute l'harmonie du tableau repose sur la consonance du bleu et de l'orange. Orangés sont les sols et les troncs, bleus l'eau et le ciel, des échos de chaque couleur venant s'unir à l'autre. C'est sur le corps des femmes que leur mariage est le plus accompli. L'accord des figures et des fûts est parfait par la disposition des personnages latéraux et le regroupement des baigneuses en deux groupes qui reprennent en mineur la forme enveloppante déterminée par les troncs. Les bras des deux baigneuses centrales corrigent ce que pourrait avoir de trop rigide l'organisation générale en dessinant une ellipse qui, prolongée imaginairement, s'attache à la limite supérieure de l'arbre le plus à gauche et à celle du tronc de droite. La peinture affirme ici la domination de l'esprit sur les sens : les troncs sont les côtés d'une pyramide idéale ; les corps, des courbes d'une géométrie variée ; la couleur, la trace sensible d'un pinceau maîtrisé ; le bleu, la couleur de l'apaisement ; l'orange a la luminosité adoucie, celle de la sérénité. »

16

Le vieil homme qui peignait cela était-il le même que le jeune garçon qui se baignait dans l'Arc et en scrutait les rives ? L'un et l'autre *voyaient*-ils ces deux femmes plantureuses ou souples, ces insolites naïades, ces sensuelles divinités terrestres ou aquatiques qui ne semblaient pas avoir besoin d'exister réellement pour peupler, en force, en nombre et en plénitude, l'herbe et le feuillage ? A la limite, la réponse importe peu. Une quelconque mise en scène aurait pu faire aussi bien l'affaire. Cézanne y a pensé, qui confiait un jour à Ambroise Vollard : « Cela me sourirait assez de faire poser des nus au bord de l'Arc. Seulement, comprenez, les femmes sont des veaux ou des calculatrices. » On a bien lu. Ce qui n'empêche pas l'hommage au corps féminin. Mais cet hommage lui-même est susceptible d'accommodements. On apprend avec effarement que le vieux peintre avait eu l'occasion de dire à Karl-Ernst Osthaus, le fondateur du Folkwang Museum de Hagen, en Westphalie, venu le voir à Aix : « Un vieil invalide pose pour toutes ces femmes. » Il ajoutait que la pruderie aixoise ne lui permettait pas de faire autrement. Et, à son fils : « Il y a deux jours, le sieur Rolland est venu me voir : il m'a fait parler sur la peinture. Il m'a offert de me poser nu une figure de baigneur au bord de l'Arc. Ça me sourirait bien un peu, mais je crains que le monsieur ne veuille mettre la main sur mon étude. » Au fond, on le voit, même le sexe importe peu. Il y a d'ailleurs souvent aussi des *baigneurs* dans les études et toiles successives du peintre, moins nombreux peut-être que les *baigneuses*, mais beaucoup tout de même, et parfois les uns mêlés, confondus, avec les autres, *Baigneurs et Baigneuses*, pas toujours absolument discernables... Ce qui importe, c'est la structure, la charpente, le support. Et sans doute, dès onze ans, cela fonctionnait.

Il n'est pas du tout impossible aussi qu'une seule *baigneuse* ait pu suffire un jour. Quel jour ? L'année de ses vingt ans, Cézanne parle à Zola d'une petite Justine qui ne l'aurait pas laissé indifférent. Il le fait en termes assez désinvoltes : « J'ai eu un vif amour pour une certaine Justine, laquelle est vraiment *very fine* ; mais comme je n'ai pas l'honneur d'être *of a great beautiful,* elle m'a toujours détourné la tête. » Il la montre sortant allègrement de son atelier de couturière, puis la décrit tournoyant dans un de ses rêves, au milieu de la fumée d'un cigare : « La voilà, c'est elle, comme elle glisse, elle voltige, oui, c'est ma petite, comme elle rit de moi, elle vole dans les tourbillons de la fumée, tiens, tiens, elle monte, elle descend, elle folâtre, se roule, mais elle rit de moi. O Justine, dis-moi au moins que tu ne me hais pas ; elle rit. Cruelle, tu jouis de me faire souffrir. Justine, entends-moi ; mais elle s'éclipse, elle monte, monte toujours, enfin la voilà qui s'évanouit. Le cigare me tombe de la bouche et, là-dessus, je m'endors. » L'intéressant est qu'au verso de la dernière feuille de la lettre, il y a le dessin d'une *baignade.*

Les *trois galopins* qui aimaient tant les rives de l'Arc et de la Torse s'appelaient donc Baptistin Baille — le plus jeune, un très bon élève de sixième —, Émile Zola et Paul Cézanne. Le second avait un père ingénieur, d'origine italienne, qui mourut avant d'avoir pu voir la réalisation du grand barrage conçu par lui dans la campagne aixoise. Le troisième était le fils d'un chapelier devenu banquier.

La vallée de l'Arc aujourd'hui est de plus en plus soumise à la pression des quartiers sud-est d'Aix-en-Provence, avec de grands bâtiments — lycée Émile-Zola, Novotel — qui l'avoisinent, des réseaux autoroutiers qui s'en approchent, des maisons qu'on vient de construire jusque sur ses limites. Mais la ville a fait

un effort sensible d'aménagement des rives et a su préserver là quelques beaux espaces de « promenade ». Cette promenade des bords de l'Arc, on peut donc la faire et, avec un peu d'imagination, on y retrouvera sans peine ce que voyait Cézanne, sauf les baigneuses, bien entendu.

On retrouvera les arbres qu'il peignait, d'immenses pins, des ormes effilés, de petits chênes, des saules plantés sur l'extrême bord de la rivière qui laissent pleurer leurs branches très bas au-dessus de l'eau. Des troncs, de toute apparence, certains entourés de lierre, d'autres s'allongeant étrangement sur la berge, d'autres s'élançant pour former voûte, comme il les voyait, les représentait. Çà et là, des plaques d'herbe, très vive, très verte, faisant pré : quelque chose, indiscutablement, invite à y voir des déjeuners, des parties, sinon des fêtes païennes ou des bacchanales. On se demande si des paysannes, des filles de la campagne, venaient là certains jours, audacieusement dévêtues, pour se rafraîchir ? Peu à dire sur l'eau. Elle n'est pas très belle aujourd'hui, rarement claire, terreuse, facilement encombrée de détritus. Mais elle est remuante, portée par un courant vif, avec de larges courbures, de grandes étendues planes, de petites chutes, des trous assez profonds. Rivière sans caractère et sans nerf, toutefois.

La zone que devait fréquenter Cézanne (et il s'agit ici aussi bien de Cézanne vieux que de Cézanne enfant) s'étendait probablement du hameau de Palette au lieu-dit Le Gour de Martelly, en allant vers le village des Milles, qu'il évoque dans la lettre à son fils citée plus haut et qui n'était pas très loin de Montbriant, propriété de son beau-frère. Il y avait sur le cours de la rivière des écluses, comme l'écluse de la Priée, des passerelles en bois (il en reste), des ponts, comme le pont des Trois-Sautets, le pont de la Cible, le pont de l'Arc. En les franchissant, on arrivait, on arrive toujours sur la rive gauche de la rivière, dans les collines fortement boisées, riches en pins, de Grivoton ou du Montaiguet. Il a cent fois, à tout âge, regardé, cadré, peint tout cela, ce qui peuplait ou ne peuplait pas ces paysages. Et c'est ici qu'il faut bien revenir aux baigneuses. Il y a un dessin, actuellement au Museum of Modern Art de New York, intitulé Baigneuses sous le pont de l'Arc, où l'on voit tellement de femmes nues rapidement, violemment esquissées, sous et sur le pont, que l'on croit rêver. Un grouillement. Un délire. On dirait que le pont représenté là est celui des Trois-Sautets. Il n'a pas changé, on a su le conserver : un simple dispositif de signalisation — feu rouge ou vert — aux entrées, pour que les autos puissent le franchir sans encombre. Mais la ligne est la même, l'arcature la même, l'herbe des talus la même. Tout ce foisonnement de baigneuses ?... Seulement l'eau un peu triste de l'Arc. Mais le soleil qui s'était éclipsé un moment est revenu. Il a fait miroiter la rivière, transformant le gris en bleu. Il a posé çà et là des taches inattendues. Il a découpé des plans, des volumes. La lumière du soir, peu à peu, a ouvert des perspectives nouvelles. Promenade, sur l'herbe, au bord de l'eau, sous les branches.

2

Un carrelage rouge

Cézanne regarde son père. Il lui demande de bien vouloir incliner un peu plus la tête vers le journal qu'il est en train de lire. Et surtout de rester désormais parfaitement immobile. Il l'a fait asseoir dans le haut fauteuil recouvert de cretonne blanche à fleurs mauves qui est d'ordinaire le sien, mais il a insisté pour qu'il ne s'adosse pas vraiment au fauteuil, pour qu'il se tienne légèrement « en angle », appuyé à l'accoudoir gauche, le buste bien droit (ce qu'un homme de soixante-neuf ans peut encore se permettre). Le fauteuil est lui-même discrètement orienté vers la gauche par rapport au mur du fond. Ainsi quelque chose s'équilibre et se déséquilibre à la fois dans l'attitude du vieil homme en train de lire. Il porte une calotte brune qui laisse dépasser sur la tempe une mèche de cheveux blancs. Une veste de la même étoffe marron, dirait-on. Un pantalon gris, presque bleu. Des souliers clairs, presque roux (mais ce sont peut-être des pantoufles ou des chaussons de cuir). Les chevilles sont croisées, dans une attitude familière. Le visage et les mains sont jaunes. Mais c'est le jaune de la peinture, pas celui de la vie. Cézanne demande à son père un petit geste supplémentaire de la main droite, pour faire se plier en arrière la partie la plus haute du journal. Ceci afin que puisse apparaître, renversé, le titre : *l'Événement*. L'important n'est pas, d'ailleurs, que Louis-Auguste Cézanne lise *l'Événement*. L'important est

21

que *l'Événement* soit le journal de Zola. Enfin, celui où Zola fait ses premières armes de critique d'art. Et quelles armes, quelles escarmouches ! Voilà, l'hommage à Zola est rendu, en même temps qu'au père ! Surtout qu'il garde la pose, qu'il ne bouge pas d'un pouce, il faudra longtemps pour achever le tableau !

Quand Cézanne peint son père, il lui offre sans doute respect et affection, comme à tout ce que caresse son pinceau. Mais il ne le considère pas pour autant comme un homme commode. Ce qu'il veut indiquer, sans doute, par l'attitude qu'il lui prête, par la façon dont il le carre, bien net, bien droit, dans ce magistral fauteuil si important dans la maison et si important à ses yeux de peintre (est-ce celui dans lequel il a fait asseoir un jour aussi son ami Achille Emperaire ?), par l'inflexion un peu rude de l'arcade sourcilière du lecteur qui n'entend pas être interrompu dans sa lecture, par l'autorité calme des mains qui tiennent le journal, c'est que ce monsieur-là n'est pas n'importe qui. C'est un banquier qui a réussi dans ses affaires. Il mène la vie dure à son fils. Mais c'est parce qu'il a réussi qu'il a droit à ce repos auguste et un peu compassé dans ce grand fauteuil. Qu'il a droit au confort de cette calotte et de cette veste.

Tout cela serait d'ailleurs un peu sévère, surtout avec la porte sombre qui se ferme près du mur du fond. Alors, Cézanne décide de mettre sur ce mur une nature morte qu'il a composée un an avant. Oui, un petit tableau de lui, qu'il accroche là comme un signe amical, un clin d'œil complice. Une vraie « mise en abyme » : le tableau dans le tableau. Mais, après tout, le tableau était-il peut-être vraiment accroché au mur, pour égayer la pièce... Cette *Nature morte, Sucrier, Poires et Tasse bleue* (aujourd'hui au musée d'Aix) peut tout à fait jouer ce rôle. Elle est d'une facture splendide, bien qu'elle ne soit qu'un des premiers essais du peintre. Le sucrier et les poires y sont taillés dans la couleur avec un empâtement si fougueux qu'on croirait que le couteau à palette — qu'on peut d'ailleurs apercevoir dans le bas du tableau — a frappé là des coups et des à-plats innombrables, de plus en plus serrés. Et le bleu de la tasse répond en écho au rouge qui enveloppe le vert d'une des poires. Tout cela épais et nerveux. Sombre et chantant. Le mur s'éclaire.

Voilà donc ce portrait de M. Cézanne père. Il en existe un autre, sensiblement antérieur, où l'on voit le banquier encore en train de lire le journal — était-ce décidément comme cela que son fils le voyait surtout ? —, mais installé sur une simple chaise, cette fois. Sans doute n'a-t-il pas encore atteint alors la sérénité que donnent les réussites accomplies. Le visage a quelque chose de carnassier qu'accentue la visière de la casquette abaissée sur le nez busqué. Le menton, presque caricaturé, et la nuque épaisse font penser à Daumier, très nettement. Et l'allure n'est plus celle du repos, mais de la tension, de la curiosité, de l'action : un vrai corps à corps avec le journal. Tout cela d'autant plus marqué que le personnage est peint de profil, cette fois. Et le profil accuse la charge, le trait, la massivité musculaire. Le banquier est tout ramassé dans sa dureté d'homme qui ne s'en laisse pas conter (mais seulement compter). Assis, on dirait qu'il « fonce ». Heureusement que le fils a eu le coup de génie de mettre sous sa chaise un carrelage rouge si beau, ou plutôt, d'un si beau rouge que tout est emporté dans cette fête de la couleur. Tout s'éclaire de ce rouge.

C'est ainsi donc que Cézanne voyait son père. Il fallait qu'il le regarde avec beaucoup d'attention pour comprendre l'homme qu'il était. Ou mieux : qu'il était devenu. Issu d'une souche montagnarde des Alpes du Briançonnais — où une localité portait le nom de Cézanne, en italien Cesana —, il était né dans la bourgade de Saint-Zacharie, en Provence, et était venu très tôt à Aix s'établir comme chapelier : à cause des lapins, très nombreux dans les environs, dont on transformait le poil en feutre. Le métier fleurissait au début du siècle. Avec deux associés, il ne tarde pas à ouvrir sur le Cours, à l'angle de la rue des Grands-Carmes (aujourd'hui la rue Fabrot), la maison « Martin, Coupin et Cézanne ». Comme il est actif, âpre au gain, prompt en affaires, il accumule un petit capital qui, à cinquante ans, lui permet de racheter une banque en faillite. Le caissier devient son compère. La banque « Cézanne et Cabassol » s'ouvre en 1848. En 1850, elle est en pleine activité. L'aventure ne cessera plus. Louis-Auguste sait « faire de l'argent ». Il est vraiment né pour cela, surdoué pour cela. Rien d'autre n'importe à ses yeux. Il y avait une place à prendre à Aix. Il l'a prise. Le chapelier est devenu un *notable*.

Il aurait évidemment souhaité que son fils lui succédât un jour et que la banque devînt la banque « Paul Cézanne ». Ce qui, non moins évidemment, ne pouvait arriver. C'est pourquoi les rapports de Cézanne à son père ont été en un sens parfaitement clairs. Obéissant à un schéma tout à fait classique et repérable. Il le craignait et l'admirait. Il avait peur de lui et le respectait. Il redoutait ce qu'il était et lui était en même temps très reconnaissant de ce qu'il était. Il ne l'aimait pas et il l'aimait.

Il avait inscrit, raconte-t-on, sur le grand registre de la banque, ce distique :

> *Cézanne le banquier ne voit pas sans frémir*
> *Derrière son comptoir naître un peintre à venir.*

Ce qui était on ne peut plus juste. On ne pouvait demander à Louis-Auguste, compte tenu de ce qui faisait le fond même de sa conception de la vie, de sa vision de la société, des hommes et des choses, d'être sensible à une vocation artistique. D'autant plus que les fantasmes qu'accumulait le XIXᵉ siècle sur la « bohème » des artistes, leur équivoque et triste destin, pesaient fatalement lourd dans sa conscience d'homme d'affaires et d'argent. Zola, dans une lettre à Baille du 22 avril 1861, a parfaitement cerné les choses (les deux « copains » étaient mieux placés que personne pour ce constat épistolaire) : « La question me paraît celle-ci : M. Cézanne a vu déjouer par son fils les plans qu'il avait formés. Le futur banquier s'est trouvé être un peintre et, se sentant au dos des ailes d'aigle, veut quitter le nid. Tout surpris de cette transformation et de ce désir de liberté — M. Cézanne ne pouvait croire qu'on préfère la peinture à la banque et l'air du ciel à son bureau poudreux —, M. Cézanne s'est mis en tête de découvrir le mot de l'énigme. Il n'a garde de comprendre que cela était parce que Dieu l'avait voulu ainsi, parce que Dieu, l'ayant créé banquier, avait créé son fils peintre. Mais, ayant bien cherché, il comprit enfin que cela venait de moi ; que c'était moi qui avais créé Paul tel qu'il est aujourd'hui, que c'était moi qui enlevais à la banque son espoir le plus cher. Les mots de " mauvaises fréquentations " furent sans doute prononcés. » Excellent diagnostic. Zola voit juste. Les *mauvaises fréquentations* — qu'il symbolise — sont celles qui entraînent sur la pente de l'art ou de la lit-térature. Cézanne ne s'est jamais fait d'illusions sur ce point et il a toujours senti qu'il devrait travailler et s'affirmer contre son milieu. Milieu pour lequel il est sans indulgence. Il a quelquefois des mots très durs à son endroit. Ainsi, dans une lettre à Pissarro de 1866 : « Me voici dans ma famille avec les plus sales êtres du monde, ceux qui composent ma famille, emmerdants par-dessus tout. N'en parlons plus. » Il serait pourtant absurde de prendre ces phrases à la lettre. Cézanne s'est toujours trouvé très bien chez ces *plus sales êtres du monde* et n'a jamais pu se passer d'eux. D'ailleurs, il est clair que *emmerdants* atténue l'imprécation d'une nuance affectueuse.

La vérité était que Paul tremblait toujours devant ce père qui multipliait les obstacles à sa carrière artistique, lui comptait les sous pour lui apprendre à vivre, lui parlait d'une voix dure et autoritaire qui le réduisait au silence et le faisait rentrer dans sa coquille, ouvrait encore son courrier alors qu'il avait quarante ans, le soupçonnait de tout, et en particulier de lui cacher des choses essentielles comme d'avoir une liaison et un enfant. Ce qui était vrai d'ailleurs, car Paul aimait mieux cacher qu'affronter. Ce père le faisait trembler. Seulement voilà : tout cela n'a été vrai que du vivant de Louis-Auguste. Du jour où il est mort, Paul a bien dû constater qu'il lui laissait une fortune exceptionnelle et que, finalement, s'il avait pu être peintre, s'il pouvait désormais continuer à être peintre, en toute sécurité, jusqu'à la fin de ses jours, c'était grâce à lui. L'amour et le respect se sont alors totalement déclarés. Rien ne le montre aussi bien que ce propos tenu sur le tard à Émile Bernard : « Mon père, qui était un intelligent et un bon cœur, s'est dit : " Mon fils est un bohème qui mourra dans la misère, je vais travailler pour lui. " Et mon père m'a laissé de quoi faire ma peinture jusqu'à ma mort. C'était un petit chapelier qui coiffait toute l'aristocratie d'Aix, il avait la confiance de tous, il se fit banquier et réalisa une rapide fortune, car il était honnête et le monde venait à lui ; il est mort en nous laissant à mes deux sœurs et à moi d'honorables rentes. » On ne pouvait mieux dire. En 1886, à sa mort, Louis-Auguste laissait en effet à chacun de ses trois enfants 400 000 francs de l'époque, placés en biens meubles et immeubles, ce qui assurait à Paul 25 000 francs de revenu annuel. Il pouvait être légitimement satisfait.

Il disait : « Mon père est un homme de génie, il m'a laissé 25 000 francs de rente ! » Ce mot de *génie* est superbe dans sa bouche. Il n'en était pas avare. A la fin de sa vie, il disait aussi de son propre fils, qui commençait à bien gérer ses affaires et à bien vendre ses toiles, qu'il avait du génie. Bref, tout le monde avait du génie dans la famille, sauf lui. En un sens, il le pensait sincèrement et douloureusement. De toute façon, il ne s'agissait pas du même type de génie. Voire ! Qu'aurait dit Louis-Auguste s'il avait pu assister à la vente Goldschmidt de Londres où *le Garçon au gilet rouge* atteignit 220 000 livres sterling (258 millions de francs de l'année 1958) et être témoin du plafonnement des assurances à 30 millions de dollars pour l'exposition Cézanne de Tokyo de 1974 ? Argent pour argent, génie pour génie, la revanche était de taille ! Retournement du banquier Louis-Auguste dans sa tombe. Lui qui ne connaissait que l'argent, et l'art (son seul *art*) de le faire fructifier.

On sait le rôle de l'argent en psychanalyse. On ne va donc pas s'étendre exagérément sur ce point pour traiter des rapports de Cézanne à son père. Mais il n'était pas mauvais de rappeler, préliminairement, ces quelques données avant d'aller plus loin. Pour le reste, il est évident que, devant Louis-Auguste, Paul a toujours été un petit garçon, même quand ses cheveux grisonnaient et que sa barbe blanchissait. C'est ce que ne comprenaient pas les amis en général, qui voyaient là une pénible opposition de manières et de caractères. L'un d'eux, Numa Coste, déclarait, s'adressant toujours au témoin numéro un, Zola : « Comment expliquer qu'un banquier rapace et dur puisse donner naissance à des êtres comme notre pauvre ami Cézanne que j'ai vu dernièrement ? Il se porte bien et, physiquement, il ne périclite pas. Mais il est devenu timide et primitif et plus jeune que jamais. » *Timide et primitif*, c'est bien ce qui devait inquiéter le *banquier rapace et dur*. Mais il marmonnait quelquefois, selon certains témoignages : « Moi, Louis-Auguste, je n'ai pas pu faire un crétin ! »

La mère, c'est autre chose. Paul a toujours été très proche d'elle. A découvert en elle une complicité de sensibilité — peut-être de sensibilité artistique. Lui a confié ce qu'il cachait au père. L'a, en un sens, adorée. A eu besoin de sa présence jusqu'au bout. Et pourtant, elle faisait partie des « sales gens », comme toute la famille. Elle s'appelait Anne-Élizabeth-Honorine Aubert. Elle était née à Aix, fille d'un tourneur de chaises. Elle devait être de cette bonne race provençale qui faisait des filles sages et des femmes ordonnées. Pas si sage, d'ailleurs, puisqu'elle s'était liée à Louis-Auguste hors mariage : elle était la sœur d'un de ses employés. Paul était né ainsi hors mariage, comme sa sœur Marie : situation que le chapelier acceptait très bien pour lui, mais que, devenu banquier, il n'acceptait plus pour son propre fils, on l'a vu. C'est que ce qui était normal dans sa génération et dans son système d'ascension sociale ne l'était plus dans sa descendance et dans son statut de notable. Ainsi en va-t-il de la respectabilité bourgeoise. Elle s'ajuste aux lois de l'argent. Et la condition féminine en subit, en priorité, les effets. Effets tout à fait positifs ici, il faut le dire. Élizabeth-Honorine, en devenant en 1844 Mme Louis-Auguste Cézanne, non seulement sortait de l' « irrégularité », mais changeait de destin. Et ses enfants, déjà reconnus, devenaient légitimes. Paul était né le 19 janvier 1839. Marie en juillet 1841. Rose ne devait arriver qu'en juin 1854 (largement hors du péché, elle !). Une belle famille. Il est dommage qu'elle n'ait jamais été représentée sur un tableau dans sa totalité. Mais visiblement, pour Cézanne, la mère est *celle qu'on ne peint pas.* Qu'on dessine, à la rigueur, comme en témoigne ce dessin du Kunstmuseum de Bâle où l'on voit sa tête endormie dodelinant contre un dossier de fauteuil, tracé furtif, hâtivement dérobé au sommeil.

Une exception peut-être. Il y a cette toile qui s'appelle *Jeune fille au piano*, qui pourrait bien représenter Marie en train d'appliquer sagement des accords sur un clavier, tandis qu'une dame derrière elle s'occupe à un travail de tricot ou de couture. Cette dame est peut-être la mère, *leur* mère. En vérité, ce tableau a toute une histoire, et au moins trois versions. Quand Paul le peignit pour la première fois, en 1866, son camarade de jeunesse, Fortuné Marion — observateur particulièrement lucide de son art naissant —, écrivit à un jeune musicien wagnérien allemand, Heinrich Morstatt, venu à Marseille comme agent d'une fabrique de musique : « En un matin, il a bâti un tableau superbe, tu verras, cela s'appelle *l'Ouverture du Tannhäuser*, c'est aussi bien de l'avenir que la musique de Wagner. Voici : une jeune fille au piano, du blanc sur du bleu, tout au premier plan. Le piano supérieur et largement traité ; un vieux père dans un fauteuil, de profil ; un jeune enfant, l'air idiot, écoutant dans le fond. La masse toute sauvage et d'une puissance écrasante, il faut regarder bien longtemps. » Deux années après, s'adressant au même correspondant, Marion indique : « Il a déjà plusieurs toiles commencées et il va de nouveau traiter dans des tonalités tout à fait différentes, avec des notes plus blondes, *l'Ouverture du Tannhaüser* dont tu avais vu une première toile. » Et, quelques semaines après : « Je voudrais que tu voies la toile qu'il est en train de faire en ce moment. Il a repris le sujet que tu connais déjà, *l'Ouverture du Tannhäuser*, mais dans des tonalités tout à fait différentes, dans des colorations très claires, et tous les personnages très finis. Il y a une tête de jeune fille blonde, d'un joli et d'une puissance étonnante, et mon profil est d'une ressemblance très grande, tout en étant très fait, sans ces aspérités de couleurs qui gênaient et ces aspects féroces qui repoussaient. Le piano est toujours très beau, comme sur l'autre toile, et les draperies comme d'ordinaire d'une vérité étonnante. Il est possible que ça sera refusé à l'exposition, mais ce sera toujours exposé quelque part, une toile semblable suffit pour faire une réputation. »

Curieuse aventure, à y réfléchir. Voilà un tableau « wagnérien » qui va tenter sa chance — vainement — au Salon de 1868, parce que Wagner est à la mode, mais qui, en réalité, est une très étrange modulation sur une scène de famille. Étrange, en effet, puisqu'on passe du bleu au blond, du sombre au clair, comme le dit avec insistance Marion à Morstatt, mais surtout parce que d'étonnants changements à vue s'opèrent sans cesse : disparaissent le *vieux père*, le *jeune enfant à l'air idiot* (et qui est ce singulier témoin, ce singulier et prometteur « idiot de la famille » ?), le profil inattendu de Marion lui-même. Et la jeune fille se transforme. Surprenant. Tout cela s'effacera. Et ne demeurera du tableau que l'ultime version, celle qui fait foi, celle qui fixe. Si c'est bien la mère qui est là, qui s'est substituée au père, on note qu'elle porte une sorte de châle ou de veste d'intérieur. Son visage est penché, d'un mince ovale, grave, un peu triste, paupières baissées sur l'ouvrage, cheveux noirs bien tirés de chaque côté d'une raie. Le fauteuil recouvert de cretonne à fleurs est là, pour attester la maison, l'intimité. Marie a le buste droit, le cou légèrement ployé, les mains, très longues et très fines, tendues (tendues ou posées ?) sur le clavier. Elle se tient parfaitement bien au piano. Ses bandeaux noirs (oui, noirs maintenant) renvoient aux cheveux de sa mère. Ce tableau est sur les murs de l'Ermitage, à Leningrad. Une excellente famille d'Aix-en-Provence.

3

« Les steppes
de la bonne ville d'Aix »

« Les steppes de la bonne ville d'Aix. » C'est ce que dit
Cézanne, dans ses vieux jours, au hasard d'une lettre à son
ami Louis Aurenche. Oui, les steppes. Curieux. Inattendu.
A y réfléchir, cela veut sans doute dire que Aix, c'est vraiment son horizon, lointain, secret, profond. Son Asie centrale. Le vertigineux espace de sa peinture. L'espace du
dehors et du dedans. Qu'il n'a jamais fini de parcourir,
cavalier sauvage rétif à subir le mors et le harnais de
Paris.

Le fait est qu'il y revient souvent, toujours. Qu'il y passe
sa vie, pour tout dire. Et avec beaucoup d'amour. Mais
amour ne signifie pas indulgence. Un mois avant de
s'éteindre, il écrit à son fils que l'extrême chaleur du
début de septembre ne peut être favorable qu'à la dilata-
tion des métaux, à l'activité des débits de boissons (des
marchands de bière, précise-t-il, de plus en plus nombreux
à Aix) et à l'épanouissement des « prétentions des intellectuels de mon pays, tas d'ignares, de crétins et de drôles ».
Voilà pour les concitoyens aixois, quand ils se mêlent un
peu trop de faire les beaux esprits. Au même correspondant, deux semaines après : « Quant à moi, je dois rester
seul, la roublardise des gens est telle que jamais je ne
pourrai m'en sortir, c'est le vol, la suffisance, l'infatua-
tion, le viol, la mainmise sur votre production, et pourtant

31

la nature est belle. » On voit que le vieil ours ne désarme pas. Mais le vieil ours a cette phrase : *et pourtant la nature est belle.* Et il est vrai qu'à Aix la nature est partout à la porte. Ce qui sauve tout. Voilà Cézanne, toute sa vie. La campagne l'appelle, la ville ne l'intéresse pas. Il se gardera de la peindre. Elle est toute du côté du monde de l'argent, des affaires, de la banque, des nantis. A Zola, un jour de colère : « Tu n'as pas idée de l'outrecuidance de cette féroce population ; elle n'a qu'un instinct, celui de l'argent. » A vrai dire, il en va de la ville comme du père. La mauvaise humeur agressive n'exclut pas la tendresse.

Il est d'ailleurs tout à fait compréhensible que l'on pût avoir des sentiments mêlés à l'égard de cette petite cité bourgeoise repliée sur elle-même, mais pleine de charmes obscurs. Vers 1850, quand Cézanne sortait de l'enfance, elle avait déjà la réputation d'être tranquille, un peu endormie, pleine de respectabilité nostalgique dans la mesure où son passé de capitale politique et administrative était plus brillant que son présent. Parlements, raffinements aristocratiques, prestiges du comté de Provence, tout était loin. Ne demeurait qu'une grosse bourgade de moins de vingt-cinq mille habitants, enfermée dans des remparts d'un autre âge. Zola, qui a évoqué Aix, on le sait, sous le nom de Plassans, disait dans *la Fortune des Rougon* : « Comme pour s'isoler davantage et se mieux enfermer chez elle, la ville est entourée d'une ceinture d'anciens remparts qui ne servent aujourd'hui qu'à la rendre plus noire et étroite. » *Étroite,* sûrement, avec son lacis de petites rues. *Noire :* Zola voulait sans doute dire que ces fortifications, pourtant couronnées de lierre, pesaient de leur poids d'ombre, de murailles. Mais la ville n'avait rien d'industriel. Au contraire, une grosse place agricole par certains côtés. Résolument tournée vers la campagne, vers les Alpes. Le centre, il est vrai, gardait un caractère marqué d'élégance urbaine. A cause du Cours.

Ce Cours, qui ne deviendra le cours Mirabeau qu'en 1876, est non seulement la grande artère où l'on déambule et se fait voir, où les cafés à la mode substituent leur prestige à celui des façades des vieux hôtels, mais il est surtout la ligne de partage d'une certaine sociologie aixoise. Toujours existante, d'ailleurs. Rive nord, le peuple, la roture. Rive sud, l'élite, les privilégiés. Ici, les boutiques, le commerce et, en remontant franchement jusqu'aux collines de Saint-Eutrope, les négociants, les agriculteurs, les journaliers même. Là, le beau monde des hôtels particuliers et de leurs jardins, les descendants de l'ancienne noblesse ou de la vieille magistrature. On ne se mélange pas. C'est tout juste si, au nord-est de la ville, le quartier Saint-Louis réalise un certain mixage en accueillant les gens des professions libérales et du barreau, petits-bourgeois moins raffinés que les aristocrates et moins riches que les commerçants. Mais qui donnent à Aix cette sagesse mi-grise mi-dorée qui semble lui ouvrir un avenir, une culture.

C'est là que Cézanne grandit. Il va à l'école primaire de la rue des Épineaux. Il regarde les couleurs du marché. Il voit les olives, les amandes, offertes à pleins paniers. Les pommes, bien entendu. Le grain, le vin, l'huile, les jours de foire. Les étoffes, les draps, les cotonnades. Il passe devant les boutiques, le cordonnier, le coiffeur, le confiseur. Il s'arrête sur les places, sous les grands ormeaux, dans le murmure des fontaines. Devant les façades de miel brûlé des demeures qui portent les noms des Maynier d'Oppède ou des Forbin. Mais, aucun doute possible, c'est la campagne qui le réclame : il s'échappera, chaque fois qu'il le pourra, de la clôture urbaine.

Il ne verra donc pas vraiment la ville se transformer. Se transforme-t-elle, d'ailleurs ? A tout petits pas. Insensiblement. Des détails bougent, en ce milieu du siècle. Par exemple, les becs de gaz, qui succèdent à l'éclairage à l'huile, apparaissent dans les rues du centre alors qu'il est enfant. Des platanes sont plantés sur le Cours à la place des anciens ormeaux, dans les dix années qui précèdent 1850. La grande fontaine de la Rotonde, due à l'ingénieur Tournache, s'édifie bientôt au bas du Cours. Bref, Aix prend peu à peu le visage qu'elle aura à la fin du siècle. S'urbanise-t-elle vraiment? S'industrialise-t-elle un peu? De toute façon, Cézanne, peintre, n'est pas homme à témoigner de ce genre de choses. On remarquera toutefois, si l'on a l'œil bien ouvert, que, sur certaines de ses toiles, de menus détails laissent apparaître, dans l'environnement d'Aix, des indices d'un équipement moderne, d'un commencement d'industrialisation. Ainsi, dans plusieurs de ses *Sainte-Victoire*, et notamment celle qui s'appelle *la Montagne Sainte-Victoire et le Viaduc*, on peut apercevoir le détail des fins arceaux du viaduc construit sur la vallée de l'Arc pour le chemin de fer qui reliera Aix à Rognac ou à Marseille : installation ferroviaire qui marque une étape dans le progrès de la ville et dont Cézanne, souvent attiré par Marseille, Gardanne ou l'Estaque, deviendra l'un des actifs usagers. A noter également ce tableau qui s'appelle *Usine près de la Sainte-Victoire* (et c'est bien la seule fois que le mot *usine* éclate comme cela, tout cru, dans un des titres de sa peinture), où l'on voit les deux cheminées fumantes de quelque tuilerie ou plâtrerie dans un paysage qui lui est familier : la ville, dans ses environs, se dotait de quelques fabriques qui modifiaient sa physionomie.

Tout cela ne contribuait guère à l'égayer. Si l'on réfléchit bien, les trois seules choses qui donnaient un peu de gaieté à Aix, c'était : la fanfare municipale, les parades militaires et, plus tard, le Carnaval. La fanfare, Cézanne enfant l'appréciait beaucoup : il y était « deuxième piston », tandis que Zola tenait la clarinette et, toute sa vie, il a été attaché à son piston qu'il emmenait à Paris, qu'il conservait religieusement (on le voit même très distinctement dans le tableau *les Grosses Pommes*). Les parades militaires, elles, étaient éclatantes parce que Aix était ville de garnison et accueillait, par exemple, les militaires aux uniformes chamarrés des régiments qui partaient pour la guerre de Crimée : ces débauches de couleurs, sur le Cours, auraient pu tenter un peintre, mais il ne semble pas que ce fût le cas. Le Carnaval, c'était une autre fête de la couleur, en même temps d'ailleurs que du travestissement, de la moquerie, de l'irrespect, et de la cavalcade : peu de tentations, là encore, un *Mardi gras*, avec son Arlequin et son Pierrot, peut y faire penser, rien de plus. Visiblement, l'univers de Cézanne n'est pas là. Il n'est pas dans la ville, même si cette ville est parfois pour lui l' « Athènes du Midi ».

Se promener aujourd'hui dans Aix-en-Provence n'aide guère à retrouver la présence de Cézanne. A ceci près que son nom est partout. Si la banque « Paul-Cézanne » n'a jamais existé, en revanche l'hôtel Cézanne, le lycée Cézanne, le cinéma Cézanne, la maison de retraite Cézanne, le garage Cézanne, l'avenue Cézanne existent. Débauche, tardive, du nom. Revanche excessive du sort. On ne peut que s'en féliciter.

Mais la mémoire, dans tout cela ? Si l'on regarde la façade de la maison où se trouvait la chapellerie du père, près du café des Deux-Garçons, à l'angle de la rue Fabrot et du cours Mirabeau, à l'ouverture de cet étroit « passage » Agard qui conduit vers le marché coloré et la foire à la brocante de la place des Prêcheurs, on peut lire encore sur la façade, en lettres effacées, au-dessus d'un beau magasin stylé de « sacs et bagages », *CHAP... GROS ET DÉTAIL...* et, sur le mur latéral de la maison, *LA PRÉVOYANCE, RENTES VIAGÈRES, DOTATIONS D'ENFANTS, VIE...*, ce qui semble résumer toute une époque. En remontant un peu plus haut vers le centre, on peut gagner la rue des Épineaux où il allait à l'école avant d'entrer au pensionnat Saint-Joseph, jolie rue tout en courbe, débouchant sur la place des Trois-Ormeaux, parsemée de ces boutiques de luxe et de ces magasins d'antiquaires caractéristiques d'Aix. Beaucoup de ces rues sont maintenant « piétonnes », et il est assez agréable d'y déambuler au milieu d'une foule où les touristes voisinent avec les étudiants, les jeunes cadres et leurs épouses avec les marginaux. Mais la foule peut devenir grouillement, l'été par exemple, en période de festival, et la vieille cité s'engorge. On pourra pourtant toujours se frayer un chemin vers les lieux qui ont jalonné la vie de Cézanne. La rue de l'Opéra, où il est né, le collège — actuel lycée Mignet — où il a été élève, l'église Saint-Jean-Baptiste-du-Faubourg, sur le cours Sextius, où il s'est marié, la rue Boulégon où il est mort (et où l'on trouvera une plaque évoquant son souvenir), sans parler de l'atelier des Lauves où il s'est installé à la fin de sa vie, bien au-delà des remparts dont il ne reste aujourd'hui sur le boulevard extérieur que la vieille tour Tourreluque, au bord du parc de l'hôtel Sextius. Une promenade. Un itinéraire. L'itinéraire de la vie de tous les hommes, marquée par les événements de toutes les vies.

Et on terminera par le cours Mirabeau, centre et épine dorsale, vers quoi l'on est inévitablement ramené. Occasion d'y rêver à ce qu'il pouvait être alors. Certainement pas le parc à automobiles qu'il tend à devenir. Un espace large et ouvert, balisé par

des fontaines, où la promenade était à la fois ostenta-
tion et respiration, comme peuvent en donner l'idée
des collections de cartes postales jaunies ; beaucoup
plus parlantes que tout ce que Cézanne, toujours
muet sur le cœur de cette ville, aurait pu peindre et
n'a pas peint. Peu importe, d'ailleurs. Il n'était pas
étranger aux prestiges de la grande artère. Dès 1866 —
il avait alors vingt-sept ans — son ami Guillemet,
dans une lettre à Zola, le voyait ainsi : « Son physique
est plutôt embelli, ses cheveux sont longs, sa figure
respire la santé et sa tenue elle-même fait sensation
sur le Cours. » Sensation sur le Cours. *Parmi la*
bonne bourgeoisie : les robes, les souliers fins sur le
pavé, les équipages. Et, bien entendu, les cafés, où les
artistes se joignaient aux officiers ou aux étudiants,
où l'on écoutait un piano ou un violon, notamment
le Café Clément (le « Caf' Clém ») et, plus tard, les
Deux-Garçons.

Mais l'humeur maussade ne tardera pas à sub-
merger tout cela. Peu à peu, Cézanne ne reconnaît
plus sa cité. Les images de l'enfance s'effacent. Tout
se transforme. Des quartiers nouveaux apparaissent.
Que dire aujourd'hui ? Si la vieille cité reste assez
fidèle à ce qu'elle a été, toute la périphérie d'Aix
change de caractère, s'étend en zones nouvelles, voit
des ZUP et des ZAC se développer partout. Et, au
centre même, les problèmes de circulation et de par-
king, les bornes, les piquets, les dallages, les béton-
nages, les chantiers, les changements à vue de pers-
pectives ou de détails, les mille embûches du confort
moderne de la rue, invitent à maugréer. Or, Cézanne
précisément maugréait, confiant à Émile Bernard :
« *La ville d'Aix est gâtée par l'agent voyer, il faut se*
presser de voir, tout s'en va. Avec les trottoirs, on a
ruiné la beauté des vieilles villes ; la plupart des rues

anciennes ne peuvent s'en accommoder ; et puis,
pourquoi des trottoirs dans des villes comme celle-ci ?
Deux ou trois rues en ont tout au plus besoin ! On
pouvait laisser les autres comme elles étaient ; non,
c'est une manie d'aligner, de déranger l'harmonie
des temps. » *Une* manie, *en effet.*

4

Tronc de cône et seau de bois

Un homme est là, debout, nu, devant les élèves. Le corps est harmonieux, bien proportionné, solidement charpenté. La tête est légèrement tournée vers la gauche et inclinée en avant : cheveux noirs, assez plaqués, barbe noire en pointe, nez droit, paupières discrètement baissées. Les bras croisés derrière le dos, dégageant la force musculeuse des épaules. Le ventre est plat, légèrement ptosé. Le sexe n'est pas vraiment visible : se devinant simplement, dans un fourré d'ombre pileuse, mais se devinant bien. La jambe est un peu avancée, imperceptiblement fléchie, pour mieux soutenir le poids du corps.

Un bel équilibre. L'homme, dans la force de l'âge, est un journalier, ou un maçon, peut-être un ouvrier chapelier, peut-être un gardien de barrage. On le paie 1 franc la séance pour poser devant les élèves. La salle est éclairée par un bec de gaz et quelques lampes à huile : la lumière des cours du soir. Il y a des tabourets, des chaises un peu partout. Des vieilles gravures, des esquisses aux murs. Des crânes, des plâtres, des bustes, des moulages sur des étagères. L'homme est sur un tréteau près d'un petit poêle à charbon. Il reste parfaitement immobile, garde scrupuleusement la pose. Il faut bien l'observer, prendre les mesures justes, manier le fusain ou le crayon avec précision et souplesse. Fixer cette nudité. Cette vigoureuse et belle nudité masculine. La nudité féminine n'entre pas ici.

En revanche, l'anatomie d'un corps d'homme est le symbole même des préoccupations que l'on a pu appeler d'*académie*. Cela, parce que les modèles ne pouvaient poser ailleurs que dans les *académies* de dessin ou de peinture. Mais y avait-il si loin des jardins d'Academos de Platon à ces lieux d'étude ?

En tout cas, ici, nous sommes à l'École de dessin d'Aix-en-Provence, et Cézanne, parmi les élèves, aiguise son crayon, essaie de ne rien perdre de cette *académie*, tente de faire ses preuves dans cet exercice irremplaçable et vénéré qu'est « l'étude du modèle vivant ».

École de dessin non négligeable. Mais, avant de voir comment Paul s'y comporta, il n'est pas interdit de s'interroger sur ses relations avec le dessin et la peinture à l'école tout court. Et même à la maison. Il paraît qu'on lisait en famille *le Magasin pittoresque*, périodique populaire de l'époque, cher aussi au cœur et aux yeux de l'enfant Rimbaud, dont beaucoup d'illustrations étaient en noir et blanc : le petit garçon, muni d'une boîte d'aquarelles que son père, toujours à l'affût de bonnes affaires, avait acquise dans un lot de marchandises d'occasion, les coloriait avec application. Si l'histoire n'est pas vraie, elle est bien ajustée. Cadeau imprudent du père. Attention sage et un peu laborieuse du gamin. On le voit, comme tous les enfants du monde, les yeux penchés sur l'image, le bout de la langue sorti, le petit pinceau entre les doigts, essayant de ne pas déborder. Il pourra donner un excellent exemple à sa sœur Marie qui, comme toutes les jeunes filles bien éduquées, fera non seulement du piano, mais de l'aquarelle, art d'agrément s'il en est. Et Marie, de son côté, l'observait. Elle a raconté, sur le tard, qu'un jour, à cinq ans, il avait tracé sur un mur, au charbon, un pont plus vrai que nature. On dit aussi qu'au pensionnat Saint-Joseph, il aurait appris les rudiments du dessin, d'un moine espagnol.

40

Côté collège, rien de probant. On fait bien du dessin d'imitation et de la peinture dès la cinquième, mais Paul ne semble pas très passionné. A l'heure des échéances, il n'obtiendra rien en dessin, ni prix ni accessit. En revanche, il brille partout ailleurs. Premier prix d'excellence une année, comme Zola dont il se sentira toujours complice et « pair » (un cran très nettement au-dessus de Baille). Très bon en latin — et toute sa vie, il pratiquera avec amour Horace, Virgile ou Apulée. Bon en sciences. Bon en instruction religieuse. Bon en littérature — y compris la littérature contemporaine que découvrent ces jeunes gens, vibrant à Hugo, à Musset. Fasciné par Racine. Tout cela n'empêchant pas, d'ailleurs, un très fort esprit « potache », parfois un peu excessif, un peu niais, ruisselant de pédantisme bon enfant, comme en sécrètent ces collèges de province où un humanisme théâtral essaie de se frayer un chemin entre la férule du *magister* et la cornette de la religieuse préposée à la lingerie ou à l'office. On truffe les conversations ou les lettres de mots latins, on déclame des actes de tragédies ou de drames, on parle en vers, on transforme la rhétorique en opéra-bouffe, on est grimaud jusqu'au bout des ongles et du cerveau. Il faut bien réagir contre l'atmosphère grise et benoîte de ce collège Bourbon qui étend son austère façade rue Cardinale, dans les beaux quartiers de la ville, comme pour protéger les élèves du bruissement de la vie.

Tout cela dans le travail, la fièvre, le plaisir. Mais non sans tensions secrètes, sans conflits. Car des groupes, des clans existent, des antagonismes se créent. Ainsi, Zola, dès les petites classes, est toujours apparu comme un étranger. Italien par son père et parisien par son accent : « franciot », mal intégré, mal accepté. Cézanne, d'instinct et d'amitié, est de son côté. Il est toujours avec lui, toujours solidaire de cette espèce de fragilité pensive qui est la sienne, bien qu'ils ne soient pas dans la même classe. Il le défend physiquement s'il y a lieu. Une anecdote (une *autre* anecdote, les anecdotes cézanniennes sont innombrables) raconte qu'un jour qu'il avait pris sa défense contre un groupe d'élèves résolu à le mettre à l'écart, il fut roué de coups par les agresseurs et reçut en remerciement d'Émile un superbe panier de pommes. Trop belle histoire, bien entendu. Encore plus belle que celle de la boîte d'aquarelles. Car tout est parti de là, on peut s'en douter. Cézanne lui-même aurait authentifié la chose, disant un jour : « Tiens, les pommes de Cézanne, elles viennent de loin ! » Comment, de toute façon, les pommes ne viendraient-elles pas de loin ? Elles viennent du plus profond de la mémoire et de la sensualité. Il n'est peut-être pas besoin de ce panier pour penser que l'adolescence de Paul, qui était sensible à la douceur de l'eau et à la chaleur de la lumière, ait pu être sensible à toute la plénitude qu'il y a dans la rondeur d'une pomme. Un critique, Meyer Schapiro, l'a dit : « La place accordée à la pomme dans un thème d'amour invite à s'interroger sur l'origine affective de sa prédilection pour les pommes dans sa peinture. » Un poète d'aujourd'hui, Guillevic, l'a dit d'une autre manière, sans parler de lui directement, mais en montrant la tendresse pleine qui se cache dans le *rond* de la pomme, qu'une sensibilité d'enfant en éveil doit capter plus qu'aucune autre :

ROND

Qu'est-ce qu'il y a donc
De plus rond que la pomme ?

Si lorsque tu dis : rond,
Vraiment c'est rond que tu veux dire,
Mais la boule à jouer
Est plus ronde que la pomme.

> *Mais si, quand tu dis : rond,*
> *C'est plein que tu veux dire,*
> *Plein de rondeur,*
> *Et rond de plénitude,*
>
> *Alors il n'y a rien*
> *De plus rond que la pomme.*

Mais l'enfance ne dure pas. Les années de collège s'envolent. Paul passe son baccalauréat ès lettres en 1858 et se retrouve étudiant en droit à Aix. Le droit, c'est évidemment le choix du père : c'est le sérieux, la sécurité, le réalisme, les affaires peut-être, la seule voie pensable. Pour le fils, c'est un nœud de noirceur et de fantasmes. Il n'y a que de mauvais alexandrins pour exprimer cela. Heureusement, le collège lui a appris à les faire :

> *Hélas, j'ai pris du droit la route tortueuse,*
> *— J'ai pris n'est pas le mot, de prendre on m'a forcé !*
> *Le droit, l'horrible droit d'ambages enlacé*
> *Rendra pendant trois ans mon existence affreuse !*

Autre variation :

> *Ô droit, qui t'enfanta, quelle cervelle informe*
> *Créa pour mon malheur, le digeste difforme ?*

C'est là qu'intervient l'École de dessin. Elle a au moins le mérite d'exister. D'être le lieu d'Aix-en-Provence où les beaux-arts ont une petite chance de se manifester. Créée en 1776 par le duc de Villars, gouverneur de Provence, supprimée à la Révolution, elle avait été transférée en 1828 au rez-de-chaussée du prieuré de Malte. A courte distance du collège Bourbon. Paul devait vite apprendre à s'y rendre. Après tout, c'était dans les écoles de ce genre

43

qu'on apprenait le métier, même si l'enseignement y était, en effet, parfaitement académique. Il le savait bien, mais, puisque sa famille lui permettait sans trop rechigner de fréquenter cet établissement de bon aloi et, en outre, gratuit, il jouait le jeu. Il le jouait si bien qu'en 1859 il obtint un prix : un deuxième prix de la seconde division de peinture, pour une étude de la figure, exactement « une étude de la tête d'après le modèle vivant peinte à l'huile et de grandeur naturelle ». Peinture et non dessin, comme pouvait le laisser croire la vocation principale de l'École. Son prix lui fut remis solennellement : un « album en veau » qu'il reçut au milieu des aménités d'une charmante petite fête municipale, avec des plantes vertes, des arbustes, des drapeaux, une estrade, des « biscuits doux et amers, arrosés de sirop d'orgeat et de bière » pour les membres du corps de musique et les invités. Tout le monde dut être attendri, même le banquier.

Que se passait-il derrière tous ces flonflons ? Rien de décisif, bien entendu, qui pût illuminer un futur peintre. Rien non plus qui lui fût inutile. Non seulement il apprenait les gestes de son art, mais encore il rencontrait là des condisciples qui formaient autour de lui un réseau d'amitié et de fréquentations actives. Une communauté de réflexion et de pratique. Philippe Solari, qui devait devenir sculpteur. Auguste Truphème, qui voulait devenir peintre. Numa Coste, d'origine sociale très humble, qui sera vite un ami très proche. Joseph Villevieille, qui se veut peintre aussi, mais dans le goût traditionnel et prudent : il y parviendra, prenant un jour tout naturellement le relais de l'enseignement du dessin à l'École. Joseph Huot, tourné aussi vers le théâtre et l'architecture. Jean-Baptiste Chaillan, venu du village voisin de Trets, avec la ferme détermination de faire aussi bien que Rembrandt ou que Van Dick. Toute une constellation de jeunes gens doués tournent autour de Paul, qui rêvent obscurément et clairement à la fois d'être des « artistes », avec toute la coloration que le romantisme et les récentes secousses infligées par l'histoire à la société bourgeoise donnent alors à ce terme. Artistes, oui, avec ce que cela implique de compagnonnage et de solidarité. Leur champ de dialogue et de rencontre, d'ailleurs, déborde largement le dessin et la peinture. D'abord, il y a eu Zola, toujours présent, même si des nécessités familiales l'ont contraint d'aller rejoindre sa mère à Paris. Il y a aussi cet étonnant Antoine-Fortuné Marion, qui ne touche à la peinture que d'assez loin, mais qui deviendra plus tard une sommité de la recherche zoologique et directeur du musée d'Histoire naturelle de Marseille : on peut se demander, à maints indices, s'il n'a pas été un des tout premiers à comprendre le génie de Cézanne, à lui faire absolument confiance et, en un sens, à mettre son intuition d'homme de la matière vivante au service d'une vraie « lecture », quasi biologique, quasi géologique parfois, de sa peinture. Un entourage actif, par certains côtés une équipe.

Mais Cézanne a toujours une certaine façon d'être seul au milieu des autres. De l'École de dessin, il tire tout le profit qu'elle peut lui apporter, mais, en même temps, il la considère avec tout le recul critique qui s'impose. Son attitude à l'égard du directeur — en même temps son professeur — Joseph Gibert rappelle un peu celle qu'il eut à l'égard de son père ou de la ville d'Aix. Mélange de ressentiment et de reconnaissance affectueuse. Gibert pouvait-il vraiment lui apprendre quelque chose ? Oui, mais rien d'autre que ce qu'il savait et lui paraissait intangible. Les principes académiques, le culte de l'antique, le respect de l'autorité de David, l'art empesé de portraiturer les grands et les notables, le pourléchage des paysages. On comprend que Cézanne le traitât avec un manque de révérence bourru. Il l'appelait *papa Gibert* ou *le père Gibert*, ou *Gibert pater*, pour le distinguer de son fils, Honoré, qui était son condisciple et deviendra à son tour, plus tard, directeur de l'École, mais aussi par familiarité impatiente. Le latin lui sert en outre pour dire sans ménagement la médiocre estime artistique dans laquelle il le tient. *Gibert pater, mauvais pictor*, dit-il d'une manière un peu macaronique dans une lettre à Numa Coste de novembre 1868, où il raconte que l'incommode directeur s'était fait dire un jour publiquement « Je t'emmerde » par un certain sieur d'Agay, jeune *fashionable* qu'il ne voulait pas laisser entrer dans son établissement la canne à la main. Mais manque de révérence ne signifie pas manque de respect. Cézanne ne devait pas oublier que Gibert avait été son maître, un bon pédagogue en somme, qu'il lui avait appris la persévérance et la patience, « mère du génie », et il ne lui demandait pas plus qu'il ne pouvait donner.

Ce qu'il ne pouvait donner, c'était son approbation, plus tard, à une certaine orientation de son élève qui le rendait solidaire de certains scandales picturaux. Gibert lisait les journaux et s'informait. Il voyait avec stupeur où allaient ces jeunes artistes. « Je saurai bien me faire une idée des dangers que court la peinture, en voyant vos attentats », disait-il. *Vos attentats !* Le propos est rapporté par Cézanne lui-même, qui fait part à Pissarro dans une lettre de 1874, de sa consternation devant l'attitude du directeur de l'École de dessin d'Aix. Consternation qui n'est pas surprise. Car, au fond, il le sait bien, son maître n'est pas un artiste. Il est un *professeur*. Et il le sera toujours. Il en a la révélation définitive sur le tard, un jour de 1878 où il relate à Zola la scène suivante — rencontre avec le vieux maître retrouvé : « En allant à Marseille, je me suis accompagné avec M. Gibert. Ces gens-là voient bien, mais ils ont des yeux de professeurs. En passant par le chemin de fer près de la campagne d'Alexis, un motif étourdissant se développe du côté du levant : Sainte-Victoire et les rochers qui dominent Beaurecueil. J'ai dit : " Quel beau

motif ! " ; il a répondu : " Les lignes se balancent trop ". »
Cézanne préfère n'en pas dire davantage et poursuit la
lettre en informant son correspondant que Joseph Gibert
a dit beaucoup de bien de *l'Assommoir*. Et il conclut le
passage par ces mots : « Avec ça, c'est sans nul doute celui
qui s'occupe le plus et le mieux d'art dans une ville de
vingt mille âmes. »

Gibert s'occupait d'art, en effet. Il était peut-être un
mauvais peintre, mais il n'était pas un mauvais directeur.
Et, à tout prendre, son École avait quelque chose à offrir.
Il se peut même qu'elle n'ait pas uniquement sacrifié au
buste, au plâtre, au modèle vivant. On pouvait lire quelque
part dans le programme des études : « Afin de rendre
l'enseignement moins aride, le professeur doit, par
exemple, après la représentation du cube, aborder celle
d'une caisse à fleurs ou d'un objet analogue ; après le
tronc de cône, faire dessiner un seau de bois. » Leçon qui
ne fut pas perdue.

Dépendant de l'École, il y avait le musée. Il y a tou-
jours le musée. C'est le musée Granet d'Aix, devenu
musée des Beaux-Arts. Un important legs du peintre
aixois François-Marius Granet, disciple et protégé
d'Ingres (qui devait d'ailleurs le portraiturer d'une
manière flatteuse ; le tableau est offert à qui veut le
voir, au centre d'une grande salle, aujourd'hui), y
entrait dès 1849, lui donnant son nom. Mais il semble
que c'est à une autre collection plus tardivement
accueillie, la donation Bourguignon de Fabregoules,
que Cézanne se soit surtout intéressé. S'il s'intéressait
à quelque chose. Car, bien évidemment, il maugréait.
« J'ai tout trouvé mauvais, disait-il à Zola en 1866,

c'est très consolant. » *Cela, pourtant, ne l'a pas empêché de copier ce qu'il voyait.* Copier, on le sait, était l'apprentissage de l'art par excellence. Un bon écolier du dessin et de la peinture devait d'abord s'astreindre à copier *avec humilité l'œuvre des maîtres. Et s'il n'y avait pas de maîtres ? Eh bien, on* copiait *ce qui s'offrait. C'est ce que Cézanne fit avec le musée de son École.*

Inutile de dire qu'aujourd'hui il est émouvant de voir ce qu'il a ainsi imité et reproduit. D'autant plus que le musée des Beaux-Arts d'Aix a fait un effort sensible pour permettre au public d'apprécier l'objet de la copie en relation avec le travail de Cézanne, dans une salle qui lui est enfin consacrée. On verra là, par exemple, le Prisonnier de Chillon *de Louis-Édouard Dubufe, très romantique-byronien-shakespearien. Le merveilleux est que le tableau est figé dans la solennité et le pathétique, alors que la* copie *de Cézanne tremble : sans doute de maladresse ou de gaucherie, mais elle s'assombrit et tremble. On verra également* le Baiser à la muse *de Félix-Nicolas Frillie, romantique-mussetiste-archangélique. Là encore, la copie appelée aussi* le Rêve du poète, *merveilleusement, tremble : la mère de Paul s'enthousiasmera pour ce* « chef-d'œuvre », *l'accrochant, selon John Rewald,* « toujours dans sa chambre et qui l'emportait à chacun de ses déménagements entre leur maison en ville et le Jas de Bouffan » *(on comprend cette piété admirative, un tableau si vrai, un sujet si haut, un enfant si doué ! ah, la vertu de la peinture imitative et narrative !). On verra enfin la* Nature morte : pêches dans un plat (*ou* pêches sur un plat de Delft), *due, anonymement, à l'École française du* XVIIe *siècle. Là, la main de Cézanne ne tremble pas. C'est autre chose qui se passe. Ces pêches, il les recadre, il les rap-*

proche, il les reconstruit. Il modifie les plans, les lignes et les axes qui les portent. Il déplace leur équilibre. Autrement dit, ces pêches sont des pommes! Pas d'erreur possible. C'est feu Henri Malbos, l'ancien conservateur du musée Granet, qui l'a dit, s'interrogeant sur une attribution possible de la nature morte à un peintre hollandais et rêvant un jour sur l'idée que peut-être « *ces pêches de Hollande sont les ancêtres de toutes les pommes de Cézanne* ».

Tout cela pour dire que Cézanne copie à sa manière. Et il suffira de poursuivre la promenade à travers les salles du musée d'Aix, pour confirmer l'expérience. On découvrira que de nombreux emprunts, conscients ou non, ont été faits par lui aux œuvres les plus diverses, ce qui prouve au moins qu'il les avait regardées. Mais de telle manière que ce regard-là impliquait déjà transformation et métamorphose. De fait, chaque fois qu'un rapprochement possible a été signalé, il peut convaincre, mais ce qui convainc encore davantage, c'est la façon dont le peintre, avec de l'ancien, a fait du nouveau.

Ainsi, la Tentation de saint Antoine *attribuée à David Teniers. Elle est aussi au musée d'Aix, on peut l'y voir. Mais ce qu'on remarque, si on la compare à* la Tentation *que peignit Cézanne (requis en outre, bien sûr, par l'œuvre de Flaubert), c'est que l'image de la femme tentatrice en est absente : chez lui, elle revient triomphante, avec tous les défis de la nudité au cœur de la toile. S'il se souvient, pour sa* Femme au perroquet *et sa* Fillette à la perruche, *de deux tableaux de Netscher et de Drolling, c'est pour infléchir ces portraits de dame et de paysanne vers une représentation familière de ses deux sœurs. Si l'on prend le* Vieillard méditant sur une tête de mort *de Granet, on constate que, chez Cézanne, il devient un* jeune homme : *étrange renversement du temps et des figures. Si l'on prend* l'Homme fumant la pipe *d'un Hollandais du* XVIIe *siècle et si on le compare au* Fumeur accoudé *de 1890, on note que la pipe du premier est horizontale, celle du second penchée, tirée vers la terre par le poids de la vie et celui de la peinture. Si l'on examine enfin les* Joueurs de cartes *des frères Le Nain dont on sait qu'ils ont pu être à l'origine des célèbres* Joueurs de cartes, *on voit la différence : là les cartes sont montrées, les visages font face et les bustes sont droits, ici les cartes sont serrées dans les mains des hommes, les profils s'inclinent et les dos se voûtent. Décidément, il y a toujours quelque chose qui transforme et qui altère. Qui tire vers un ailleurs. Et que ne peut expliquer la seule liberté du pinceau.*

Et pourtant, cette liberté est souveraine. Il est clair que, devant les grandes œuvres à imiter, Cézanne est sans complexes. C'est ainsi que, pour rester dans ce fameux musée Granet, il n'est pas inintéressant de voir que la pièce qui en est peut-être la parure la plus illustre, la grande toile Jupiter et Thétis *d'Ingres, a fait l'objet de sa part, alors qu'il avait vingt ou vingt et un ans, d'une imitation qui est un chef-d'œuvre. d'ironie : le grand Zeus qui, de l'aveu d'Ingres lui-même, « sentait l'ambroisie d'une lieue », de solennel devient comique tendre, de brun devient blond, c'est son bras gauche qui se lève au lieu de son bras droit, tandis que le droit, justement, se libère pour enlacer — comble de désinvolture — la taille de la suppliante Thétis. Glissement d'Homère à Offenbach, en quatre coups d'encre et de plume. Si le génie commence avec l'irrévérence, le génie est là, avec sa fraîche drôlerie.*

Telles sont les surprises que réserve le musée Granet. On comprend que le conservateur qui en prit la direction à partir de 1892, le sculpteur Auguste-Henri Pontier, se soit juré qu'aucune toile de Cézanne n'y entrerait de son vivant. L'ostracisme a duré largement au-delà de sa mort. La réparation est venue aujourd'hui, en 1984.

5

Zola assis

Zola est assis, pratiquement au niveau du sol. Sur une sorte de tapis ou de couverture, claire, un coussin dans le dos, un autre sous le coude. Les jambes repliées. Il écoute Paul Alexis lui faire la lecture. Zola sait bien que l'écriture passe par la lecture. Il paraît très attentif, concentré même. Les sourcils sont un peu froncés, la barbe bien taillée donne au bas du visage un air sévère. Comme il porte une veste d'intérieur claire, elle aussi, il a une allure un peu exotique, vaguement coloniale, sur son tapis de laine. Pour un peu, on croirait qu'il va tirer sur un narghilé ou une pipe d'opium. Mais non, il écoute, mystérieux, un peu gourou, sagement Paul Alexis. Celui-ci est un Aixois et un admirateur fervent de Zola. De l'admirateur, il a en effet l'attitude, à la fois proche et déférente. Proche, parce qu'il est là, à peine à un mètre de son auditeur, en train de lire un manuscrit ou un livre, on ne sait pas (la peinture fait saillir des traits blancs, vifs, fortement nervés, qui montrent bien le froissement des feuillets et l'éclat de la page, mais rien de plus), qu'il place à distance correcte de ses yeux. Déférente, parce que, tandis que Zola est paresseusement au sol, lui est perché sur une petite chaise qui le met en position surplombante, mais dans le cas de se pencher pour lire. Il a, lui aussi, barbe et cheveux noirs. Il porte une veste, noire également. Un pantalon marron bordé d'un galon foncé. Il doit faire chaud, et c'est sûrement la nuit. A travers la fenêtre ouverte, dont on aperçoit un bas de persienne grise soigneusement peint, du noir, derrière la tête de Zola. Le tableau s'appelle *Paul Alexis lisant à Zola*. Cézanne a su parfaitement voir les deux hommes, même s'il donne l'impression de les avoir un peu trop fait poser. La scène se passe à Paris en 1869.

Zola a alors vingt-neuf ans, et il a déjà fait beaucoup de chemin pour parvenir à cette situation que l'on ne pourra appeler qu' « assise ». Non sans mal, non sans humiliations, non sans souffrances. Mais, quand Cézanne se mettait à l'œuvre à l'École de dessin, il avait été obligé, lui, de quitter Aix avec son grand-père pour rejoindre à Paris sa mère placée dans l'obligation de modifier complètement les conditions de leur vie en face d'une situation matérielle difficile et même angoissante. Donc, Paris. Mais Paris dans la misère. Une bourse lui permet de finir ses études au lycée Saint-Louis. Il est ensuite amené à gagner sa vie, en obtenant un emploi de gratte-papier dans l'administration des docks, avant d'entrer chez Hachette où il ficellera d'abord des paquets, puis travaillera au service de la publicité, ce qui lui permettra de rencontrer des écrivains : son rêve et son tremplin. Mais tout cela se payant très cher. Les contraintes et les dégoûts d'un travail bureaucratique, de redoutables épreuves de santé (une fièvre typhoïde paralysante), le sentiment obsédant de la pauvreté de sa mère, et la volonté, au milieu de tout cela, de noircir tout de même des pages à tout prix, d'aligner des vers, la nuit, n'importe quand, dans le froid, dans l'inconfort, dans les privations de toutes sortes, sous le toit d'une mansarde. Supplice supplémentaire : les images, dans la mémoire, des rives ensoleillées de l'Arc et de la Torse. Cézanne, lui, est resté à Aix, proche de ses paysages. Et sa condition de vie n'a rien à voir avec celle de Zola. Pourtant, ce dernier insiste pour qu'il vienne le rejoindre. Car Paris est Paris et, pour les écrivains comme pour les peintres, tout se joue là. Émile, dans son acharnement quasi suicidaire, a au moins cette conviction (que Cézanne n'aura jamais) : c'est qu'il faut savoir se donner les moyens de la réussite. Il se les donnera, en serrant les dents. C'est ce qui l'amènera, au bout de huit ans, à être le monsieur *assis* du tableau. A ce moment-là, ce ne sera pas simplement Paul Alexis qui lui montrera révérence et attention, mais beaucoup d'autres. Tous ceux qu'il réunit chez lui, le jeudi, à dîner, pour parler des ambitions et des visées communes. Les Parisiens comme les Aixois. Et Cézanne le premier. Mais, pour l'instant, Paul est resté à Aix. Et le débat passionné qui s'instaure entre eux par correspondance porte sur les grands choix de l'avenir. Qui passent en effet fatalement par Paris.

Curieuse correspondance, à y réfléchir. Puisque nous n'en possédons que la partie Zola. Les lettres de Cézanne semblent perdues, pour cette période 1859-1862. On a donc l'impression que Zola parle tout seul. Mais, de cet étrange monologue, se dégage l'idée très forte d'une nécessaire clarification des vocations artistiques : Zola se veut persuasif, mais sans concessions. Il faut que son ami sache ce qu'il veut comme il le sait lui-même. La peinture et la littérature ne sont pas la même chose. Il importe de réfléchir sur la distribution des énergies que supposent les engagements respectifs du peintre et de l'écrivain. C'est tout le sens de ce débat épistolaire à voix unique. Cela peut, sans inconvénient, commencer par un rêve. Zola le dit d'une manière très précise dans une lettre du 25 mars 1860 : « J'ai fait un rêve, l'autre jour. J'avais écrit un beau livre, un livre sublime que tu avais illustré de belles, de sublimes gravures. Nos deux noms en lettres d'or brillaient, unis sur le premier feuillet, et, dans cette fraternité de génie, passaient inséparables à la postérité. Ce n'est encore qu'un rêve, malheureusement. » Rêve prémonitoire cependant, c'est le moins que l'on puisse dire. Certes, un peu trop de *sublime* dans cette prophétie. Mais l'affirmation, claire, de la *fraternité de génie* (qui n'est pas une affirmation gratuite ; dans une autre lettre, de quelques mois postérieure, il est dit à propos de Baille, le troisième compagnon, l'« inséparable », pourtant très cher au cœur de l'un et de l'autre : « Il n'est pas comme nous, il n'a pas le crâne fait dans le même moule »).

On est en droit de se demander comment Cézanne réagit à ces solennelles déclarations. Probablement d'une manière assez pragmatique, puisque Zola semble insister sur les conditions qui pourraient être celles de leur vie à Paris, s'il venait le rejoindre : une bohème désargentée, bien sûr, mais non sans charmes, sans stimulants artistiques. La curiosité de Paul doit être très vive sur ce point. « Tu me demandes (lettre du 5 janvier 1860) de te parler de mes maîtresses, mes amours sont en rêve. Mes folies sont d'allumer mon feu, le matin, d'allumer ma pipe et de penser à ce que j'ai fait et à ce que je ferai. » Cette préoccupation, de fumer la pipe, paraît dominante et elle correspond certainement à un stéréotype de la vie de bohème que Cézanne doit, mieux que personne, comprendre : « T'avoir auprès de moi, babiller tous deux comme autrefois, la pipe aux dents et le verre à la main, me paraît une chose tellement merveilleuse, tellement impossible, qu'il est des moments où je me demande si je ne m'abuse pas, et si ce beau rêve doit bien se réaliser. »

Paul n'est pas insensible à ces évocations. Mais Zola ne lui permet pas d'éluder le débat qu'il lui propose. A-t-il bien choisi la peinture, comme il a, lui, choisi la poésie ? Peinture, poésie ? Il y a là un croisement, un carrefour où il faut savoir le chemin que l'on va prendre. Zola insiste sur cette question. On n'a peut-être jamais assez dit qu'il ne lui paraissait pas impossible que Cézanne fût un poète potentiel, pût être appelé à s'exprimer par l'écriture. C'est une idée sur laquelle il revient de différentes façons, conscient d'avoir reçu, de recevoir encore de son ami de nombreux vers dont la facture mérite considération. Le 1er août 1860, il lui écrit : « Le poète a bien des manières de s'exprimer : la plume, le pinceau, le ciseau, l'instrument. Tu as pris le pinceau, et tu as bien fait : on doit descendre sa pente. Je ne veux donc pas te conseiller maintenant de prendre la plume et, laissant la couleur, travailler le style ; pour faire une chose bien, il faut faire une seule chose. » Le conseil de Zola est un des meilleurs qu'on puisse donner. Mais comment ne pas noter l'étonnant arrière-regret qui suit ce ferme avis : « Seulement, permets-moi de pleurer l'écrivain qui meurt en toi ; je te le répète, la terre est bonne et fertile ; un peu de culture, et la moisson devenait fertile. » Un an auparavant, Zola avait confié à Baille : « Cézanne, qui n'est pas aussi paresseux que toi — je devrais dire aussi travailleur —, m'a écrit une bien longue lettre. Jamais je ne l'ai vu si poète » (14 janvier 1859).

Fort heureusement, Zola est assez intelligent pour comprendre que la peinture est une autre voie d'accès à ce qu'il appelle *poésie*. Mais là, il plaide l'incompétence (lui qui va bientôt s'engager, tête baissée, dans les plus folles batailles sur l'art de peindre) : « Lorsque je vois un tableau, dit-il le 26 avril 1860, moi qui sais tout au plus distinguer le blanc du noir, il est évident que je ne puis me permettre de juger des coups de pinceau. Je me borne à dire si le sujet me plaît, si l'ensemble me fait rêver à quelque bonne et grande chose, si l'amour du beau respire dans la composition. En un mot, sans m'occuper du métier, je parle sur l'art, sur la pensée qui a présidé à l'œuvre. » Sage et prudente position. Mais, côté *métier*, Zola sent, avec une magnifique intuition, que son ami a vraiment quelque chose à dire et à faire : « Toi, au contraire, toi qui as compris combien il est difficile de placer selon sa fantaisie des couleurs sur une toile, je comprends qu'à la vue d'un tableau tu t'occupes beaucoup du métier, que tu t'extasies sur tel ou tel coup de pinceau, sur une couleur obtenue, etc., etc. Cela est naturel; l'idée, l'étincelle est en toi, tu cherches la forme que tu n'as pas, et tu l'admires de bonne foi partout où tu la rencontres. » Parfaitement juste et parfaitement dit. Pourquoi faut-il que Zola ajoute : « Mais prends garde, cette forme n'est pas tout » ?

Pourquoi, en effet ? Il a peut-être raison. Cette remarque n'est pourtant sûrement pas de nature à combler Paul. Il ne le dira pas. Il n'en pensera pas moins. Émile le remplit d'admiration et, en même temps, par moments, l'agace. Alors il se dérobe, rentre dans sa coquille. Cela donne des malentendus, des difficultés, de menus conflits. Ils portent en germe une certaine incompréhension qui éclatera plus tard. La correspondance en garde la trace : « C'est le vent du siècle qui a passé sur nos têtes, nous ne devons en accuser personne, pas même nous. Puis tu ajoutes que, si je t'ai compris, tu ne me comprends pas. Je ne sais ce que tu entends par ce mot *compris*. Pour moi, voici ce qu'il en est : j'ai reconnu chez toi une grande bonté de cœur, une grande imagination, les deux premières qualités devant lesquelles je m'incline. Et cela suffit ; dès ce moment, je t'ai compris, je t'ai jugé. Quelles que soient tes défaillances, quels que soient tes errements, tu seras toujours le même pour moi. Il n'y a que la pierre qui ne change pas, qui ne sorte pas de sa nature de pierre » (le 25 mars 1860). Le malheur est qu'il y a effectivement un côté *pierre* chez Cézanne et c'est peut-être ce que Zola ne voit pas : l'entêtement, l'enfermement en soi. Paul n'est pas des gens qui changent et se déplient à vue d'œil. Et il ne doit pas tellement aimer qu'on lui parle de ses *défaillances* et de ses *errements.* Il est ce qu'il est, un point c'est tout. Un caractère hypersensible et pas commode. C'est cela que Zola n'arrive pas à *comprendre* certains jours et qui le pousse aux querelles épistolaires. Dans une longue lettre de juillet 1860, à propos des problèmes familiaux de Paul : « La peinture n'est-elle pour toi qu'un caprice qui t'est venu prendre par les cheveux un beau jour que tu t'ennuyais ? N'est-ce qu'un passe-temps, un sujet de conversation, un prétexte à ne pas travailler au droit ? Alors, s'il en est ainsi, je comprends ta conduite : tu fais bien de ne pas pousser les choses à l'extrême et de ne pas te créer de nouveaux soucis de famille. Mais si la peinture est ta vocation — et c'est ainsi que je l'ai toujours envisagée —, si tu te sens capable de bien faire après avoir bien travaillé, tu deviens pour moi une énigme, un sphinx... Veux-tu que je te dise ? — Surtout ne va pas te fâcher : tu manques de caractère ; tu as horreur de la fatigue, quelle qu'elle soit, en pensée comme en action ; ton grand principe est de laisser couler l'eau, et de t'en remettre au temps et au hasard... Tu jettes, me dis-tu, parfois tes pinceaux au plafond, lorsque la forme ne suit pas ton idée. Pourquoi ce découragement, ces impatiences ? Je les comprendrais après des années d'étude, après des milliers d'efforts inutiles... Mais toi qui n'as eu jusqu'ici que l'envie de travailler, toi qui n'as pas encore entrepris ta tâche sérieusement et régulièrement, tu n'es pas en droit de te juger incapable. Du courage donc ! » Ces exhortations sont, on le voit, par certains côtés, de véritables mises en demeure. En quoi elles sont certainement salutaires, pressant Paul de se donner les moyens de sa vocation. Elles n'en trahissent pas moins un certain embarras et une réelle inquiétude. Zola a le sentiment d'une énigme, d'un nœud de contradictions et d'hésitations. Dans le meilleur des cas, il renonce à y voir clair dans les labyrinthes du cœur et de l'esprit de son ami. A Baille (qui avait été mal reçu par Paul) un jour de confidence (le 14 mai 1860) : « Je t'avais bien dit que ce pauvre vieux ne sait pas toujours ce qu'il fait, comme il l'avoue assez plaisamment lui-même ; et que, lorsqu'il vous chagrine, il ne faut pas s'en prendre à son cœur, mais au mauvais démon qui obscurcit sa pensée. » Qu'est-ce que ce *mauvais démon qui obscurcit sa pensée*?

Cézanne, bougon, aurait sans doute haussé les épaules. Il cherchait son chemin dans le doute et le tâtonnement. « Je suis en nourrice chez les illusions », disait-il à cette époque (et c'est encore Zola qui en témoigne dans une lettre). Ce qui ne le gênait pas le moins du monde. Les *illusions* autorisent les sautes d'humeur. Elles ne trempent peut-être pas le caractère, mais elles favorisent la lucidité. Paul est plutôt lucide. Et même au sens le plus étymologique du mot. Il ouvre l'œil. Il voit clair. Par exemple, que Zola lui distribue fleurs ou épines, il le *voit* très bien et très juste, en cette période de leur intense correspondance. Un portrait de 1861 montre le futur romancier la tête penchée, le cheveu court, la joue ombrée, le sourcil méditatif, la barbe et la moustache « jeunes » (très important la barbe, à ce moment-là, pour l'un comme pour l'autre ; Zola à la fin d'une de ses lettres : « Une dernière question : ta barbe, comment la portes-tu ? »). Col et cravate modestes, mais proprets. Un bel artiste, plein de recueillement et de promesses. Pas encore le grave auditeur de Paul Alexis. Ni l'écrivain bien droit, bien net, bien digne, au poil plus sensiblement fourni, à la main majestueuse occupée à bien tenir, à bien montrer un livre, que peindra Manet en 1868. Non, un jeune compagnon de bohème, vaguement baudelairien, rêvant son avenir.

C'est vers ce compagnon-là que va pour l'instant la pensée de Cézanne. Au-delà des discussions et des bavardages épistolaires, au-delà des malentendus passagers, ils ont une envie folle de se retrouver et d'être ensemble. Sans la moindre feinte. Zola fait tout pour décider son camarade à venir à Paris. Et, un jour, c'est Baille qui annonce : « Il est presque certain que Cézanne ira à Paris : quelle joie ! » Émile hésite encore à tenir la nouvelle pour sûre. Mais tout est prêt. Il a plutôt gommé de ses lettres les misères et les efforts de sa vie quotidienne. Mais il a déjà réglé les rythmes de celle de Paul : « Voici comment tu pourras diviser ton temps. De six à onze, tu iras dans un atelier peindre d'après le modèle vivant ; tu déjeuneras, puis, de midi à quatre, tu copieras, soit au Louvre, soit au Luxembourg, le chef-d'œuvre qui te plaira. Ce qui fera neuf heures de travail ; je crois que cela suffit et que tu ne peux tarder, avec un tel régime, de bien faire. Tu vois qu'il nous restera toute la soirée de libre et que nous pourrons l'employer comme bon nous semblera, et sans porter aucun préjudice à nos études. Puis, le dimanche, nous prendrons notre volée et nous irons à quelques heures de Paris ; les sites sont charmants et, si le cœur t'en dit, tu jetteras sur un bout de toile les arbres sous lesquels nous aurons déjeuné » (le 3 mars 1860).

6

Maison et ferme
du Jas de Bouffan

Pendant ce temps, Cézanne était donc à Aix. Son père y avait acheté en 1859 (l'année de ses vingt ans) ce qu'on n'appelait pas encore une résidence secondaire, mais qui était une fort belle maison de campagne : la propriété du Jas de Bouffan. Nom provençal déjà magnifique en lui-même : la Bergerie des Vents. Lieu où il était agréable de vivre, de peindre et de découvrir, dans une de ses plus belles étendues, la campagne aixoise, jusqu'au panorama de la Sainte-Victoire compris.

Cézanne a tellement peint et représenté le Jas de Bouffan que les seuls titres de ses œuvres (mais, au fait, donnait-il vraiment des titres à ses œuvres ?) constituent comme une extraordinaire mise en scène de ce site, un superbe ballet à multiples entrées et sorties, à figures changeantes : *Arbres du Jas de Bouffan, Bassin du Jas de Bouffan, Bassin et Lavoir du Jas de Bouffan, Jardin du Jas de Bouffan, Marronniers et Ferme du Jas de Bouffan, Vue prise du Jas de Bouffan...* Effectivement, son regard, tout au long de sa vie, va de l'*arbre* à la *ferme*, du *bassin* aux allées du *jardin*, au *lavoir*, du *bassin* aux *marronniers*. Son regard et son pinceau. Et pour quelle fête ! Le tableau *Maison et Ferme du Jas de Bouffan*, qui éclaire de ses couleurs la galerie Národní de Prague, donne de la bâtisse une image un peu ivre qui fait que l'on se demande un instant si la ferme n'est pas ce bloc joyeusement rustique de murs jaunes percés de deux alignements de fenêtres ouvertes aux volets bleus, surmontés d'un beau toit rouge. Mais non, c'est la maison, la maison de maître ! Qui la visite aujourd'hui verra bien qu'elle n'a pas du tout cet aspect chantant, qu'elle est plutôt du style bastide aristo-cratique et austère, à l'apparence massive, aux murs som-bres. Bon, le toit a dû être refait, et les tuiles que voyait Cézanne étaient peut-être d'un beau rouge, à la génoise. Mais il a tout de même projeté dans cette maison toute une pure joie de peindre, qui éclate aussi bien dans l'herbe si verte du premier plan que dans les tons gris-violet miroitant, et jaune encore, de la ferme bâtie en force comme une petite citadelle.

Et, si l'on prend *Bassin du Jas de Bouffan*, accroché au Metropolitan Museum de New York, comment ne pas être frappé par cette profusion de vert-bleu qui fait de l'endroit non plus un simple coin rustique, mais un havre de touf-feur fraîche où l'on ne sait plus très bien ce qui appartient au bassin et ce qui appartient au lavoir, tant la pierre de la fontaine arrondie comme une stèle, le fer de la grille de protection, les troncs marron des grands arbres qui cou-pent verticalement le tableau, composent une structure serrée où la couleur s'accumule jusqu'au vertige ; une espèce de richesse humide monte du sol, qui s'épanouit dans le vert d'un feuillage réel et le bleuté de collines ima-ginaires. Ici, le Jas de Bouffan est devenu un lieu mythique, l'éden mythique des vents, ou plutôt des bour-rasques de la couleur. Est-ce ainsi qu'il était ? Était-ce ainsi que Paul le voyait ? Le merveilleux est qu'il le voyait aussi, certains jours, sous la forme épurée de ces quelques traits à la mine de plomb qui, au musée Boymans de Rot-terdam, fixent d'une manière on ne peut plus légère, à peine effleurée, dirait-on, la grande allée de marronniers qui conduisait à la bastide.

Cette « maison de campagne » avait été celle du duc de Villars, gouverneur de Provence. Ce que l'on appelait quelquefois une « folie », et qui en était une, en effet, aux yeux peu indulgents de la petite-bourgeoisie aixoise, lorsque Louis-Auguste Cézanne décida d'en faire l'acquisition. Mais c'était précisément ce que le banquier voulait : s'offrir une fantaisie, en montrant qu'il était capable, comme tout Aixois parvenu, de disposer d'une résidence confortable, à quelque distance de la ville, où lui et les siens pourraient prendre leurs quartiers d'été, et en même temps de placer correctement son argent. Toujours avisé en affaires, il avait d'abord loué la « bergerie » pour la sous-louer à des paysans, puis en était devenu propriétaire pour la somme de 80 000 francs, qui ne représentait guère que le dixième de sa fortune déjà réalisée. Une excellente acquisition. Qui ne pouvait que faire des envieux et des jaloux. Un jas qui ne pouvait, en effet, que faire jaser. Comment le père Cézanne s'y prenait-il pour réussir si vite et si bien ? Et pour manifester de si ostentatoire façon sa réussite ? Car la majestueuse façade avait de l'allure. Et le parc (dit souvent jardin, mais vrai parc, en réalité), avec son bassin orné d'un dauphin et de lions de pierre, ses superbes ormes, mûriers et marronniers, plus d'allure encore. S'ajoutant à cela, la bagatelle de quinze hectares de prairies et de vignobles : ferme, dépendances et exploitation agricole. Comme l'on voit, un pavillon de campagne, une petite « folie » !

Sur le plan de l'élévation dans l'échelle sociale, le résultat était sûrement positif. Sur celui des satisfactions familiales, la chose est moins évidente. Paul ne semble pas attacher une grande importance à cette acquisition, dont il ne parle même pas à Zola (à en juger, du moins, par la correspondance de celui-ci). On sait pourtant combien le Jas comptera dans sa vie et dans sa peinture. Mais cet intérêt ne viendra qu'avec le temps, et il faudra attendre les trois grandes périodes 1867-1869, 1875-1876 et 1882-1887 pour que se révèle toute la force créatrice qu'il y développera. Pour l'instant, tout se passe comme si la grande maison embarrassait autant qu'elle comblait. La famille s'installe au premier, mais le rez-de-chaussée, bien qu'offrant la disposition d'un salon de grande allure, est considéré comme une sorte de grange-remise où le jeune artiste pourra faire ce qu'il voudra. Son père le lui « donne » pour peindre. En quoi il fait un acte qui a dû contribuer plus qu'on ne l'imagine à l'affirmation de Paul dans son métier. Lâché dans ce vaste lieu, en effet, il se dit qu'il pourrait bien commencer par en orner les murs. Comme tout postulant peintre de ce temps, il ne peut être que dans une phase romantique, et probablement y a-t-il quelque romantisme, quelque héroïsme même, à se lancer à l'assaut de ces hautes surfaces murales. Il y exécute quatre panneaux, dans le fond concave de la pièce, représentant *les Quatre Saisons* dans le goût d'Ingres. Il signe Ingres, d'ailleurs, sans hésiter, ce qui est tenu en général pour une plaisanterie de jeune rapin. Et sans doute pour corser la plaisanterie encore, il met la date de 1811 sous le panneau qui évoque *l'Hiver*: brumes et frimas. Pour les panneaux qui montrent *le Printemps*, *l'Été* et *l'Automne*, il s'agit plutôt de fleurs et de fruits. Avec, chaque fois, une jeune femme un peu botticellienne, très allégorique. Peinture appliquée. Hommage à Ingres. Le curieux, c'est que le portrait du père évoqué plus haut, le tableau représentant Louis-Auguste de profil en train de lire le journal sur le carrelage rouge, va trôner là, dans le salon-débarras du Jas de Bouffan, au milieu de ces quatre grands panneaux de convention : quatre demeures saisonnières dans la maison du père et le père-roi régnant au centre, gouvernant presque les rythmes de la nature et du climat.

Il est vrai que, dans son élan, Paul a peint aussi autre chose. Un *Jeu de cache-cache* champêtre, copie d'un tableau célèbre de Lancret. Un *Christ aux limbes* d'après une peinture de Sebastiano del Piombo, un *Baigneur au rocher* inspiré de Courbet, une pathétique *Madeleine ou la Douleur.* Sans oublier ce paravent, plein de feuillages et de scènes agrestes, prévu pour le bureau paternel — où Paul s'est peut-être fait, vraiment pour la première fois, avec Zola, la main. Au fond, il *décorait.* Cette grande salle appelait la décoration. Comme elle appelait les nécessaires disciplines de l'imitation et de la copie. L'inspiration païenne et l'inspiration religieuse se côtoyant dans l'exercice. Oui, jusqu'au jour où l'atelier se transportera sous le toit. Jusqu'au jour surtout où tout explosera à l'extérieur, les collines, les marronniers, les cyprès, les vignes, le lavoir, l'herbe, la pierre, la terre. Car il faudra que tout cela explose pour que le Jas de Bouffan se mette à exister vraiment. Se mette à exister dans son *dehors.* C'est-à-dire dans son espace de couleur et de lumière. Et cela n'aura alors plus de limites. Au sens d'ailleurs presque topographique du terme, puisqu'un jour le beau-frère, le mari de sa sœur Rose, Maxime Conil, achètera dans le voisinage la propriété de Montbriand, proche de la ferme de Bellevue, où Paul ira peindre souvent, retrouvera d'amples perspectives sur la vallée de l'Arc ou la Sainte-Victoire, et qu'avec le Jas cela finira par former comme un vaste paysage continu. Mais, surtout, parce qu'un point de vue privilégié sur la campagne aixoise, c'était déjà, pour ce jeune peintre appliqué qui ne le savait pas encore, *toute* la campagne aixoise. Et même beaucoup plus encore.

Aujourd'hui le Jas de Bouffan est le nom d'une autre ville hors-la-ville. Un quartier, en fait, une ZAC,

à deux kilomètres d'Aix. En réalité, une véritable ville nouvelle, avec sa mairie, son centre culturel, ses commerces, ses unités d'habitation, ses rues, ses places. La route de Galice qui y conduit traverse cités, groupes d'immeubles, où il ne reste rien de la campagne d'autrefois.

Mais le Jas est toujours là, propriété de la famille Corsy qui a semé son nom un peu partout dans les parages. Pas très facile à débusquer, tant l'environnement urbain l'a circonvenu. Le docteur F. Corsy explique que, lors de la construction de l'autoroute ouest qui mène à Toulon et passe non loin de là, la propriété a été amputée de quelque sept hectares. Elle n'en couvre plus guère que cinq, maintenant. La partie agricole a disparu. Mais l'accès n'a pas tellement changé, les perspectives du parc et des allées qui y conduisent ne se sont pas réellement modifiées. Dès le portail, on se sent en paysage connu. Des lignes, des angles de vue, des verticales reviennent immédiatement en mémoire. Des couleurs aussi, bien que le temps les ait certainement patinées ou transformées.

Avançant le long d'une des allées, le docteur Corsy — hospitalier à ceux qui ne débarquent pas chez lui comme dans un lieu public — regarde lentement les platanes qui ont remplacé les ormes et les mûriers du temps de Cézanne. Pour les micocouliers, il en reste un. Pour les marronniers de la grande allée de derrière, si souvent peints ou dessinés, on a dû les faire alterner avec des platanes. Mais aujourd'hui, l'eau est devenue rare, à cause des travaux de l'autoroute et des développements urbains, et, faute d'irrigation suffisante, ces grands arbres meurent ou menacent de mourir. Le docteur indique le nouveau tracé des allées, montre une cloche et une lanterne *sur la façade sud qui n'existaient pas, explique ce qui a changé dans la maçonnerie du bassin, l'arrangement des pelouses, parle de ce qu'ont fait avant lui dans la propriété son père et le beau-père de celui-ci, Louis Granel, qui l'avait achetée du vivant de Cézanne, au moment du partage d'hoirie.*

A l'intérieur de la maison, surprise. Le rez-de-chaussée est devenu un vaste musée. Mais pas un musée nécessairement cézannien. Dans le grand salon, jadis réservé au jeune peintre, s'accumule une quantité impressionnante d'objets d'art, tableaux, œuvres quattrocentistes, bois sculptés, meubles anciens, miroirs, faïences, tapisseries, pièces de collection de toute nature, rassemblées par le médecin et surtout sa femme. Présence, forte, de ces objets. Très soigneusement, le docteur Corsy relève toutes les traces cézanniennes, les indices cézanniens, certaines attributions possibles. La rotonde du fond, les grands pans muraux où ont été peintes les saisons. Plus rien ne demeure aujourd'hui. Émotion devant les hauts espaces gris et vides. Là étaient les peintures signées Ingres. Elles ont été jugées de peu d'intérêt, lors d'une première expertise réalisée en 1907 par Léonce Benedite, conservateur du musée du Luxembourg, auquel elles étaient offertes. Puis, un jour, elles ont été, au contraire, l'objet d'une savante et délicate opération de décollage pour être transposées sur toile et emmenées au Petit Palais. Le détail de cette opération est subtil. Les techniques n'ont fait que s'affiner dans ce domaine. Jusqu'à devenir rigoureusement scientifiques. Mais, lorsque cela fut fait, il fallut prendre le mur à revers, atteindre la surface peinte par-derrière, détacher avec soin le revêtement de journaux — des numéros du Mémorial d'Aix *(utilité insoupçonnée de*

la presse locale) — que Cézanne utilisait pour ce tra-
vail mural. Sorte d'opération créatrice à rebours.
Rebours du temps. C'est bien l'impression qui do-
mine dans ces lieux graves et étranges.

7

Portrait du nègre Scipion

Paul part pour Paris. Après beaucoup de tergiversations, son père a finalement cédé. Il l'accompagne lui-même un jour d'avril 1861, avec Marie, la sœur aînée, l'installe, le pourvoit d'une pension (modeste, mais un peu plus élevée qu'il n'avait été prévu dans un premier temps), reste trois jours dans la capitale pour régler quelques affaires, puis regagne Aix. Voilà Paul en face de son destin.

Un jeune homme de vingt-deux ans, qui n'a jamais quitté sa Provence, lâché à Paris : situation pleine de problèmes ? Il se peut, dans la mesure où Cézanne n'a aucune vocation urbaine. Il est, dès sa jeunesse, l'homme des chemins de campagne beaucoup plus que celui des rues et des avenues. Or le Paris du Second Empire ouvre justement, de façon éclatante, ses rues et ses avenues, sous l'impulsion du baron Haussmann dont les grands travaux modifient en ce moment même la physionomie de la rive gauche. Et il n'y a jamais eu, en apparence du moins, tant de luxe et tant d'élégance sur certains boulevards, dans certains cafés à la mode, et jamais sans doute la vie parisienne n'a offert tant de séductions, d'illusions et de pièges. Que va faire le jeune sauvage fraîchement débarqué ? Eh bien, d'abord, s'en tenir à la lettre au programme tracé par Zola. Se plier à la règle et à la discipline de l'emploi du temps méticuleusement prévu. Il faut de

71

toute façon accepter la loi du travail et justifier la pension paternelle.

Donc, on commencera par l'atelier, le matin. Et même le matin très tôt. Zola avait dit : de six heures à onze heures. Le choix se porte sur l'académie Suisse, dans un vieil immeuble de l'île de la Cité, qui est certainement l'atelier le plus couru et le moins cher de Paris. Il n'a rien de suisse, il porte simplement le nom du père Suisse, un ancien modèle, qui l'a fondé. C'est que les modèles jouent un rôle important dans le monde de la peinture et des ateliers. On vient là pour les regarder et les peindre. Et cette « étude du modèle vivant » est si obsédante pour les jeunes artistes qu'on en vient à se demander si elle n'est pas l'alibi d'un complexe problème de vie et de mœurs. A l'académie Suisse, les modèles sont des hommes les trois premières semaines du mois. Une femme, la dernière semaine, la récompense. Il n'y a d'ailleurs pas très longtemps que les modèles féminins sont admis à poser. La nudité masculine, si plastique qu'elle soit, ne peut occuper indéfiniment le regard des peintres. Mais la nudité féminine, si elle entre dans les ateliers, fait évidemment entrer avec elle tout un cortège de fantasmes et de libertés. Il n'y a aucun doute sur ce point. Tout le monde des rapins, tout le monde de la bohème (dite *galante*, comme vient de le rappeler, il y a peu, Nerval) sait à quoi s'en tenir là-dessus, même si on respecte scrupuleusement l'alibi, même si on feint d'ignorer, à l'abri des exigences de l'art et de ses sévères études, la transgression que signifie cette exhibition recherchée du corps féminin. C'est même ce qui rend ce monde-là plus libertaire et provocant que les autres dans ses allures. Une lettre de Zola à Baille, d'octobre 1860 — six mois donc avant que Cézanne arrive à Paris et prenne le chemin de l'académie Suisse —, est révélatrice à ce sujet : « Cézanne m'a donc écrit, c'est à lui que je dois répondre. La description de ta poseuse m'a fort égayé.

Chaillan prétend qu'ici les modèles sont potables, sans être pourtant d'une première fraîcheur. On les dessine le jour et, la nuit, on les caresse (le mot caresse est un peu faible). Tant pour la pose diurne, tant pour la pose nocturne ; on assure d'ailleurs qu'elles sont fort accommodantes, surtout pour les heures de nuit. Quant à la feuille de vigne, elle est inconnue dans les ateliers ; on s'y déshabille en famille, et l'amour de l'art voile ce qu'il y aurait de trop excitant dans les nudités. Viens et tu verras. »

Paul, lui, est *venu* et a *vu*. Est-ce à ce monde-là qu'il va être livré tout vif ? En fait, il semble plutôt ressentir la discipline de l'atelier comme une protection. Un bon moyen de se donner des garde-fous horaires et des garde-fous tout court. Une façon de domestiquer les pulsions sensuelles. Et une manière de se mettre à l'abri dans une communauté de travail. Car à l'académie Suisse sont passés des artistes dont les noms ne sont pas encore célèbres, mais qu'il sera intéressant de retenir : Édouard Manet, Claude Monet, Camille Pissarro. Une bonne école donc. Une école d'amitié aussi. Paul est avide d'amis. Zola, c'est très bien, mais il n'y a pas que lui. Voilà que se présente un autre Méridional, un autre compatriote, qui fait justement dans la peinture et dont le nom sonore ne trompe pas : Achille Emperaire. En fait, cet empereur-là est un nain, en tout cas un personnage assez contrefait. Cela ne va pas empêcher Paul de s'attacher à lui, non seulement parce qu'ils sont du même pays, mais sans doute parce qu'ils ont des ambitions et des obsessions communes.

Cézanne peindra Emperaire plus tard, vers 1868. C'est un des plus étonnants tableaux qu'il ait exécutés. On peut aller l'admirer au Louvre. Emperaire a dû poser à Aix dans la maison familiale. Et même s'installer dans le fameux fauteuil recouvert de cretonne à fleurs où le père avait déjà trôné. Seulement le fauteuil, qui était à la taille de Louis-Auguste, est beaucoup trop grand pour lui. Il a fallu mettre un petit meuble sous ses pieds qui, sans cela, ne toucheraient pas le sol. Et le sommet de la tête — auréolée d'une belle crinière souple sur un grand front, parée de belles moustaches et d'une fine barbiche — est loin d'atteindre le haut du dossier. Emperaire est visiblement un peu perdu dans cet immense siège et on dirait que, pour se faire oublier, il reste le plus sage possible : les pieds et les genoux bien rapprochés, les avant-bras bien posés sur les accoudoirs, avec de longues mains blanches qui pendent comme des mains de fantôme. Mais voilà : toutes ces petitesses, toutes ces crispations sont balayées par une explosion de couleurs que l'on n'attendait pas là, dans cette tranquille scène d'intérieur. Emperaire, en effet, porte une robe de chambre d'un bleu intense, avec un foulard d'un rouge très vif et un pantalon d'un curieux brun-violet. On peut dire que la couleur le sauve. Qu'elle fait réellement son salut. Car si l'homme est douloureux (plus tard, Joachim Gasquet dira du tableau : « Tout décharné, caricatural à la fois et affamé de vivre, pathétique, ses longues mains pendantes, il tend sa belle face douloureuse »), la couleur lui rend la gloire. C'est sans doute pourquoi Cézanne a écrit son nom en très gros caractères, en haut du tableau : Achille Emperaire. De grandes lettres pour un nain. La pourpre et le bleu impériaux pour ce corps difforme et souffrant. Ce jour-là, Cézanne a vraiment sacré son ami empereur.

Ce n'était d'ailleurs pas n'importe qui, Emperaire. A l'académie Suisse, il frémissait plus que quiconque de la passion du beau. Et ce beau, il ne pouvait admettre qu'il lui fût refusé en sa personne. On dit qu'il se munissait volontiers d'une canne ou d'un parapluie pour jouer le dandy et essayer de se cambrer, qu'il faisait même une heure de trapèze chaque matin pour essayer d'étirer sa taille. Il était surtout — et c'était là sans doute son vrai tourment — plus sensible que personne à la splendeur féminine. En témoignent les nombreuses sanguines, figures au fusain, toiles, qu'il a laissées, où prolifèrent des arrondis, des opulences, des courbes. Cézanne a dû très vite ressentir, comprendre cela. Emperaire avait suivi le même itinéraire que lui, les cours de Gibert à l'École d'Aix, puis Paris. Ils allaient tous les deux au-devant de la même aventure en venant travailler à l'académie Suisse. Aventure qui prenait la forme un peu conventionnelle de ces nudités d'occasion qui posaient sous leurs yeux, mais qui, en fait, recelait la promesse d'autres rêveries, sur d'autres nudités, celles de Rubens, du Titien, de Giorgione, de Véronèse. C'est cela qui s'agitait dans la tête, le cœur et les sens des deux amis, et le *nu*, pour eux, c'était tout simplement la promesse de la vie, dans le vertige démesuré de l'art. Surtout pour Emperaire, tenu par sa folie du corps féminin. C'est pourquoi il fallait bien que Paul lui rendît un jour un somptueux hommage.

Cela dit, l'académie Suisse lui offre d'autres motifs de réflexion. On y discute politique. On y fronde le Second Empire. On y noue des amitiés qui sont déjà des solidarités. Cézanne se lie alors avec des hommes qui, à des titres divers, compteront dans sa vie, et qui sont cette fois tout à fait étrangers au compagnonnage provençal : Antoine Guillemet, Armand Guillaumin, Francisco Oller et, surtout, Pissarro, dont la rencontre, teintée d'exotisme (Pissarro est juif, né aux Antilles, dans une possession danoise), sera le commencement d'une longue affection. On s'observe, on échange des points de vue et des conseils, on travaille ensemble. Oui, le *travail* a tout de même la vraie priorité ! C'est bien cela que signifie d'abord l'assiduité à l'académie Suisse et, quand Cézanne y reviendra plus tard, avec une certaine obstination, il faut le reconnaître, un certain acharnement même, de 1862 à 1870, ce n'est pas seulement ses souvenirs de peintre débutant qu'il y retrouvera, mais, dans toute sa force, cette loi du travail qui est une des clés de sa rigueur créatrice.

Un tableau le montre, qui s'intitule *Portrait du nègre Scipion* et représente un Noir qui posait comme modèle à l'académie Suisse. Il a dû être réalisé en 1866 et laisse à penser qu'à cette époque-là, passé l'euphorie des premiers exercices de rapins et l'engouement pour les modèles féminins, on pouvait, dans cette exemplaire académie, peindre des corps qui attiraient l'œil du peintre par autre chose que des grâces faciles. Le corps du nègre Scipion était indéniablement superbe. Mais superbe d'abord par la force, la souplesse et l'éclat. Éclat noir, bien sûr, comme si dans ce corps se cachait toute l'intensité secrète d'un rêve d'ébène. Scipion devait être un pauvre Noir qui posait là pour gagner sa vie. Il y avait pourtant en lui tous les défis de l'Afrique, tout un monde d'esclaves révoltés, toute une immense réserve de dignité et de beauté. On raconte d'ailleurs que le sculpteur Philippe Solari, ami et compatriote de Paul, voulut un jour exécuter une statue représentant Scipion en train de lutter avec des chiens, œuvre noble et allégorique qu'il aurait intitulée *la Guerre de l'Indépendance* : la statue, modelée d'abord dans l'argile, s'effondra à la chaleur d'un feu, faute d'armature suffisante, mais le symbole demeurait. Il fut décidé de remplacer le Noir debout par un Noir endormi. Pourquoi pas ? La stature de Scipion se prêtait à tout. Et Cézanne, justement, avait bien compris qu'on pouvait en rendre la beauté dans la simplicité naturelle d'une pose abandonnée. C'est ce qu'il a choisi de faire. Il peint Scipion assis sur un modeste tabouret de paille sans dossier, le torse nu, incliné en avant pour dormir, appuyé sur son avant-bras gauche contre une sorte de masse blanche qui est sans doute un meuble recouvert d'une housse. L'immense surface du dos musclé se déploie, bordée par une autre musculature, celle du bras droit qui prend appui, tendu, sur le tabouret. L'homme qui est là représente en un sens toute la fatigue du monde, toute la lassitude du monde, tout l'accablement du monde. Mais il est fort et beau. Il dort, son profil aux yeux clos, aux cheveux crépus, posé sur son avant-bras. Son sommeil est calme. Il ne porte qu'un pantalon bleu. Mais ce bleu est si bleu que c'est là un événement extraordinaire. La peau du torse, du dos, elle, bien entendu, est noire. Mais ce noir, traversé de courts éclairs blancs, n'est pas noir. Il a une nuance chaude qui est celle du chocolat. Et il ne peut pas se fondre dans le fond bleu-noir sombre du tableau. Ces noirs et ces bleus se répondent à des degrés différents, sur une échelle de valeurs savantes. Et ce blanc, à droite, pour tout éclairer, pour tout construire. Cela, en un sens, au service de cet homme noir, dont il est bien que l'image soit exposée aujourd'hui au musée de São Paulo, au Brésil, terre des magies afro-américaines, terre des séculaires esclavages, terre des plantations de café, terre du brassage des races et des peaux, terre de la couleur.

Il a été dit que ce *Nègre Scipion,* offert à Monet avant de se retrouver au Brésil, était une des œuvres les plus marquantes de la période « romantique » de Cézanne, placée sous le signe de Delacroix. De Delacroix, il a peut-être en effet la grandeur expressionniste et colorée, et l'on ne sait quelle obscure dimension historique. Nul doute qu'à cette époque Paul n'admirât passionnément Delacroix. C'était d'ailleurs là un de ses sujets de discussion avec Emperaire. Aux yeux de ce dernier, Delacroix gâchait les sujets, gâchait la couleur. Pour Paul, il est un maître parmi les maîtres. Donc, il le salue. Et, le saluant, il fait son travail propre. Ce Scipion-là n'est jamais qu'un humble modèle, un meuble, presque, de l'académie Suisse. Mais il a droit — forme et couleur — au statut des grands sujets, des grandes choses peintes.

8

Le feu au Louvre

Deuxième partie du programme arrêté par Zola : le musée. Il y a le Luxembourg, qui n'existe plus, où prenaient place des œuvres d'artistes contemporains qui n'entraient au Louvre qu'un temps après leur mort. Mais il y a surtout le Louvre lui-même. Pour Cézanne, qui aura toujours été un peintre fasciné par la consécration du musée et notamment de ce musée, nul doute que ce soit là que se prennent les grandes leçons. Il faut donc y aller. Régulièrement. Sans se lasser. Il faut aller y admirer les maîtres, les révérer et, au besoin, les recopier. Paul n'aura sa carte d'étudiant l'autorisant à des entrées gratuites qu'à partir de 1868. Mais il est évident qu'il n'a pas attendu cette date pour se faire visiteur assidu du Louvre. Et il continuera ses visites jusqu'à un âge avancé de sa vie. Toujours avec la même ferveur.

C'est pourquoi il nous a paru possible ici de donner quelques exemples forts de l'admiration qu'il a pu concevoir un jour pour tel ou tel chef-d'œuvre à partir de propos qu'il est supposé avoir tenus à Joachim Gasquet, entre 1896 et 1900. Bien entendu, le Cézanne d'alors est plus proche de soixante ans que de vingt ans. Il est néanmoins toujours le même homme, qui n'a cessé de réagir d'une manière étonnamment vive, toujours passionnée, toujours intense, devant les grandes œuvres de ses prédécesseurs. Simplement, ce qu'il ressentait spontanément, il

79

a appris à le dire, ou plus exactement à le bougonner, avec toute l'expérience bizarrement verbeuse que lui ont donnée la vie et le travail. Du moins, si l'on en croit Gasquet. Car ce qu'il propose, c'est sa version des paroles de Cézanne : version sans aucun doute très personnelle, et certainement arrangée ou amplifiée pour les besoins de la cause à une époque où magnétophones et cassettes n'existaient pas. N'empêche. L'essentiel est d'être averti. Le document n'en a pas moins une sorte de valeur brute et, s'il exagère ou met en scène (met en ondes) les réactions de Cézanne, c'est malgré tout à partir de la charge d'émotion sincère qu'elles contiennent. Et on peut penser que, dès les premières années d'apprentissage parisien, cette émotion était là, présente, violente.

Voilà donc, selon un montage des propos rapportés par Gasquet, Cézanne — intemporel, si on le permet — en visite au Louvre :

Il commence par s'arrêter devant *la Victoire de Samothrace*, dans le grand escalier Daru :
« *Tenez. Regardez-moi ça...* La Victoire de Samothrace. *C'est une idée, c'est tout un peuple, un moment héroïque dans la vie d'un peuple, mais les étoffes collent, les ailes battent, les seins gonflent. Je n'ai pas besoin de voir la tête pour imaginer le regard, parce que tout le sang qui fouette, circule, chante dans les jambes, les hanches, tout le corps, il a passé en torrent dans le cerveau, il est monté au cœur. Il est en mouvement, il est le mouvement de toute la femme, de toute la statue, de toute la Grèce. Quand la tête s'est détachée, allez, le marbre a saigné... Et, tenez, les ailes de* la Victoire, *on ne les voit pas, je ne les vois plus. On n'y pense plus tant elles apparaissent naturelles. Le corps n'a pas besoin d'elles pour s'envoler en plein triomphe.* »

Il marque une pause, une hésitation, sur le seuil de la petite salle des primitifs :

« *Je vous étonnerai peut-être. Je n'entre presque jamais dans la petite salle des primitifs. Ce n'est pas de la peinture pour moi. J'ai tort, j'ai peut-être tort, je l'avoue ; mais, que voulez-vous, quand je suis resté une heure en contemplation devant* le Concert champêtre *ou le* Jupiter et Antiope *du Titien, quand j'ai dans les yeux toute la foule mouvementée des* Noces de Cana, *que voulez-vous que me fassent les maladresses de Cimabue, les naïvetés de l'Angelico et même les perspectives d'Ucello ?... Il n'y a pas de chair sur ces idées. Je laisse ça à Puvis. J'aime les muscles, les beaux tons, le sang.* »

Le voici justement devant *les Noces de Cana* de Véronèse :

« *Voilà de la peinture. Le morceau, l'ensemble, les volumes, les valeurs, la composition, le frisson, tout y est... Écoutez un peu, c'est épatant !... Qu'est-ce que nous sommes ?... Fermez les yeux, attendez, ne pensez plus à rien. Ouvrez-les... N'est-ce pas ?... On ne perçoit qu'une grande ondulation colorée, hein ? Une irisation, des couleurs, une richesse de couleurs. C'est ça que doit nous donner d'abord le tableau, une chaleur harmonieuse, un abîme où l'œil s'enfonce, une sourde germination. Un état de grâce colorée. Tous ces tons vous coulent dans le sang, n'est-ce pas ? On se sent ravigoté. On naît au monde vrai. On devient soi-même, on devient de la peinture... Pour aimer un tableau, il faut l'avoir bu ainsi, à longs traits. Perdre conscience... Surtout devant une grande machine comme en bâtissait Véronèse. Celui-là, allez, il était heureux. Et, tous*

81

ceux qui le comprennent, il les rend heureux. Il est un phénomène unique. Il peignait comme nous regardons. Sans plus d'efforts. En dansant. Ces torrents de nuances lui coulaient du cerveau comme tout ce que je vous dis me coule de la bouche. Il parlait en couleurs... Tout heureux, comme s'il avait respiré une merveilleuse musique. Celle qui rayonne, voyez, de ce groupe, au milieu, que les femmes et les chiens écoutent, que les hommes caressent avec leurs fortes mains. La plénitude de la pensée dans le plaisir, et du plaisir dans la santé, écoutez un peu, je crois que c'est Véronèse, la plénitude de l'idée dans les couleurs. »

Réaction différente dans le petit salon de *la Source* d'Ingres (mais admiration tout de même) :
« *Ingres, parbleu, n'a pas de sang ! Il dessine. Les primitifs dessinaient. Ils coloriaient, ils faisaient, en grand, du coloriage de missel. La peinture, ce qui s'appelle la peinture, ne naît qu'avec les Vénitiens. A Florence, Taine raconte que tous les peintres d'abord étaient des orfèvres. Ils dessinaient. Comme Ingres... Oh ! c'est très beau, Ingres, Raphaël et toute la boutique ! Je ne suis pas plus bouché qu'un autre. J'ai le plaisir de la ligne, quand je veux. Mais il y a là un écueil. Holbein, Clouet et Ingres n'ont que la ligne. Eh bien ! ça ne suffit pas. C'est très beau, mais ça ne suffit pas. Regardez cette* Source... *C'est pur, c'est tendre, c'est suave, mais c'est platonique. C'est une image, ça ne tourne pas dans l'air. Le rocher de carton n'échange rien de son humidité pierreuse avec le marbre de cette chair mouillée... ou qui devrait l'être. Où y a-t-il pénétration ambiante ? Et puisqu'elle est la source, elle devrait sortir de l'eau, du rocher, des feuilles ; elle est collée contre. A force*

de vouloir peindre la vierge idéale, il n'a plus peint un corps du tout. Et ce n'est pas que ce lui fût impossible, à lui. Rappelez-vous ces portraits et cet Age d'or *que j'aime. C'est par esprit de système. Système et esprit faux. David a tué la peinture. Ils ont introduit le poncif. Ils ont voulu peindre le pied idéal, la main idéale, le visage, le ventre parfaits, l'être suprême. Ils ont banni le caractère... La peinture, voyez-vous, a été perdue, lorsqu'elle a voulu être sage, faire léché, avec David. C'est ma grande horreur. Il est le dernier peut-être qui a su son métier, mais qu'en a-t-il fait, bon Dieu ? Les boutons de culotte de sa* Remise des Aigles *?*

Le revoici encore devant Véronèse, devant *Jésus chez le pharisien :*

« *Ça, par exemple, c'est peut-être encore plus épatant... Cette gamme d'argent... Tout le prisme qui se fond dans ce blanc... Et, ce que j'aime, vous savez, dans tous ces tableaux de Véronèse, c'est qu'il n'y a pas à tartiner sur eux. On les aime, si on aime la peinture. On ne les aime pas, si on cherche de la littérature à côté, si on s'excite sur l'anecdote, le sujet... Un tableau ne représente rien, ne doit rien représenter d'abord que des couleurs... Moi, je déteste ça, toutes ces histoires, cette psychologie autour. Parbleu, ça y est dans la toile, les peintres ne sont pas des imbéciles, mais il faut le voir avec les yeux, avec les yeux, vous m'entendez bien. Le peintre n'a pas voulu autre chose. Sa psychologie, c'est la rencontre de ces deux tons. Son émotion est là. C'est ça, son histoire, sa vérité, sa profondeur à lui. Puisqu'il est peintre, voyons ! Et ni poète, ni philosophe. Michel-Ange ne mettait pas plus ses sonnets dans la Sixtine que Giotto ses* canzone *dans la* Vie de saint Fran-*

çois. *Vous voyez d'ici la gueule des moines. Et quand Delacroix a voulu de force ficher son Shakespeare dans ses toiles, il a eu tort, il s'y est cassé le nez. Et c'est pourquoi je vous opposais tout cet art, si émouvant soit-il, du Moyen Age à mon art, à celui de la Renaissance. »*

Changement de décor. Peinture espagnole maintenant. Devant la célèbre *Cuisine des anges* de Murillo :

« *Murillo a dû peindre des anges, mais quels éphèbes! Voyez comme leurs pieds nerveux posent bien sur la dalle. Vraiment, ils sont dignes d'éplucher ces beaux légumes, ces carottes et ces choux, de se mirer dans ces chaudrons... Le tableau lui était commandé, n'est-ce pas ?... Il s'est laissé aller pour une fois. Il a vu la scène... Il a vu des êtres radieux entrer dans cette cuisine de couvent, de jeunes charretiers célestes, la beauté de la jeunesse, la santé éclatante, chez tous ces mystiques, ces épuisés, ces tourmentés. Voyez comme il oppose la maigreur jaunâtre, l'extase hystérique du saint en prière aux gestes calmes, à la certitude rayonnante de tous ces beaux ouvriers. Et le tas de légumes! On peut passer des navets et des assiettes aux ailes sans changer d'air. Tout est réel. »*

Retour à l'École vénitienne. Arrêt devant une esquisse du *Paradis* du Tintoret :

« *Vous savez, il me semble que je l'ai connu. Je le vois, rompu de travail, harassé de couleurs, dans cette chambre tendue de pourpre de son petit palais, comme moi dans mon cafouchon du Jas de Bouffan, mais lui, toujours, même en plein jour, éclairé d'une lampe fumeuse, avec l'espèce de théâtre à marionnettes où il préparait ses grandes compositions... Hein, ce guignol épique !... Quand il quittait ses chevalets, paraît-il, il arrivait là, il tombait, épuisé, toujours farouche, c'était un grognon, dévoré de désirs sacrilèges... oui, oui... il y a un drame terrible dans sa vie... Je n'ose pas le dire... Suant à grosses gouttes, il se faisait endormir par sa fille, il se faisait jouer du violoncelle par sa fille, des heures. Seul avec elle, dans tous ces reflets rouges... Il s'enfonçait dans ce monde enflammé, où la fumée du nôtre s'évanouit... Je le vois, je le vois... La lumière se dépouillait du mal... Et, vers la fin de sa vie, lui dont la palette rivalisait avec l'arc-en-ciel, il disait ne plus chérir que le noir et le blanc... Sa fille était morte... Le noir et le blanc... Parce que les couleurs sont méchantes, torturent, comprenez-vous... Je connais cette nostalgie... Est-ce qu'on sait ? On cherche une paix définitive... Ce paradis. Allez, pour peindre cette rose de joie tourbillonnante, il faut avoir beaucoup souffert... beaucoup souffert, je vous en fiche mon billet. Nous sommes à l'autre pôle, ici. Là-bas, ce beau prince de Véronèse. Ici, ce forçat du Tintoret... Voyez ce pied blanc, ici, à gauche. Les dessous encore... il préparait ses chairs en blanc. Puis, d'un glacis rouge, vlan, voyez à côté, il leur donnait la vie. Blanc et noir, je ne veux plus peindre qu'en blanc et noir, criait-il à la fin. Comment aurait-il fait ? Comment se serait-il passé de son supplice ? On peut tout attendre d'un tel bonhomme. Dans sa jeunesse, il avait eu le culot d'affirmer : la couleur du Titien dans le dessin de Michel-Ange. Et il y est arrivé. »*

Enfin, le maître du moment, Delacroix. Voici Cézanne devant les *Femmes d'Alger* :

« Nous y sommes tous, dans ce Delacroix. Quand je vous parle de la joie des couleurs pour les couleurs, tenez, c'est cela que je veux dire... Ces roses pâles, ces coussins bourrus, cette babouche, toute cette limpidité, je ne sais pas, moi, vous entre dans l'œil comme un verre de vin dans le gosier, et on est tout de suite ivre. On ne sait pas comment, mais on se sent plus léger. Ces nuances allègent et purifient. Si j'avais commis une mauvaise action, il me semble que je viendrais là-devant pour me remettre d'aplomb... Et c'est bourré. Les tons entrent les uns dans les autres comme des soies. Tout est cousu, travaillé d'ensemble. Et c'est pour ça que ça tourne. C'est la première fois qu'on a peint un volume depuis les grands. Et chez Delacroix, il n'y a pas à dire, il y a quelque chose, une fièvre, qui n'est pas chez les anciens. C'est la fièvre heureuse de la convalescence, je crois... Il est convaincu que le soleil existe et qu'on peut y tremper ses pinceaux, y faire sa lessive. Il sait différencier. Ce n'est plus comme chez Ingres, là-bas... Une soie est un tissu et un visage de la chair. Le même soleil, la même émotion caresse, mais se diversifie. Il sait, sur le flanc de cette négresse, accrocher une étoffe qui n'a pas la même odeur que la culotte parfumée de cette Géorgienne, et c'est dans ses tons qu'il sait ça et qu'il le met. Il contraste. Toutes ces nuances poivrées, voyez, avec toute leur violence, la claire harmonie qu'elles donnent. Et il a le sens de l'être humain, de la vie en mouvement, de la tiédeur. Tout bouge, tout chatoie. La lumière !... Dans son intérieur, il y a plus de lumière chaude que dans tous ces paysages de Corot et ces batailles d'à-côté. Regardez... Son ombre est colorée. Il nacre ses dégradés, ce qui assouplit tout... Et quand il attaque le plein air ! Son Entrée des

croisés, *c'est terrible... Allez, on a beau dire, beau
faire, il est de la grande lignée. On peut parler de
lui, sans qu'il ait à rougir, même après Tintoret et
Rubens. Delacroix, c'est le romantisme peut-être. Il
s'est trop gorgé de Shakespeare et de Dante, il a trop
feuilleté* Faust. *Il reste la plus belle palette de
France, et personne, sous notre ciel, écoutez un peu,
n'a eu plus que lui le charme et le pathétique à la
fois, la vibration de la couleur. Nous peignons tous
en lui.* »

Fin de l'extraordinaire hommage à Delacroix. Paul lui
rendra un plus bel hommage encore : il *copiera* avec passion sa *Barque du Dante*, à sa mort, en 1863. Mais il y a
encore beaucoup de tableaux, beaucoup de chefs-d'œuvre
au Louvre. Non seulement des peintures, mais des sculptures, comme celles de Puget, un compatriote qui fait
passer « le souffle du mistral dans le marbre » ! Nous arrê-
terons là la sélection. Une sorte de sondage, pour faire
sentir l'ivresse de Cézanne. Rien de plus. D'ailleurs,
ivresse est le mot juste. Est-ce le fait de Gasquet qui,
transcrivant ces propos supposés, s'échauffe à leur souvenir et les fait vibrer d'une éloquence exaltée (et surprenante, il faut bien le dire, tant s'est imposée souvent
l'image d'un Cézanne bourru et quasi muet), est-ce le fait
de la vraie émotion du peintre, peu à peu ce monologue
devant les grandes toiles verse dans la folie. Il n'en
devient que plus beau d'intemporalité. Selon Gasquet, le
Cézanne qui parle là finit par perdre toute conscience du
temps et du lieu. Le document-témoignage se termine par
un curieux petit scénario délirant qu'il vaut la peine de
reproduire :

Pour admirer un Courbet, caché, Cézanne grimpe
sur une échelle de copiste.

« *Voyez ce chien... Vélasquez! Vélasquez! Le chien de Philippe est moins chien, tout chien de roi qu'il était... Vous l'avez vu... Et l'enfant de chœur, ce rouge joufflu... Renoir peut y venir...* »

Il se monte, il se grise.
« *Gasquet, Gasquet... Il n'y a que Courbet qui sache plaquer un noir sans trouer la toile... Il n'y a que lui... Ici, comme dans ses rochers et ses troncs là-bas. Il pouvait, d'une coulée, descendre tout un pan de vie, l'existence minable d'un de ces gueux, voyez, et il revenait ensuite, avec pitié, par bonhomie de doux géant qui comprend tout... La caricature se trempe de larmes... Ah! laissez-moi tranquille, vous, là-bas! Allez chercher votre directeur... Je lui alignerai deux mots, à cet homme.* »

On s'attroupe. Il fait une véritable harangue.
« *C'est une infamie, nom de Dieu!... Non, à la fin, mais c'est vrai... Nous nous laissons toujours faire... C'est un vol... L'État, c'est nous... La peinture, c'est moi... Qui est-ce qui comprend Courbet?... On le fout en prison, dans cette cave... Je proteste... J'irai trouver les journaux, Vallès.* »

Il crie de plus en plus fort.
« *Gasquet, vous serez un jour quelqu'un... promettez-moi que vous ferez porter cette toile à sa place, dans le Salon carré... Nom de Dieu, dans le salon des modernes... dans la lumière... Qu'on la voie.* »

Les gardiens ramassent son pardessus et son melon.
« *Foutez-moi la paix, vous autres... Je descends...*

Nous avons en France une machine pareille et nous la cachons... Qu'on foute le feu au Louvre, alors... tout de suite... Si on a peur de ce qui est beau... Au salon des modernes, Gasquet, au salon des modernes... Vous me le promettez. »

Il dégringole de l'échelle. Il promène un regard de maîtrise sur tout l'attroupement.

« Je suis Cézanne ! »

Ainsi finit le scénario anticipateur. C'est peut-être un peu trop. Mais, pour l'instant, à l'heure de sa jeunesse, au Louvre, dans une confrontation probablement plus silencieuse et discrète aux tableaux qui l'entourent, Paul doit pouvoir au moins dire, penser une chose : « Et moi aussi, je suis peintre ! » En tout cas, revenant du musée, il a une façon bien à lui de résumer ses impressions. A son ami Joseph Huot, le 4 juin 1861 : « Tu le sais, les tartines que renferment ces *admirables monuments*, c'est *épatant, esbroufant, renversant.* » Et' il ajoute : « Ne crois pas que je devienne parisien. »

9

Autoportrait

L'œil est vif, sombre, le regard appuyé, surligné par les sourcils qui se rejoignent en un tracé net à la racine du nez. Cette impression de surlignage est accusée par la moustache très noire, tombante, qui encadre les commissures des lèvres serrées. Le cheveu est noir et court. Le visage aigu, nerveux. C'est Cézanne jeune. Il a fait cet autoportrait vers 1859. Il a vingt ans. Une photo de la même époque le montre exactement sous le même aspect, au point que l'on en vient à se demander si le portrait n'a pas été fait d'après la photo. C'est en tout cas un portrait-photo, qui n'a rien de commun avec les images que l'on aura de Cézanne plus tard et que proposera assez fréquemment son propre pinceau.

Il faut prendre garde à la façon dont se présentent les artistes jeunes. Elle est en général très différente des manières, attitudes, poses auxquelles les invitera, les inclinera (non sans quelque inévitable relâchement et abandon) la vie. Il y a, à ce moment-là, chez Cézanne, quelque chose de vraiment sauvage, farouche et, serait-on tenté de dire, d'un noir lumineux, qui doit correspondre à une violence secrète, sourde, très pure de son tempérament. Il est essentiel de rester alerté par tout ce que recèle ce portrait de jeunesse. Car cette flamme sombre, dans l'avenir, n'existera plus que cachée, enfouie, secrète (même s'il est évident qu'elle ne faiblira jamais, ne sera

91

jamais éteinte). L'apparence extérieure la dissimulera progressivement, comme dans un souci de protection. Et Cézanne, jouant là-dessus, accentuera volontairement cette impression, en se regardant dans son miroir et en se peignant. Il se montrera de plus en plus tranquille, ou grave, ou débonnaire. De plus en plus affublé de cheveux longs (le *Cézanne aux longs cheveux* de 1865) ou, inversement, chauve, sous la pression de l'âge et même du vieillissement précoce (les portraits bien connus de la période 1879-1880), ou, ce qui arrange tout, le crâne abrité des couvre-chefs les plus divers (le *Portrait de Cézanne à la casquette* de 1873, le *Cézanne au chapeau de paille* de 1875, les *Cézanne au chapeau melon* de 1883). Sans parler de toute cette gamme de *Portraits de l'artiste* qui vont de l'évocation d'un homme encore jeune, romantique, au front déjà dégarni, bombé, verlainien, à celle d'un vieux maître aux yeux fous, au visage mangé de barbe. Mais il ne faut jamais perdre de vue le Cézanne intense, fébrile et beau des vingt ans.

On aimerait pouvoir décrire le caractère aussi bien que le visage. Ce n'est pas simple, car ce caractère est tout sauf « facile ». Zola s'y emploie pourtant, comme il peut. Dans une lettre à Baille du 10 juin 1861, cette esquisse : « Paul est toujours cet excellent fantasque garçon que j'ai connu au collège. Pour preuve qu'il ne perd rien de son originalité, je n'ai qu'à te dire qu'à peine arrivé ici, il parlait de s'en retourner à Aix ; avoir lutté trois ans pour son voyage et s'en soucier comme d'une paille ! Avec un tel caractère, devant des changements de conduite si peu prévus et si peu raisonnables, j'avoue que je demeure muet et que je rengaine ma logique. Prouver quelque chose à Cézanne, ce serait vouloir persuader aux tours de Notre-Dame d'exécuter un quadrille. Il dirait peut-être oui, mais ne bougerait pas d'une ligne. Et observe que l'âge a développé chez lui l'entêtement... Il est fait d'une seule pièce, raide et dur sous la main ; rien ne le plie ; rien ne peut en arracher une concession. Il ne veut même pas discuter ce qu'il pense ; il a horreur de la discussion, d'abord parce que parler fatigue, et ensuite parce qu'il faudrait changer d'avis, si son adversaire avait raison. Le voilà donc jeté dans la vie, y apportant certaines idées, ne voulant en changer que sur son propre jugement ; d'ailleurs, au demeurant, le meilleur garçon du monde, disant toujours comme vous, effet de son horreur pour la discussion... » Et Zola, comme après avoir bien réfléchi : « Mon plan de conduite est donc bien simple : ne jamais entraver sa fantaisie ; lui donner tout au plus des conseils très indirects ; m'en remettre à sa bonne nature pour la continuation de notre amitié ; ne jamais forcer sa main à serrer la mienne ; en un mot, m'effacer complètement, l'accueillant toujours avec gaieté, le cherchant sans l'importuner, et m'en remettre à son bon plaisir pour le plus ou moins d'intimité qu'il désire entre nous. » Zola, on le voit, agit en subtil psychologue. En thérapeute presque. Mais on doit lui reconnaître la lucidité du jugement et de l'analyse. Qui s'en étonnerait, d'ailleurs ? Un jour viendra où Cézanne fera un excellent personnage de roman. Mais, tel qu'il est alors saisi, c'est bien lui. Toutes sortes de témoignages confirment que les mots *fantasque, entêtement, d'une seule pièce, raide et dur sous la main,* sont parfaitement justes et adaptés. Et l'*horreur de la discussion* semble très exacte aussi : *parler fatigue* est certainement une vérité axiomatique pour Paul (d'où la nécessaire mise en doute des torrents de paroles du Louvre à lui attribués par Gasquet, mais on a dit qu'il fallait les entendre comme parole intérieure !). Et, bien entendu, avec tout cela, il reste *le meilleur garçon du monde,* ce qui est un peu sommaire, mais tout aussi indéniable que le reste.

Ce que Zola ne dit pas, c'est que Paul se blesse constamment à tout, et en particulier aux autres, *à l'autre.* Un terrible problème de communication existe au fond de lui-même, dont la solution est peut-être dans la peinture, dans le portrait notamment, moyen d'entrer en dialogue profond avec quelqu'un dans le silence, moyen de communiquer dans l'irremplaçable souveraineté du mutisme. Zola doit le pressentir, car il insiste beaucoup dans ses lettres sur le plaisir que prend Paul à le faire poser. Ces fameux portraits d'Émile, ils ne sont pas simplement tentative d'immortalisation d'un futur grand homme, ils sont communication et dialogue : « Paul est venu me trouver, plus affectueux que jamais ; depuis ce temps, nous passons six heures par jour ensemble ; notre lieu de réunion est sa petite chambre ; là, il fait mon portrait. » C'est en fait une énorme charge affective qu'il investit dans ce travail. Zola toujours : « Ce maudit portrait, qui devait, selon moi, le retenir à Paris, a manqué hier de le lui faire quitter. Après l'avoir recommencé deux fois, toujours mécontent de lui, Paul voulut en finir et me demanda une dernière séance pour hier matin. Hier, donc, je vais chez lui ; lorsque j'entre, je vois la malle ouverte, les tiroirs à demi vides ; Paul, d'un visage sombre, bousculait des objets et les entassait sans ordre dans la malle. Puis il me dit tranquillement : " Je pars demain. — Et mon portrait ? lui dis-je. — Ton portrait, me répondit-il, je viens de le crever. J'ai voulu le retoucher ce matin, et, comme il est de plus en plus mauvais, je l'ai anéanti et je pars. ". »

Il ne partit pas pour cette fois. Mais ce n'était que partie remise. De toute façon, il était toujours à la limite d'une rupture. Et le portrait qu'il faisait des autres représentait toujours cette tension, cette volonté de communiquer par le silence — plus exactement cette incapacité à communiquer autrement que par le silence — et cette difficulté à le faire. Le portrait des autres et, probablement, le sien même. Car la variété des autoportraits dont il était question plus haut n'est sans doute rien d'autre que la variété des tête-à-tête muets qu'un tel homme peut entretenir avec lui-même. Inquiétant rapport à soi. Lucide, mais timide. Comme est lucide, timide et plein de défiance le rapport à autrui. Profondément gratifiant pourtant, lorsqu'il passe par la peinture. Et là est tout le mystère. Un bon exemple en est donné, dans toute cette période, par le portrait d'un homme qui n'est pas un ami du cercle parisien, mais un membre de la famille, son oncle maternel Dominique Aubert, retrouvé en diverses occasions et représenté avec une tranquille et affectueuse persévérance : cette série de 1865, où l'on voit l'oncle Dominique tantôt *au bonnet de coton,* tantôt *coiffé d'un turban,* tantôt en avocat, tantôt en moine, tantôt franchement lui-même avec sa tête ronde et sa barbe drue, est la démonstration parfaite d'une relation pudique qui ne semble passer par d'autre intermédiaire que la peinture.

Il y aurait évidemment toute une « psychanalyse » de Cézanne à faire à partir de ces relations à la fois distantes et intimes que l'acte de peindre lui permet avec les êtres. Elle n'a d'ailleurs pas manqué d'être esquissée. Mais il se peut que la clé première soit tout simplement dans un certain malaise que lui a toujours apporté le « toucher », le contact physique, et qui, dans son âge adulte, dans sa vieillesse plus encore, s'est traduit par une véritable obsession qu'on ne lui mette « le grappin dessus » (cette expression prenant dans sa bouche un sens presque exactement concret, non figuré). Il en a d'ailleurs fait remonter l'origine à un petit événement de son enfance qu'il a raconté à Émile Bernard et qui dépasse de loin l'anecdotique : « Je descendais tranquillement un escalier, quand un gamin qui se laissait glisser sur la rampe, et lancé à toute vitesse, en passant m'allongea un si grand coup de pied dans le cul que je faillis tomber ; l'imprévu et l'inattendu du choc me frappèrent si fort que depuis des années je suis obsédé que cela se renouvelle, au point que je ne puis souffrir l'attouchement ou le frôlement de personne. » Émile Bernard eut d'ailleurs à en faire lui-même l'expérience, qui déclencha un jour une crise de fureur peu commune chez son vieux maître pour l'avoir « touché » dans la louable intention de le retenir alors qu'il trébuchait dans un sentier escarpé sur une pierre, au cours d'une de leurs promenades vers la Sainte-Victoire. L'envers de ces contacts refusés, de ces grappins redoutés, c'est peut-être la merveilleuse décence-distance du geste de peindre.

Y compris les femmes nues. Car il faut bien revenir à cette curieuse et assez délicate question. Comment un homme qui abhorre à ce point le toucher peut-il approcher les femmes ou en être approché ? La réponse est simple : « Il ne me faut pas de femmes à moi, ça me dérangerait trop. Je ne sais pas seulement à quoi ça sert ; j'ai toujours eu peur d'essayer. » Mais les modèles, on l'a vu, font partie de la vie des ateliers. Ils font donc partie de la vie de Cézanne. De quelle manière ? Vraisemblablement avec une certaine trivialité. Peu de renseignements là-dessus, mais au moins quelques informations indirectes, comme le témoignage épistolaire de Zola, déjà cité. On pourrait citer aussi cette indication, peu connue, de Jules Gibert, un sculpteur, cousin du conservateur du musée d'Aix, qui, venu rendre un jour visite à Cézanne à Paris, a raconté ceci : « Arrivé à Paris, j'allai chez Cézanne, je sonnai, et la porte me fut ouverte par une femme complètement nue qui me fit entrer dans l'atelier où Cézanne peignait, assis sur la boîte de son piston. Et, pendant que nous causions, le modèle faisait frire quelque chose dans une casserole placée sur le poêle, et les odeurs de l'une n'étaient pas plus agréables que celles de l'autre. » On ne saurait être mieux servi que par ce témoignage, dans le genre vulgarité naturaliste ! Mais il est en un sens, avec son côté friture et crudité, assez révélateur de cette condition dégradée qui semble être la fatalité de la vie sexuelle de nombre d'artistes de ce temps-là, confrontés aux contraintes de la société bourgeoise. Cézanne ironise là-dessus. Il dira, sur le tard, que, devenu catholique pratiquant et se trouvant ainsi sous la surveillance des jésuites, il doit absolument renoncer à faire déshabiller des modèles dans son atelier, surtout à Aix : façon de prendre acte du côté équivoque de cette pratique. Et c'est assez tristement que, dans telle lettre à Zola, il parle de quelques visites au bordel, qui sont devenues sa seule diversion dans ce domaine. Rien d'étonnant à cela. De Flaubert à Maupassant, toute l'époque est pleine de ces témoignages. Il n'en sort pas toujours une image bien ennoblie de la femme. Il faut donc que l'art agisse dans le sens des surcompensations.

C'est tout à fait ce qui se passe avec Cézanne dans cette période romantique de sa jeunesse où non seulement la référence à Delacroix mais toutes les vibrations crues d'une peinture dite « couillarde » semblent entrer dans un travail voué d'abord à traduire un *tempérament* (c'est un mot que Cézanne aimait beaucoup et qu'il prononçait, dit-on, avec un superbe accent méridional, faisant sonner les nasales ; il y voyait l'expression d'une nature, d'un caractère, mais il en fera plus tard, au temps de la rigueur, une des conditions mêmes de l'art authentiquement créateur). Un nombre important d'œuvres mettent en valeur avec exaltation la présence féminine, la chair féminine, avec une fougue caractéristique, à l'occasion soit de sujets mythologiques *(Satyres et Nymphes),* soit d'imitations *(Médée* d'après Delacroix), soit de rêveries érotiques-romantiques *(l'Orgie, Femmes s'habillant, la Tentation de saint Antoine).* De fortes pulsions « désirantes » s'investissent dans de telles œuvres, la plus curieuse étant probablement *l'Enlèvement* de 1867 où, s'inspirant peut-être de l'*Hercule et Antée* de Delacroix, Cézanne a accusé au maximum le contraste entre la blancheur du corps d'une femme et la noirceur musculeuse de l'homme farouche qui l'étreint : fantasmatique étrangement poussée, à y réfléchir. Et rêve, tantôt païen, tantôt biblique, qui s'exprimera dans d'autres tableaux, comme *Bethsabée* ou *l'Éternel Féminin*.

Tout cela correspond à une certaine crudité du caractère de Cézanne. Crudité étant d'ailleurs le mot juste. Susceptible parfois d'être pris à la lettre : un étonnant *Gigot d'agneau* de 1865, aux tons merveilleusement saignants, peint à coups de pinceau nerveux, permet d'en vérifier l'application jusque dans le domaine de la nature morte. Et nombre de ses comportements, de ses manières de parler indiquent que ce versant de sa personnalité — l'autre versant étant la timidité ombrageuse — était constamment discernable. De multiples témoignages existent sur sa manière de réagir, très crue en effet et très drue, en telle ou telle circonstance. Si on insistait un peu trop pour voir des toiles qu'il n'avait pas envie de montrer, il répondait : « Je vous emmerde. » A propos des Aixois qui ne le comprenaient pas, il s'exclamait volontiers : « Quel tas de culs ! » Des expressions comme « Tas de châtrés ! » ou « Tout ça, c'est des goitreux ! », pour désigner des peintres qui lui paraissaient médiocres ou incompréhensifs, étaient dans sa manière. Et il avait une sorte d'antipathie pour les gens trop propres, trop soignés, trop bien mis. Des habitués du café Guerbois, avenue de Clichy, où il fréquentait avec les amis de Zola et les peintres d'alors, il disait à l'occasion : « Tous ces gens-là sont des salauds, ils sont aussi bien mis que des notaires ! » Il n'aimait pas lui-même apparaître particulièrement soigné dans sa tenue, et il arrivait qu'on le vît se présenter en public avec des taches de peinture sur ses vêtements. Façon de déplaire dont il tirait une certaine satisfaction. A Manet, un jour : « Je ne vous donne pas la main, monsieur Manet, je ne me suis pas lavé depuis huit jours ! » Au même interlocuteur lui demandant ce qu'il avait l'intention de proposer à un prochain Salon : « Un pot de merde. » Bien entendu, on sait que ce genre de truculence-là est l'envers de la délicatesse du cœur et un moyen de se protéger, de se défendre. Cézanne se défendait beaucoup par la crudité d'humeur et de langage, et il semble que cela n'était pas toujours aisément compris ou admis par ses amis, y compris les plus proches. Le résultat fut que se répandit très vite à son sujet une sorte de rumeur ou de mythe qui le présentait, à Paris, comme une espèce de sauvage bourru venu du Midi (les « steppes d'Aix », justement !), à l'accent prononcé, aux mœurs très provinciales, totalement dépourvu de savoir-vivre. Image qu'il cultiva. Il est probable qu'elle était toute traversée des contradictions de sa nature profonde. L'orgueil, fondé sur la conviction d'une œuvre à faire, d'une recherche à mener jusqu'au bout — combiné avec le doute, la timidité, la peur des autres et de leur contact —, formait un mélange instable, sans doute explosif, dont sortait en fait beaucoup d'angoisse. Elle se traduisait par un mot que, selon ses biographes, il répétait sans cesse, et qui était : « C'est effrayant, la vie ! » Vint un jour où cet effroi fut tel qu'il ne put être apaisé que par la solitude des paysages, la solitude du travail « sur le motif ». Mais à Paris, dans sa jeunesse, Paul n'en était pas là. Il essayait d'organiser son existence pour faire face le mieux possible à toutes les agressions qu'il rencontrait et affirmer son obstination d'aller vers des découvertes en peinture. Zola pensait qu'il s'y prenait mal. L'amitié ne l'empêchait pas de dire (et dès 1861) : « Paul peut avoir le génie d'un grand peintre, il n'aura jamais celui de le devenir. »

Et Zola savait de quoi il parlait, puisqu'il l'observait tous les jours. Que voyait-il ? Un jeune homme qui essayait de se plier au programme qu'il lui avait tracé. Qui se levait tôt pour aller sur les lieux de son travail, qui déjeunait modestement, dînait modestement, se couchait de bonne heure, faisait des efforts pour économiser l'argent de sa maigre pension paternelle. En dehors de conversations interminables, le genre de fantaisie qu'ils s'octroyaient volontiers l'un et l'autre était d'aller fumer une pipe au Luxembourg. Et puis, bien sûr, les cafés, le décor de la bohème, mais tout cela avec prudence dans la première phase, car, si Paul n'est pas très pourvu financièrement, Zola, qui doit gagner sa vie tout seul, continue à subir une condition très dure. Le temps du Guerbois, du regroupement des peintres « des Batignolles » ne viendra que plus tard. Il y a aussi les amis d'Aix, qui comptent beaucoup et offrent le couvert ou l'atelier. Par exemple, Villevieille, l'élève de Granet, admis à l'École des beaux-arts. Cézanne n'y est pas admis. Les *bozards* le refusent. Contrat non rempli. Villevieille est consciencieux et classique. Lui ne l'est pas.

De toute façon, la vie parisienne est telle que Paul, très vite, n'a qu'une envie : s'échapper. Il étouffe dans le petit meublé de la rue des Feuillantines, puis dans celui de la rue de l'Enfer (quel nom ! Cézanne aura, dans toute sa vie, une capacité de déménagement presque incroyable) où il s'est installé. Un jour, il s'en va, à Marcoussis, en Seine-et-Oise, dans des circonstances que Zola discerne mal. C'est sans doute la campagne, l'espace qui l'appellent. En attendant qu'il soit appelé — rappelé — par sa vraie campagne à lui. Celle du pays d'Aix. Cette fois, c'est sérieux. Il fait ses valises et rentre. Il n'a pas besoin de rater le portrait de Zola pour tout lâcher. Il n'a pas besoin de prétexte. Il en a assez, tout simplement. En septembre 1861, il regagne Aix. Il n'a tenu que six mois. Bien entendu, son père triomphe. Et, lui, il n'a qu'à reprendre le chemin de la banque et de l'École de dessin. Mais il retrouve aussi le chemin des rives de l'Arc et de la Sainte-Victoire. Il est parfaitement clair pour lui que là se trouve le cadre de respiration et de travail où il est au meilleur de lui-même. En même temps que le vrai cadre de ses amitiés de jeunesse. Quand Zola viendra l'y rejoindre dans l'été 1862 (c'est l'époque où il attaque *la Confession de Claude*, décidé plus que jamais à travailler avec fureur pour échapper à l'anonymat et à la misère), ils retrouveront l'un et l'autre le sentiment de communauté de leur enfance. Mais Paul ne peut tout de même s'ôter de la tête que c'est à Paris que se forgent les réussites, et que c'est dans les environs de Paris que se peignent les sites et les paysages qui font les peintres à la mode. Il faut recommencer l'expérience.

C'est dans cet état d'esprit qu'il regagne la capitale en novembre 1862. Mais, cette fois, il est prévenu. Il sait ce qui l'attend. C'est en connaissance de cause qu'il va s'enfoncer plus délibérément dans cette vie d'artiste qui ne le comble guère, mais dont il faut accepter les rôles. Tout en la maîtrisant par la discipline de la vie : « Je travaille avec calme, je me nourris et dors de même », écrit-il à Numa Coste. Ce qu'il lui faut avant tout, c'est la régularité d'une tâche qui préserve la part de la liberté et du recueillement. De tous les peintres qu'il rencontre, Pissarro est celui qui lui apporte les éléments les plus concrets de cette sagesse. Un lien très fort se crée entre eux. Et Pissarro lui offre la clé de ce monde des alentours de Paris où la nature sait aussi s'éclairer et sourire. Il va la découvrir avec Zola, tous les dimanches. Ils prennent le train pour Fontenay-aux-Roses, traversent les champs piquetés de fleurs aux couleurs vives, vont vers le bois de Verrières. Ils rencontrent d'autres couleurs vives, dans les guinguettes, au bord de l'eau, à Robinson. Mais il y a, pour Paul, des endroits privilégiés. Par exemple, cette *mare verte* qu'ils ont découverte en pleine campagne. Zola écrira dans *Aux champs* : « Un matin, en battant le bois, nous étions tombés sur une mare, loin de tout chemin. C'était une mare pleine de joncs, aux eaux moussues, que nous avions appelée la " mare verte ", ignorant son vrai nom ; on m'a dit depuis qu'on la nomme " la mare à Chalot ". La mare verte avait fini par devenir le but de toutes nos promenades. Nous avions pour elle un caprice de poète et de peintre. Nous l'aimions d'amour, passant nos journées de dimanche sur l'herbe fine qui l'entourait. Paul en avait commencé une étude, l'eau au premier plan, avec de grandes herbes flottantes, et les arbres s'enfonçant comme les coulisses d'un théâtre, drapant dans un recul de chapelle les rideaux de leurs branches, des trous bleus disparaissaient dans un remous, lorsque le vent soufflait. Les rayons minces du soleil traversaient les ombrages comme des balles d'or, et jetaient sur les gazons des palets lumineux dont les taches rondes voyageaient avec lenteur. Je restais là des heures sans ennui, échangeant une rare parole avec mon compagnon, fermant parfois les paupières et rêvant alors, dans la clarté confuse et rose qui me baignait. Nous campions là, nous déjeunions, nous dînions, et le crépuscule seul nous chassait. »

Une *mare verte*, à la lisière d'un bois, ce n'est presque rien. C'est peut-être assez pour rendre Paris supportable.

10

Le grog au vin

Paul, ce jour-là, va déjeuner dans une petite crèmerie, comme il en existe beaucoup dans les quartiers populaires de Paris. Il est avec quelques amis « rapins ». Cuisine modeste, mais familiale. La patronne, plutôt avenante, est à l'aise avec ces jeunes clients bruyants. Elle va et vient entre les tables, servant les uns, plaisantant avec les autres. Entre un homme d'apparence un peu rustaude. Il regarde toute cette bohème avec une certaine méfiance, mais son allure d'homme du peuple, un peu embarrassé dans ses gestes, a quelque chose de plutôt sympathique. C'est le mari de la dame, et il exerce le métier de vidangeur. Métier évidemment peu noble et même peu ragoûtant. Mais il faut des vidangeurs dans les égouts de Paris. Et celui-là est taillé comme un modèle du genre. Il a même sa beauté, à tout prendre. Paul lui demande de poser pour lui. Est-ce une fantaisie ? Une provocation ? Non, c'est une proposition très sérieuse. L'homme ne comprend pas, se récuse, invoque le « turbin » qui l'attend. Paul lui répond que son « turbin », il le fait la nuit, pas le jour. L'autre, interloqué, et même un peu agacé, répond que, le jour, il se repose, il dort. « Eh bien, dit Paul, je te peindrai au lit ! » Exécution, quasi séance tenante. Le vidangeur se met au lit, en chemise et coiffé d'un bonnet de coton. Mais à quoi bon tant de cérémo-

103

nies ? Les « rapins » sont des gens avec qui il n'y a pas à faire tant de manières. Il rejette le drap, enlève bonnet et chemise, et pose nu. C'est plus drôle. Paul le peint ainsi, saisissant les reflets de sa peau tannée dans des tons bruns. C'est très sauvage, très cru. Pour compléter la scène, il appelle la patronne et lui demande d'apporter à son mari un bol de vin chaud. Ce qui le réchauffera et fera très bien dans le décor. Le tableau s'appellera *le Grog au vin*. C'est l'ami Guillemet qui a trouvé le titre. Pour faire mieux et donner un peu d'exotisme à l'ensemble, il propose même : *le Grog au vin* ou *l'Après-midi à Naples*. On est à Naples, on est dans les égouts, on est dans la vidange, on est dans la couleur, on est dans le lit, on est où on veut.

Ce tableau a disparu. Mais Cézanne en a repris le thème à différents moments de sa jeunesse. En aggravant la provocation. En ajoutant par exemple un troisième personnage, ce qui fait qu'on voit une femme couchée sur un homme, tandis que l'épouse apporte le vin chaud. Ou plutôt le punch au rhum, car *le Grog au vin* devient *le Punch au rhum*. Ou bien, il y a deux personnes nues dans le lit, tandis que la servante (ou l'épouse) se penche au milieu d'un bizarre désordre pour apporter la capiteuse boisson, et le tableau reprend son titre d'*Après-midi à Naples*. La couleur napolitaine, avec ce qu'elle a d'un peu canaille, semble bien s'accommoder de ces variantes autour d'un alcool fumant. Mais une chose demeure, une constante : c'est le rapprochement des corps nus et d'un personnage habillé. Il faut croire qu'il y a une charge assez violente, assez explosive dans ce rapprochement, puisque Cézanne semble réellement s'y complaire et y voir un vrai moyen d'offusquer. Il a une certaine pratique de cet exercice de provocation, puisque, à la même époque, il peint un tableau intitulé *Pastorale*, ironiquement sous-titré « Don Quichotte sur les côtes de Barbarie », où l'on voit un homme tout vêtu de noir au centre d'un paysage peuplé de femmes nues qui montrent avec ostentation leurs fesses : le pire est que, dans l'homme, on peut reconnaître, selon certains commentaires, l'artiste. Curieuse pastorale, en effet, et très franche Barbarie ! Mais Cézanne, dans *l'Enlèvement,* en opposant avec force les pigments de peau de ses deux personnages, n'a-t-il pas joué à ce jeu-là ?

De toute façon, c'est un jeu bien connu. C'est celui auquel s'est livré Manet en exposant au Salon des Refusés, en 1863, cette toile qu'il intitulait *le Bain,* mais qu'on a préféré appeler *le Déjeuner sur l'herbe.* Probablement parce que le plus important n'y était ni le déjeuner ni l'herbe, mais la présence de deux hommes habillés auprès d'une femme nue sur le bord d'un ruisseau où se profile une autre femme à demi dévêtue. Présence absolument insupportable, « inregardable » pour certains, puisque, de toutes les œuvres exposées au Salon, c'est indiscutablement celle-là qui a fait le plus scandale et a fait converger sur elle le plus de quolibets agressifs. Grande date. Grand événement. Grand moment de la peinture. L'outrecuidance de Manet est d'avoir représenté tout cela sans flou, d'une facture très nette, très belle et très précise, d'avoir peint ses hommes habillés plus habillés qu'il n'est permis et sa femme nue plus nue qu'il n'est concevable, en accentuant au maximum l'opposition du noir et du blanc dans un paysage de douce lumière végétale. C'est plus que n'en peut supporter le public des Salons.

Et pourtant ce Salon-là n'est pas comme les autres. S'il est devenu dans l'histoire Salon des Refusés, c'est parce qu'il a été prévu spécialement pour accueillir les œuvres non admises dans l'autre, le vrai, l'officiel. C'est paradoxalement un décret impérial — paru au *Moniteur* du 24 avril 1863 — qui a décidé de son ouverture. Il est prévu qu'il se tiendra dans les mêmes lieux, le palais de l'Industrie, mais s'ouvrira deux semaines plus tard, le 15 mai. Si Napoléon III a été amené à cette décision, c'est que la situation qui existait alors dans le domaine de la peinture n'était plus tenable. Les jurés officiels, qui représentaient la bourgeoisie régnante, ne supportaient plus rien de ce qui pouvait déranger leur vision de l'art et y apporter la plus légère contestation : ils ne pouvaient admettre Delacroix ou Corot, à plus forte raison ressentaient-ils une antipathie violente pour Courbet ou Millet. Mais une antipathie plus grande encore pour tout ce qui bougeait, et bougeait en particulier chez ces jeunes peintres — à leurs yeux, de redoutables agités —, dans le choix des sujets comme dans la manière. Des barbouilleurs frénétiques pour tout dire, auxquels il importait de faire barrage par tous les moyens, et systématiquement. Aucun salut hors de l'antique et de l'académie ! Ce qui n'empêche pas toutes sortes de manœuvres, d'intrigues, de jeux d'influence et d'échanges de voix dans la sélection annuelle et la distribution des médailles, grâce à quoi certaines failles se produisent dans le système de protection, qui permettent parfois de faire admettre un des novateurs (Pissarro, par exemple, a eu cette chance en 1859). Mais, dans l'ensemble, l'institution est bien bétonnée, et tous ceux qui cherchent des voies nouvelles sont méthodiquement et rigoureusement écartés. Ils n'ont donc d'autre ressource que de se parer de ce refus qu'on leur oppose et de devenir le plus ostentatoirement du monde *les Refusés*. C'est ce qui se passe donc en cette année 1863, par la grâce d'un décret d'Empire. Il ne faut pas en inférer toutefois que ce Salon parallèle, le Salon des Refusés, sera un haut lieu de réparation. S'il s'ouvre largement au public, s'il attire les foules, c'est surtout, hélas, pour s'offrir à leurs sarcasmes. Trois cents artistes sont là présents, exposant plus de six cents toiles, ainsi que des gravures, des dessins et des sculptures : il y a, bien entendu, le meilleur et le pire, comme dans toute conjoncture de ce genre. Mais les bourgeois qui viennent voir ces œuvres viennent pour se gausser, et le bon peuple pour pouffer de rire. Dans la presse, les humoristes s'en donnent à cœur joie. On parle du Salon des parias, des Réprouvés, des Comiques, des Croûtes. Certains disent à voix basse « le Salon de l'Empereur ».

Naturellement, les jeunes artistes se mobilisent. Cézanne est le premier à se ranger aux côtés de Manet, en l'œuvre duquel il voit un magnifique « coup de pied au cul » à l'Institut et aux officiels. Et il aime passionnément *le Déjeuner sur l'herbe,* dans la mesure où il sent bien que cette toile est le chiffon rouge tendu devant le front du taureau bourgeois. Il reste à savoir pourquoi ce contraste pictural nu/habillé est la chose que ce taureau-là supporte le moins, en effet. Paul, on l'a vu, doit avoir son idée là-dessus. Sans descendre dans les tréfonds de l'inconscient collectif de cette société hypocrite et pudibonde, il semble en deviner d'instinct, mieux que personne, les refoulements. Zola, qui n'a pas encore fait sa plongée dans les bas-fonds de ce monde, essaie de tempérer sa véhémence : il est du côté de Manet, lui aussi, mais il pense qu'une certaine *tenue,* dans l'art comme dans la vie, est nécessaire. Cézanne se moque de toutes les *tenues,* et c'est bien cela qu'il a voulu montrer dans *le Grog au vin,* voie où même ses meilleurs amis hésitent à le suivre. Il semble que Monet aurait murmuré à Guillemet, auteur supposé du titre : « Comment peux-tu aimer la peinture sale ? » Mais *sale,* qu'est-ce que cela veut dire ? Baudelaire aussi a été réputé sale dans sa poésie, dans ses sujets, dans ses évocations et cela lui a valu un retentissant procès de la part de cette société si propre. Flaubert s'est trouvé dans le même cas. Alors, sale pour sale, autant relever le défi le plus crû-ment possible. C'est ce que doit penser Paul, qui est très baudelairien à sa manière et connaît par cœur des strophes entières des *Fleurs du mal*, au moment de ce Salon des Refusés qui l'excite beaucoup. Il admire au nom de l'art le tableau de Manet si maîtrisé, mais, au nom de la provocation, il ne détesterait pas bousculer plus franchement le bon goût.

Chose curieuse, il habitera bientôt, rue Beautreillis, près du Marais, un vieil immeuble, un vieil hôtel où Baudelaire a vécu sept ans avant. Sera-t-il visité par certains rêves du poète? Et comme pénétré, imprégné de la rigueur de son métier? On pourrait le penser. On pourrait penser surtout que les errances de Paul, de domicile en domicile, font de lui peu à peu un vrai Parisien. C'est vrai si l'on considère que, progressivement, il entre à part entière dans un groupe d'artistes dont le cheminement vers des conquêtes nouvelles s'affirme, au prix des « proscriptions » que l'on a vues. Ce n'est plus seulement Pissarro ou Manet qu'il rencontre, mais un jeune Anglais nommé Sisley, et Monet, et Renoir — qu'il va voir dans son atelier des Batignolles —, et Bazille. Ce dernier a des souches méridionales comme lui, et c'est une raison de plus de sympathie. Car, s'il s'intègre de plus en plus à cette communauté, il n'en oublie pas moins ce repère, ce pôle qui ne cesse de l'appeler, et qui est Aix-en-Provence. Tout se passe comme s'il avait un besoin périodique d'aller se ressourcer là-bas et d'effacer d'un seul coup cette agitation fébrile et usante du Paris des peintres. Il faut alors tout simplement disparaître, se dérober, fausser compagnie aux amis et aux complices. C'est une question de survie. En tout cas, Paul gardera ce rythme d'alternance une grande partie de son existence, réalisant ce paradoxe, à une époque où les transports n'étaient évidemment pas ce qu'ils sont aujourd'hui, de vivre à cheval sur Paris et Aix : un luxe, en un sens, mais qu'il peut s'offrir (et c'est bien une des choses importantes qu'il doit encore à son père !).

Et à Aix, bien entendu, ce ne sont plus les aventures de la peinture romantique et « couillarde » qui ont lieu. Mais des aventures tout autres. Beaucoup plus discrètes. La découverte de nouveaux sites qui s'ajoutent aux habituels parcours : une pointe, par exemple, poussée jusqu'à L'Estaque, près de Marseille, où sa mère loue parfois un cabanon de pêcheurs. La sage exécution de portraits familiaux, comme celui des deux sœurs, Marie et Rose, que l'on peut voir, par exemple, sur un tableau un peu léché, dans un sage équipage de gravure de mode. Portraits de l'oncle Dominique, bien sûr. Portraits aussi des amis provençaux comme Anthony Valabrègue, que Paul voudrait bien voir venir à Paris, et qu'il représente tout en finesse, rehaussant son charme de poète d'un point lumineux sur le nez, dans lequel il voit l'étincelle du vermillon pur. Et, dans le groupe des compatriotes fidèles, il trouve d'indéniables supporters, de Valabrègue lui-même à Marion, toujours en éveil, de Numa Coste à Marius Roux, qui n'hésite pas à écrire dans un numéro du *Mémorial d'Aix* : « M. Cézanne a emporté de l'École d'Aix de trop bons principes, il a trouvé ici de trop beaux exemples, il a trop de courage, trop de persévérance pour ne pas arriver à son but. » Parfait, en un sens. Franche option sur l'avenir. *Satisfecit* décerné à Paul par les siens. Il est heureux, en somme, à Aix. La vie est calme, le père banquier n'est toujours pas très commode, mais il est là, et les irremplaçables paysages, eux aussi, sont là, ce qui est l'essentiel. Au Jas de Bouffan il y a à faire, au pied de la Sainte-Victoire aussi, au bout de telle « route tournante en Provence » aussi.

Tout cela constitue un ensemble d'excellentes provisions, d'excellentes munitions pour affronter Paris. Et c'est bien en soldat de la peinture que Paul y retourne. A

Numa Coste, le 27 février 1864 : « Quant à moi, mon brave, j'ai cheveux et barbe plus longs que le talent. Pourtant, pas de découragement pour la peinture, on peut faire son petit bout de chemin, quoique soldat. »

11

« Des travailleurs sérieux »

L'heure des grandes batailles, en effet, sonne. Et, de Salon en Salon, l'affrontement se fait de plus en plus serré. A celui de 1865, le défi est encore apporté par Manet, avec l'*Olympia*. Si Baudelaire admire, la meute se déchaîne. De « l'odalisque au ventre jaune, ignoble modèle ramassé je ne sais où » de Jules Claretie à « l'Olympia faisandée » de Paul de Saint-Victor, on connaît le concert. Cézanne qui, lui, est purement et simplement refusé et commence à en avoir l'habitude, mesure très lucidement l'enjeu : « C'est, pense-t-il, un nouvel état de la peinture » qui est en question. Et il est là, en première ligne, aux côtés des Renoir, Pissarro, Monet, Guillemet, et de Manet qu'il ne connaît pas bien encore, mais dont l'œuvre visiblement l'interpelle. Il aura de toute évidence des comptes à régler avec cette *Olympia* qui ne semble pas le laisser en paix et qu'il va tenter de rendre plus « moderne » encore, à sa manière, dans une curieuse entreprise dont il y aura à reparler.

Mais, pour l'instant, l'important est la lutte à mener sur le terrain. Paul en est parfaitement conscient et, en ce qui le concerne, c'est le Salon de 1866 qui lui offre l'occasion d'un engagement très direct. Il a le sentiment que, cette fois, il devrait en toute justice y être admis, puisque d'année en année les choses bougent tout de même et que les œuvres nouvelles commencent peu à peu à avoir leur

111

chance de forcer le barrage. On a beau être moderniste et wagnérien (puisque les vibrations de Wagner font partie des tumultes montants), on peut avoir un *métier* dont la reconnaissance s'impose. Et il y a désormais des membres du jury qui, si minoritaires soient-ils, peuvent tenter d'exercer leur influence dans le sens d'un renversement des tyrannies : par exemple, Daubigny, paysagiste de qualité, qui semble prêt à préférer, dit-il avec courage, « des tableaux chargés de hardiesse aux nullités accueillies à chaque Salon ».

Donc, Paul devrait pouvoir faire valoir son talent. Peut-être faut-il renoncer à provoquer de front et présenter des œuvres qui ne soient pas porteuses de scandale. Le portrait de Valabrègue, avec sa lumineuse touche vermillonnée, lui paraît convenir. Il le proposera, avec une autre toile. Il ne se fait pas beaucoup d'illusions, mais il faut tenter. Le dernier jour fixé pour la réception des toiles, à l'heure ultime, il arrive au palais de l'Industrie, apportant le Valabrègue dans une charrette à bras traînée par ses amis. Il le montre à la cohue des rapins qui font haie devant l'entrée. Il est confiant. Pas pour longtemps. Si Daubigny défend la toile, d'autres membres du jury ne se privent pas de la mettre en pièces. C'est Valabrègue lui-même qui annonce le verdict à Fortuné Marion qui, d'Aix, suit le cours des choses : « Paul sera sans doute refusé à l'exposition. Un philistin du jury s'est écrié, en voyant mon portrait, que c'était peint non seulement au couteau, mais encore au pistolet. Une série de discussions se sont élevées déjà. Daubigny a prononcé quelques mots de défense... Il n'a pas eu l'avantage. » Marion réagit avec violence. Et avec sa lucidité habituelle. A son ami Morstatt, le wagnérien : « J'ai reçu d'autres nouvelles. Toute l'école réaliste a été refusée : Cézanne, Guillemet et les autres. On ne reçoit que les toiles de Courbet qui, à ce qu'il paraît, tombe en faiblesse... En réalité, nous triomphons, et ce refus en masse, cet exil immense est une victoire. Il ne nous reste plus qu'à nous exposer nous-mêmes et faire concurrence mortelle à tous ces vieux idiots borgnes... Ce moment est une période de lutte, et ce sont les jeunes qui combattent vis-à-vis des vieux ; le jeune homme contre le vieil homme, le présent tout plein des promesses de l'avenir contre le passé, ce *noir pirate.* La postérité, c'est nous : et l'on nous dit que c'est la postérité qui juge. Nous espérons, nous, dans l'avenir. Nos adversaires ne peuvent guère *espérer que dans la mort.* Nous avons la confiance. Nous ne désirons qu'une chose, *produire.* Avec la production, le succès nous est sûr. »

Paul est très affecté par l'échec. Mais il décide de ne pas s'incliner et d'adopter une attitude offensive. En concertation avec Zola. Il adresse donc au comte de Nieuwerkerke, surintendant des Beaux-Arts, une lettre dans laquelle il demande le rétablissement du Salon des Refusés. Il attend la réponse qui ne vient pas, puis, le 19 avril, quinze jours avant l'ouverture de l'exposition officielle, envoie au même destinataire une deuxième lettre, où il déclare :

« Monsieur,
J'ai eu récemment l'honneur de vous écrire au sujet de deux toiles que le jury vient de me refuser.

Puisque vous ne m'avez pas encore répondu, je crois devoir insister sur les motifs qui m'ont fait m'adresser à vous. D'ailleurs, comme vous avez certainement reçu ma lettre, je n'ai plus besoin de répéter ici les arguments que j'ai pensé devoir vous soumettre. Je me contente de vous dire de nouveau que je ne puis accepter le jugement illégitime de confrères auxquels je n'ai pas donné moi-même mission de m'apprécier.

Je vous écris donc pour appuyer sur ma demande. Je désire en appeler au public et exposer quand même. Mon vœu ne me paraît avoir rien d'exorbitant, et si vous interrogiez tous les peintres qui se trouvent dans ma position, ils vous répondraient tous qu'ils renient le jury et qu'ils veulent participer d'une manière ou d'une autre à une exposition qui doit être forcément ouverte à tout travailleur sérieux.

113

Que le Salon des Refusés soit donc rétabli. Dussé-je m'y trouver seul, je souhaite ardemment que la foule sache au moins que je ne tiens pas plus à être confondu avec ces messieurs du jury qu'ils ne paraissent désirer être confondus avec moi.

Je compte, Monsieur, que vous voudrez bien ne pas garder le silence. Il me semble que toute lettre convenable mérite une réponse.

Veuillez agréer, Monsieur », etc.

Paul Cézanne,
22, rue Beautreillis.

Nieuwerkerke ne répondit pas plus à cette lettre qu'à la première. Il était du genre (aristocratique) à ne pas se commettre avec ceux qui ne portaient pas beau linge, et l'argument relatif au statut de *travailleur sérieux* ne devait guère entrer dans son langage. Pourtant, la revendication de Paul était on ne peut plus juste dans le principe et solidement fondée : si le Salon des Refusés avait eu lieu une fois, pourquoi n'avait-il plus lieu, les motivations de son ouverture restant les mêmes, avec une évidence accrue d'année en année ? Mais là était justement la question. Ce précédent fâcheux, il importait de l'effacer et de n'y pas revenir. Tout le monde sentait bien que l'enjeu était important et qu'il fallait le mettre au cœur de la bataille. Daubigny et Corot, sortant d'une réunion du jury, déclaraient à Renoir, refusé lui aussi (et qui, par timidité et prudence, se faisait passer pour « un ami de Renoir ») : « Nous en sommes bien fâchés pour votre ami, mais son tableau est refusé, nous avons fait tout ce que nous avons pu pour empêcher cela, nous avons redemandé ce tableau dix fois, sans pouvoir réussir à le faire accepter, mais, que voulez-vous, nous étions six pour lui contre tous les autres. Dites à votre ami qu'il ne se décourage pas, qu'il y a de grandes qualités dans son tableau ; il devrait faire une pétition et demander une exposition des Refusés. » Voilà

114

le terrain de combat. Cézanne parle pour les autres et lance cette pétition.

Mais Zola, lui, a décidé de s'engager dans la bataille d'une manière beaucoup plus spectaculaire et fracassante. Cela est parfaitement dans son caractère et, en un sens, c'est plus l'amour de la lutte que celui de la peinture nouvelle qui le pousse. Surtout, il commence à se sentir en possession de certains moyens d'action qui lui permettent, comme il le dit, d'affirmer sa *position*. Il vient de quitter Hachette pour entrer à *l'Événement* d'Hippolyte de Villemessant qui est un géant au physique et déjà un géant de la presse. Il s'est présenté avec intrépidité, disant : « Essayez-moi, inventez-moi. » Il a déjà fait ses armes dans différents journaux, mais maintenant il est prêt à aller de l'avant, à foncer, si on lui donne sa chance. Villemessant est évidemment séduit, prêt à offrir cette chance. Les démêlés des tenants de la peinture moderne avec le Salon offrent une occasion inespérée. « Je ferai sans doute beaucoup de mécontents, dit Zola, étant bien décidé à dire de grosses et terribles vérités, mais j'éprouverai une volupté intime à décharger mon cœur de toutes les colères amassées. »

La proximité d'Émile et de Paul est toujours aussi étroite, malgré les incertitudes de l'humeur. Le trio des inséparables de la campagne aixoise s'est en quelque sorte reconstitué au moment où Émile a publié *la Confession de Claude* qu'il dédie à ses deux amis. *L'Écho des Bouches-du-Rhône* a signalé la chose : « *La Confession de Claude* est dédiée à MM. Paul Cézanne et J.-B. Baille que nous connaissons tous deux et qui sont également en train de se faire un nom dans les sciences et dans les arts. » Le livre ne confirme pas l'accueil reçu par les *Contes à Ninon* en 1864, qui avait permis à Zola de faire sa première vraie percée hors de l'obscurité et de la gêne. Il ouvre au contraire la longue série des suspicions et attaques que va connaître son auteur quant à ses rapports avec la « morale publique » : le parquet et le procureur général de la Seine froncent les sourcils et s'agitent. Mais évidemment c'est une raison de plus pour Zola de se sentir proche de ceux qui luttent pour un art nouveau. Paul est en outre très proche de lui par la vie. Il a même fait avec une certaine tendresse une « étude de femme » sur le visage d'une jeune personne de condition modeste, fleuriste à l'occasion, belle de corps et de traits, qui s'appelle Gabrielle Meley et deviendra bientôt Mme Zola. Et puis, bien sûr, il y a tout ce qui unit les deux hommes depuis l'enfance.

Dès la veille de l'ouverture du Salon, Zola passe à l'attaque. Il sait que Villemessant le lâchera s'il ne réussit pas. Qu'il le soutiendra à fond en cas de succès. Autant passer à la charge vite et le plus directement possible. Il signe Claude les articles dont il est chargé sur le Salon et, dès le premier d'entre eux, intervient en pamphlétaire justicier, révélant au public un certain nombre de choses bonnes à connaître, sur le jury, sa composition, son système de cooptation et son système de sélection. « Il y a, dit-il, des bons garçons qui refusent et qui reçoivent avec indifférence, il y a les gens arrivés qui sont en dehors des luttes, il y a les artistes du passé qui tiennent à leurs croyances, qui nient toutes les tentatives nouvelles, il y a enfin les artistes du présent, ceux dont la petite manière a un petit succès et qui tiennent ce succès entre leurs dents en grondant et en menaçant tout confrère qui s'en approche. » C'est sur ce dernier point qu'il enfonce le clou, montrant, non sans un réel courage, ce que sont les mécanismes d'une institution qui a pour principale visée de se maintenir, se conserver et se reproduire, en excluant tout ce qui n'entre pas dans cette visée. Les articles font naturellement du bruit, provoquent de l'émotion, réveillent les ateliers. Zola explique que c'est un vrai problème de morale publique et civique qui se pose : « Les expositions ont été faites pour donner largement de la publicité aux travailleurs sérieux. Tous les contribuables paient et les questions d'écoles et de systèmes ne doivent pas ouvrir la porte pour les uns et la fermer pour les autres... Or, il est des hommes qu'on place entre les artistes et le public. De leur autorité toute-puissante, ils ne montrent que le tiers, que le quart de la vérité. » Comme il sent bien qu'il doit se placer, pour assurer ses attaques, sur le terrain esthétique, il tente de préciser, dans un article intitulé « Le moment artistique », sa conception de l'art. Il la résume dans cette formule célèbre : « Une œuvre d'art est un coin de la création vu à travers un tempérament » (le mot *tempérament* cher à Cézanne !). Au nom de quoi, il dit que dans un tableau il cherche toujours un homme et se permet de déclarer que dans l' « amas de médiocrité » exposé au Salon, « il y a deux mille tableaux, il n'y a pas dix hommes ». Les vrais peintres sont ailleurs : « Nous sommes dans un temps de luttes et de fièvres, nous avons nos talents et nos génies. » Et, pour bien ponctuer la chose, dans un autre article, Zola rend publiquement l'hommage de l'admiration à celui qui lui paraît le mieux représenter ce génie nouveau et qui est, pour cela, la cible de tous les assauts, Manet : « La place de M. Manet est marquée au Louvre comme celle de Courbet. »

C'en est trop pour certains lecteurs. On se désabonne. Des lettres indignées sont adressées au directeur de *l'Événement*. L'une d'elles déclare :

« Monsieur,
En lisant ce matin le numéro de votre journal, je me suis demandé si vous en aviez encore la direction, car j'ai toujours remarqué que vous aviez des égards pour vos abonnés. Il n'en est pas de même aujourd'hui, et j'ai rarement lu un article où l'auteur se moquât de ses lecteurs avec l'aplomb de celui qui signe Claude dans votre journal. Je ne sais quel lien de parenté ou d'amitié lie ce rédacteur avec M. Manet, mais en vérité c'est

117

abuser étrangement de la patience de son public et se jouer impertinemment de lui que de déclarer ce barbouilleur le premier peintre de l'époque. »

Un autre lecteur écrit :

« M. Claude appelle poliment idiots ceux qui rient devant les tableaux de M. Manet. Mais pourquoi M. Manet ne se contente-t-il pas d'être médiocre ? Pourquoi est-il vulgaire et grotesque ? Pourquoi ses figures maculées semblent-elles sortir d'un sac de charbon ? On regarde avec pitié la laideur involontaire ; comment ne pas rire à la laideur prétentieuse ? De grâce, monsieur le directeur, épargnez à vos nombreux lecteurs une plus longue torture morale avec votre M. Claude, ou le désabonnement, qui est une réalité, commencera bien vite. »

Naturellement, Villemessant s'inquiète. Il convoque Zola et lui propose une transaction. Il écrira encore trois articles (il devait y en avoir plus de quinze), mais un autre critique, Théodore Pelloquet, en écrira également trois, et ce sera pour donner l'autre point de vue, le point de vue « officiel ». Il est devenu indispensable de rétablir l'équilibre. L'élan combatif de Zola est évidemment cassé, comme l'indique une notice placée à la fin de son cinquième article, « Les réalistes ». Mais ce lui est aussi une occasion de déclarer qu'il ne défend pas une école — les *réalistes*, justement — mais des hommes.

Il va jusqu'à préciser : « Toute école me déplaît, car une école est la négation même de la liberté de création humaine. » Et c'est peut-être vrai qu'il se bat d'abord et avant tout pour *la liberté de création humaine.*

12

« Nous savons maintenant combien nos chères pensées sont impopulaires »

Au printemps de 1866, Zola rassemble ses articles dans une brochure intitulée *Mon Salon* (il les reprendra plus tard dans le volume au titre véhément, *Mes haines*). Il y ajoute quelques spécimens des lettres d'injures reçues par le journal, des lettres d'admiration et d'approbation aussi. Mais, surtout, il les fait précéder d'un long et beau texte de dédicace dont le destinataire est Cézanne. Ce texte, daté du 20 mai 1866, il faut le citer en entier :

« J'éprouve une joie profonde, mon ami, de m'entretenir seul à seul avec toi. Tu ne saurais croire combien j'ai souffert pendant cette querelle que je viens d'avoir avec des inconnus ; je me sentais si peu compris, je devinais une telle haine autour de moi que souvent le découragement me faisait tomber la plume de la main. Je puis aujourd'hui me donner la volupté intime d'une de ces bonnes causeries que nous avons depuis dix ans ensemble. C'est pour toi seul que j'écris ces quelques pages, je sais que tu les liras avec ton cœur et que, demain, tu m'aimeras plus affectueusement.

Imagine-toi que nous sommes seuls, dans quelque coin perdu, en dehors de toute lutte, et que nous causons en vieux amis qui se connaissent jusqu'au cœur et qui se comprennent sur un simple regard.

Il y a dix ans que nous parlons arts et littérature. Nous avons habité ensemble — te souviens-tu ? — et souvent le jour nous a surpris discutant encore, fouillant le passé, interrogeant le pré-

119

sent, tâchant de trouver la vérité et de nous créer une religion infaillible et complète. Nous avons remué des tas d'effroyables idées, nous avons examiné et rejeté tous les systèmes, et après un si rude labeur, nous nous sommes dit qu'en dehors de la vie puissante et individuelle, il n'y avait que mensonge et sottise.

Heureux ceux qui ont des souvenirs! Je te vois dans ma vie comme ce pâle jeune homme dont parle Musset. Tu es toute ma jeunesse; je te retrouve mêlé à chacune de mes joies, à chacune de mes souffrances. Nos esprits, dans leur fraternité, se sont développés côte à côte. Aujourd'hui, au jour du début, nous avons foi en nous, nous avons pénétré nos cœurs et nos chairs.

Nous vivons dans notre ombre, isolés, peu sociables, nous plaisant dans nos pensées. Nous nous sentons perdus au milieu de la foule complaisante et légère. Nous cherchions des hommes en toutes choses, nous voulions, dans chaque aurore, tableau ou poème, trouver un accent personnel. Nous affirmions que les maîtres, les génies, sont des créateurs qui, chacun, ont créé un monde de toutes pièces, et nous refusions les disciples, les impuissants, ceux dont le métier est de voler çà et là quelques bribes d'originalité.

Sais-tu que nous étions des révolutionnaires sans le savoir? Je viens de pouvoir dire tout haut ce que nous avons dit tout bas pendant dix ans. Le bruit de la querelle est allé jusqu'à toi, n'est-ce pas? Et tu as vu le bel accueil que l'on a fait à nos chères pensées. Ah, les pauvres garçons qui vivaient sainement en pleine Provence, sous le large soleil, et qui couvaient une telle folie et une telle mauvaise foi!

Car — tu l'ignorais sans doute — je suis un homme de mauvaise foi. Le public a déjà commandé plusieurs douzaines de camisoles de force pour me conduire à Charenton. Je ne loue que mes parents et mes amis, je suis un idiot et un méchant, je cherche le scandale.

Cela fait pitié, mon ami, et cela est fort triste. L'histoire sera donc toujours la même? Il faudra donc toujours parler comme les autres ou se taire? Te rappelles-tu nos longues conversations? Nous disions que la moindre vérité nouvelle ne pouvait se montrer sans exciter des colères et des huées. Et voilà qu'on me siffle et qu'on m'injurie à mon tour.

L'histoire est excellente, mon ami. Pour rien au monde, je ne voudrais anéantir ces feuillets; ils ne valent pas grand-chose en eux-mêmes, mais ils ont été, pour ainsi dire, la pierre de touche contre laquelle j'ai essayé le public. Nous savons maintenant combien nos chères pensées sont impopulaires.

Puis, il me plaît d'étaler une seconde fois mes idées. J'ai foi en elles, je sais que, dans quelques années, j'aurai raison pour tout le monde. Je ne crains pas qu'on me les jette à la face plus tard. »

Émile Zola.

L'amitié que traduit cette dédicace s'exprime dans le quotidien d'Émile et de Paul, mais plus particulièrement dans un épisode de leur existence, à ce moment-là, que sont leurs escapades régulières à Bennecourt, un village des bords de la Seine en amont de Rouen. Ils s'y retrouvent, surtout au début de l'été, avec les amis provençaux qui, maintenant, sont presque tous « montés » à Paris, Baille, Chaillan, Valabrègue, Philippe Solari, Marius Roux. Cette petite colonie de peintres et d'écrivains a transplanté là quelque chose qui appartient à la fois à leur commune jeunesse et à leur terre d'origine : le Midi curieusement reconstitué en Normandie. Zola a évoqué ces moments de Bennecourt dans deux de ses nouvelles, *la Rivière* et *Une farce ou Bohème en villégiature* : atmosphère de canotage, de pêche, de nage, d'auberges, dans un paysage de peupliers et de coteaux boisés, tout un visage de la peinture d'alors.

Cela dit, il est clair qu'Émile et Paul ont une façon très différente de gérer leur vie. Le premier veut à tout prix s'affirmer et mener âprement une carrière. Il commence un nouveau roman *Un mariage d'amour*, rédige à la ligne *les Mystères de Marseille* dans un souci alimentaire, multiplie les collaborations et les projets, commence, du jour où Gabrielle est devenue sa femme, à avoir une véritable existence sociale et mondaine d'homme de lettres reconnu, à réunir ses amis chez lui lors de ses fameux « jeudis » qui deviendront célèbres. Paul, plus que jamais, vit comme un sauvage. Il ressent son travail comme un

« métier de chien », s'y épuise, s'y livre avec un mélange inquiétant de frénésie et de rudesse, se plonge, dans son atelier de la rue Beautreillis, dans une espèce d'ivresse de désordre qui est sans doute l'envers de son exaltation : il défend qu'on balaie, il accumule pinceaux, tubes et palettes au milieu des poêles, des casseroles et des meubles branlants, il entasse les toiles, aussi bien celles qu'il vient de peindre que celles qu'il vient de « crever » dans un mouvement de fureur. Il travaille avec fougue à de grands sujets tout en se persuadant que tout l'art du monde peut tenir dans « une botte de carottes bien rendue ». Il sent, devant de telles évidences, sa raison lui échapper, dans cet effroi et cette fascination de la vie qui l'habitent de plus en plus. Cela ne le rend guère sociable, et il prend un étrange plaisir à étaler cette insociabilité. On le voit dans son paletot délavé, là où les autres, si maudits qu'ils soient — Manet notamment —, jouent volontiers les dandys. Au café Guerbois, il va jusqu'à arborer, au milieu des regards effarés, la ceinture rouge — la taillole — de paysan provençal qu'il enroule volontiers sur son pantalon.

Dans ces conditions, sa relation avec le Salon ne peut être qu'encore plus problématique qu'a pu le constater Zola. Celui-ci murmure à voix basse, un jour, à Numa Coste : « Il s'affirme de plus en plus dans la voie originale où sa nature l'a poussé. J'espère beaucoup en lui. D'ailleurs, nous comptons qu'il sera refusé pendant dix ans. » Curieux espoir. Curieux désespoir. Zola, hélas ! voit assez juste. Mais Paul, au milieu de sa violence, garde une douce et tendre obstination. Rien n'est émouvant comme la façon dont il écrit à son ami, dans les mois mêmes qui suivent l'échec de 1866 : « Je viens de terminer un petit tableau qui est, je crois, ce que j'ai fait de mieux : ça représente ma sœur Rose lisant à sa poupée. Ça n'a qu'un mètre ; si tu le veux, je te le donnerai ; c'est grandeur du cadre de Valabrègue. Je l'enverrai au Salon. » La lettre vient d'Aix, lors d'un des séjours sporadiques. Elle poursuit, avec un affinement tout à fait étonnant dans la tendresse : « Ma sœur Rose est au milieu, assise, tenant un petit livre qu'elle lit, sa poupée est sur une chaise, elle sur un fauteuil. Fond noir, tête claire, résille bleue, tablier d'enfant bleu, robe foncée jaune, un peu de nature morte à gauche : un bol, des jouets d'enfants. » Apparemment, ce merveilleux langage n'a rien à faire avec celui du Salon. Tableau non reçu, une fois de plus. Cela devient une habitude. Pourtant Paul a essayé, on le voit, de ne provoquer ni effaroucher en aucune manière. Mais il y a quelque chose, dans sa manière, qui ne passe pas. Même à Marseille où il tente un jour une petite exposition, les gens, selon Valabrègue, font du bruit, s'attroupent, s'irritent, menacent de casser la vitre.

Alors, autant revenir aux sujets qui exaspèrent. Au moins, les choses seront claires. Au Salon de 1867, il envoie *le Grog au vin* et tout son cortège de fantasmes alcoolisés. Il l'apporte de nouveau, dans sa charrette. Il ne s'agit plus simplement d'une position de principe qu'évoquera plus tard Zola et qui consiste à adresser inlassablement des œuvres au Salon « simplement pour le mettre dans son tort », mais vraiment d'une attitude déterminée qui consiste à provoquer le mauvais goût par le mauvais goût.

Le résultat ne se fait pas attendre. Dans deux journaux, *l'Europe* et *le Figaro*, Paul se fait tellement couvrir de sarcasmes qu'il en perd jusqu'à son nom, devenant — tant on l'ignore — *Sésame*. C'est si bas que Zola se sent obligé de répondre. Dans *le Figaro* du 12 avril, il déclare : « Il s'agit d'un de mes amis d'enfance, d'un jeune peintre dont j'estime singulièrement le talent vigoureux et personnel. Vous avez coupé, dans *l'Europe*, un lambeau de prose où il est question d'un M. Sésame qui aurait exposé en 1863 au

123

Salon des Refusés " deux pieds de cochon en croix " et qui, cette année, se serait fait refuser une autre toile intitulée : *le Grog au vin*. Je vous avoue que j'ai eu quelque peine à reconnaître sous le masque qu'on lui a collé au visage un de mes camarades de collège, M. Paul Cézanne, qui n'a pas le moindre pied de cochon dans son bagage artistique, jusqu'à maintenant du moins. Je fais cette restriction, car je ne vois pas pourquoi on ne peindrait pas des pieds de cochon comme on peint des melons et des carottes. M. Paul Cézanne a eu effectivement, en belle et nombreuse compagnie, deux toiles refusées cette année, *le Grog au vin* et *Ivresse*. Il a plu à M. Arnold Mortier de s'égayer au sujet de ces tableaux et de les décrire avec des efforts d'imagination qui lui font grand honneur. Je sais bien que tout cela est agréable plaisanterie dont on ne doit pas se soucier. Mais que voulez-vous? Je n'ai jamais pu comprendre cette singulière méthode de critique, qui consiste à se moquer de confiance, à condamner et à ridiculiser ce qu'on n'a même pas vu. »

On comprend que Paul ait pu être las, quelquefois. Et que l'écœurement ait pu le gagner. Heureusement, il y a la solitude aixoise qui l'attend, qui l'appelle (Zola à Valabrègue : « Il a grand besoin de travail et de courage... au fond des solitudes »). Il s'y réfugie pour trois mois pendant l'été 1867. Puis presque toute l'année 1868.

13

Nature morte noire et blanche

Le tableau représente une table ou, plus exactement, le dessus d'une table où sont posés une bouilloire, un pot de beurre, un autre petit pot fermé dont on ne peut savoir ce qu'il contient, une pomme, un torchon (peut-être une nappe) dans les plis duquel sont comme cachés, « nichés », deux oignons et deux œufs, un couteau.

Les tons dominants sont le brun et le jaune. Si cette nature morte est appelée « noire et blanche », c'est sans doute à cause de l'ombre, très noire, qui se dessine sous la table, du manche du couteau aussi, et du blanc du torchon et des œufs. Mais il n'en est pas moins vrai que le marron du mur du fond et le jaune du dessus de la table font baigner l'ensemble dans une lumière qui pourrait permettre, sans forcer les choses, de parler de nature morte « jaune et brune ». Il y a même une zone jaune qui paraît particulièrement recherchée, voulue, revendiquée : c'est celle qui constitue le dessus du pot de beurre, non fermé. On voit cet ovale jaune, luisant, au sommet du pot de grès d'un ton brun-vert, comme une ellipse très nette qui vient ponctuer de clarté le tableau en son centre. Le beurre est d'abord surface, plage douce et rassurante, avec tout ce qu'il porte de repos et de sécurité domestiques : une toute petite tache blanche fait briller la surface. Deux autres soulignent le galbe du pot.

Le jaune est surtout, d'ailleurs, dans la table. Mais, en

regardant de près, on se prend à se demander s'il s'agit bien d'une table. C'est peut-être une armoire basse, une commode, ou même une simple étagère : le noir, sous le jaune, ne serait rien d'autre alors que l'ombre sous la planche de l'étagère. Il se peut. Mais le plateau jaune est bien là, lui, de toute évidence, et les fendillements sur la gauche indiquent qu'il s'agit de vieux bois : sans doute un beau bois rustique. L'important est d'abord cette autre grande surface plane, parallèle à celle du beurre, bien entendu, et jaune comme elle. On s'aperçoit que le bois est une « matière », et que l'enduit, la peinture, le crépi brun qui couvre le mur, en est une autre. Il y a dans tout cela quelque chose qui enveloppe et qui rassure — et qui, évidemment, construit la vision.

De tous les objets posés sur la table, la bouilloire que l'on voit à droite est certainement le plus important et le plus présent. Le tableau a pu d'ailleurs s'appeler *Nature morte à la bouilloire,* pour signaler cette prééminence. La bouilloire est renflée, bombée, mais pas de la même manière que son voisin, le pot de grès. Il y a en elle une force calme qui se lève, qui chante : on sent cela dans la belle courbure claire de l'anse, et dans la brillance modérée du métal traversée de reflets blancs. Du plus petit pot, on ne voit que le dessus, un couvercle brun, un point blanc. Le reste est caché par les grands plis du torchon. Ces plis sont comme une sculpture, une architecture plutôt. Ils sont plus vrais que nature. On sent qu'une main est passée par là pour arranger les choses, creuser des petites vallées dans l'étoffe, faire monter des reliefs. C'est pour cela d'ailleurs que les deux œufs et les deux oignons sont si bien posés, calés, dans le berceau de ces plis. Ils sont là, tout simplement, malgré leur douce sphéricité — celle des œufs surtout, plus arrondis qu'ovales — qui devrait les faire rouler, comme le rappellent de discrètes inflexions de lumière sur leur surface : mais ils restent là, tranquilles et immobiles, comme cela doit être dans une nature morte. Le couteau ne donne pas la même impression. Il déborde nettement de la planche de bois, comme d'ailleurs l'un des coins du torchon (qui pend presque à la manière d'une nappe) : ce qui le rend un peu plus inquiétant et même agressif. Agressif, de toute façon, un couteau l'est toujours un peu. Surtout quand son manche est si noir.

Reste la pomme, exilée là-bas, à l'autre bout. Elle est toute seule, unique. C'est intéressant à noter, surtout quand on pense à toutes celles que Cézanne va peindre, se bousculant parfois, se soutenant ou se polissant les unes les autres. Celle-là est seule, jaune elle aussi (et il faut savoir le faire : peindre jaune sur jaune), avec juste un petit liseré courbe de rouge sur le flanc gauche. En calme équilibre, mais équilibre quand même : comme si elle pouvait peut-être rouler. Cette pomme est vraiment un avertissement, un signe : elle doit dire beaucoup de choses.

Tout le tableau dit beaucoup de choses. Peut-être même vaguement à la manière de Chardin, ou de Le Nain. Mais il dit surtout ce que dit sa couleur, ce jaune-brun qui balance et circonvient sans vergogne ce blanc-noir central. Et ce que dit son harmonie, si simplement construite, et si naturellement domestique. Domestique et non rurale, car nous sommes à la campagne sans y être. Évidemment, nous ne sommes pas à Paris. Nous sommes à Aix. Mais justement, Aix est caractéristique de ce mixte de vie rurale et de vie urbaine qui semble être le privilège des familles où l'on aime bien le confort du monde bourgeois sans en aimer le modernisme et les raffinements. On préfère ici les matières traditionnelles et sûres du décor paysan aux clignotements du luxe des grandes cités. On préfère le bois au métal et, s'il s'agit de métal, on se contente de celui de la bouilloire. Elle est le symbole de l'intimité chaude qui règne dans cette pièce. Et qui doit être l'inti-

mité provençale. Aussi « ménagère » par certains côtés
que la flamande. A quoi le voit-on ? Il doit faire chaud
dehors ; à l'intérieur règne l'ombre, et le beurre se garde
au frais. Et puis, il y a ce pot vernissé qui est peut-être un
pot d'Aubagne. Et le petit pot qui pourrait bien contenir
des olives. Et les oignons qui ont un certain parfum de
cuisine locale. Mais tout cela n'est pas certain. N'exagé-
rons rien. La beauté de ce tableau vient aussi de ce que les
objets qu'on y voit ne sont nulle part. Si, ils sont au
Louvre, au Jeu de Paume, et vous pouvez les admirer.
Vous les trouverez intacts, dans leur tranquillité rasséré-
nante. Mais ils ne sont pourtant nulle part. Ils sont partout où ils peuvent se former, se dessiner, se colorer et se
construire. C'est-à-dire vraiment dans un endroit bien
réservé et protégé.

C'est là que Paul venait se mettre à l'abri et panser ses
blessures en cette année 1868. Au fond, il est très bien
quand il est seul, et c'est alors vraiment que quelque chose,
en lui, avance. Il s'en rend bien compte dans le jardin du
Jas de Bouffan où il reste de longues heures. Il s'en rend
bien compte sur les rives retrouvées de l'Arc. Il s'en rend
bien compte quand il arrive au pied de la masse claire de
la Sainte-Victoire, après avoir contourné le barrage des
Infernets et être monté jusqu'à Saint-Antonin. Il le dit à
Numa Coste dans une lettre qu'il date « Vers les premiers
jours de juillet 68 » (merveilleuse approximation ; il n'a
plus besoin du jour exact, il ne le connaît pas, le temps est
devenu différent) : « Je ne sais si je vis ou si simplement je
me souviens, mais tout me fait penser. Je me suis égaré
seul jusqu'au barrage et à Saint-Antonin. J'y ai couché
dans une " paillère ", chez les gens du moulin, bon vin,
bonne hospitalité. Je me suis rappelé ces tentatives
d'ascension. Ne les recommencerons-nous plus ? Bizar-
rerie de la vie, quelle diversion, et qu'il nous serait difficile, à l'heure où je parle, d'être nous trois et le chien, là

où à peine quelques années auparavant nous étions ! » Le souvenir. Mais aussi le présent. Il faut bien noter cette nuit dans la *paillère*, ce *bon vin*. C'est comme cela que le travail progresse, dans ses vrais rythmes.

Pour le reste, Paul dit qu'il rencontre Paul Alexis qui est venu le voir, d'autres rares amis, qu'il a des nouvelles de Valabrègue, qu'il n'a pas grande envie de mettre les pieds chez le père Gibert à l'École de dessin, ni même dans les cafés du cours Mirabeau : « Je n'ai nulle distraction, sauf la famille, quelques numéros du *Siècle*, où je cueille des nouvelles anodines. Étant seul, je me hasarde difficilement au café. Mais, au fond de tout ça, j'espère toujours. » *J'espère* quoi ? Il ne dit pas. C'est très important. Car il ne trouve pas, il cherche. Et c'est bien cela qui a lieu à Aix, cette recherche, la poussée sourde de cette obstination. Marion, qui continue à très bien voir et à très bien comprendre, écrit à Morstatt : « Cézanne travaille toujours rudement et de toutes ses forces à ordonner son tempérament, à lui imposer les règles d'une science calme. S'il arrive à son but, mon cher, nous aurons bientôt des œuvres fortes et complètes à admirer. » Mais peut-être Paul se contente-t-il, lui, d'*espérer* à court terme. L'espérance, c'est aussi la patience. Encore à Numa Coste : « Je travaille beaucoup à un paysage des bords de l'Arc, c'est toujours pour le Salon prochain ; sera-ce celui de 1869 ? »

14

La dame au fauteuil rouge

Cette femme dans un fauteuil rouge est indiscutablement une dame. D'ailleurs, la toile s'appelle *Dame à l'éventail.* L'éventail noir, plié dans la main, n'est de toute façon qu'un attribut mineur (rappelant qu'il peut faire très chaud en Provence). L'attribut essentiel est bien le fauteuil. Il indique une position plus que confortable dans la société. En douterait-on, la coiffure en bandeaux rigides, bien séparés par une raie médiane, soulignant le regard assuré, confirmerait cela. Et, plus encore, la robe, élégante en même temps que sobre, qui a pu être identifiée comme un des plus attachants modèles proposés par le *Journal des dames et des demoiselles* du 15 octobre 1878.

Mais il faut revenir en arrière. Cette femme s'appelle Hortense Fiquet et, en 1870, elle n'est pas encore *Madame Cézanne.* Elle est simplement une jeune personne, assez belle, plutôt blonde alors, aux yeux noirs un peu bridés, venue du Jura avec ses parents, de condition modeste, pour vivre à Paris. Après la mort de sa mère, elle travaille dans le livre, comme ouvrière brocheuse et, pour améliorer son ordinaire, fait de temps en temps des poses. C'est ainsi que Paul a dû la rencontrer. La *pose* est un exercice étonnant : non seulement il permet de bien voir quelqu'un, mais il est la meilleure école de cette patience dont tout le monde a tant besoin, et le peintre Paul

131

Cézanne, on l'a vu, plus que tout autre. Toute sa vie, d'ailleurs, il fera poser Hortense d'inlassable façon, et on en vient à se demander si cette aptitude à se laisser peindre n'est pas la qualité qu'il a le plus appréciée chez elle. Non sans une pointe d'inconsciente cruauté, d'inconscient sadisme à l'endroit de la réalité féminine si longtemps convoitée et redoutée : divers témoignages indiquent qu'avec lui les poses pouvaient durer des heures et même des jours, qu'il ne fallait pas bouger d'un pouce ni troubler le travail en aucune manière, sous peine de provoquer éclats ou fureur de l'artiste. Le temps devait lui échapper. Il devait donc, impérativement, échapper à celle qui posait, il fallait qu'elle soit capable de rester longtemps assise dans un fauteuil ou sur une chaise, les mains sur le tissu chaud de la robe ou de la jupe, une dans le giron, une sur le genou. Hortense avait indiscutablement ce don. Mieux, elle devait beaucoup aimer cela. Après tout, c'était ce qui la rendait *dame*.

Il y a loin, en effet, des premières esquisses du début des années soixante-dix, où on la voit, assez maladroitement juvénile dans une grande robe verte, ou un peu « abstraite » dans une blouse rayée, aux grandes compositions des années quatre-vingts, où on la découvre de plus en plus *accoudée, assise, cousant, au jardin, à la serre, dans un fauteuil rouge, dans un fauteuil jaune...* Les titres mêmes de ces tableaux indiquent qu'elle est vue comme épouse, dans une attitude, une situation ou un décor qui évoquent à la fois la modestie, la dignité et la souveraineté conjugales. Elle est *Madame Cézanne*, comme le souligne avec insistance le leitmotiv qui blasonne chacune de ces toiles. Elle ne l'a sans doute pas été dans la vie aussi pleinement qu'on pourrait croire, mais, en peinture, elle l'est, indiscutablement, triomphalement. Paul, vraiment, a mis le prix.

Il est vrai que c'est l'histoire d'une longue respectabilité conquise. Quand Hortense est entrée dans son existence, elle l'a fait par une sorte d'effraction ou du moins de surprise. Il avait tant de démons à conjurer et à exorciser, tant de fantasmes à assagir que sa venue a dû être plus qu'un apaisement : la source d'un réel équilibre, nécessaire à sa création. En même temps qu'une sorte de preuve de sociabilité : il n'était pas différent des autres, lui le sauvage et le provincial, il pouvait avoir une femme comme les autres, un ménage comme les autres. Mais, en même temps, ce « ménage », il fallait bien reconnaître que ce n'était pas tout à fait celui que son père rêvait et attendait pour lui. Condition modeste, on l'a dit, ce qui signifiait absence de dot : cela n'entrait pas dans le système du banquier Louis-Auguste ni dans sa vision des relations sociales. On comprend donc que Paul ait cru plus sage de cacher cette liaison. C'est ce qu'il fit de très longues années, choisissant la voie de la clandestinité, y compris en ce qui concernait la naissance d'un enfant, le petit Paul, digne fils homonyme de son père, qui devait voir le jour au début de 1872. Mais, comme sa mère pouvait être sa confidente, il la mit dans le secret, très tôt, de ce qu'il cachait à son père. Cela donna, pendant assez longtemps, cette situation conjugale assez bizarre où Cézanne était petit garçon sous confidence devant sa maman et petit garçon sous surveillance devant son papa. Lui, le rapin bourru et incommode de la bohème dure, lui le révolté des Salons. Quant à Hortense, on ne peut pas dire que ce statut fût très positif et très agréable pour elle. Le père ne savait pas ou feignait de ne rien savoir, mais la mère et les sœurs n'étaient pas pour autant d'un accueil enthousiaste à l'égard de l'étrangère. Jusqu'au jour où Paul « régularisa ». Car, dans ces familles-là, il était important de vivre selon la bonne règle.

Alors Hortense devint la *dame*, avec ou sans éventail, et prit, d'année en année, cette autorité qui donnait un charme particulier à ses yeux chinois dans un visage dont les bandeaux soulignaient de plus en plus l'ovale plein et lisse. On la surnommait d'ailleurs *la Boule* dans le cercle des proches et amis, et l'enfant, plus tard, *le Boulet* (ce qu'il n'était pas, mais Cézanne n'appréciait pas plus que de raison les charges familiales et il sut toujours préserver son indépendance sur ce plan-là). Une photo d'Hortense Fiquet prise vers 1900 montre qu'avec la vie elle avait évolué vers une grave et belle austérité bourgeoise, mais il est préférable de garder d'elle, de son maintien et de ses traits, l'image que nous ont laissée tant de tableaux : la peinture l'a magnifiquement protégée des altérations de la vie et du temps et, ce qui est encore mieux, en a fait une personne merveilleusement « inventée », drôle, plaisante et réussie, qui pourtant était bien cette honorable *Madame Cézanne* qu'il ne fallait pas se lasser de nommer : c'est-à-dire de peindre. Paul l'a-t-il peinte, d'ailleurs, toujours vêtue ? C'est une question qui peut paraître indélicate. Mais, nonobstant le fait qu'elle ait pu être modèle, on doit noter que Lionello Venturi, homme des recensements cézanniens rigoureux s'il en fut, croit la reconnaître dans un *Nu féminin* daté de 1895, c'est-à-dire du temps de sa pleine maturité...

Il reste que c'est au milieu des tissus, des étoffes et des housses de fauteuil qu'elle est vraiment elle-même, et on s'en voudrait de ne pas citer ici le magnifique texte que Rilke a consacré à *la Femme au fauteuil rouge*, dans une « lettre à Clara » où il se montre particulièrement fasciné par ce tableau :

« Déjà, bien que je me sois si souvent attardé devant avec une attention sans faille, la grande architecture colorée de *la Femme au fauteuil rouge* se révèle aussi difficile à mémoriser qu'un nombre à plusieurs décimales. Je m'en étais pourtant imprégné chiffre par chiffre. La conscience de sa présence exalte ma sensibilité jusque dans le sommeil ; mon sang la décrit en moi, mais le langage reste à l'extérieur sans qu'on l'invite à entrer. T'ai-je parlé d'elle ? — Devant une paroi terre verte que décore un rare motif bleu de cobalt, une croix à centre évidé, est placé un fauteuil bas, rouge, capitonné ; le dossier arrondi s'incurve en avant vers les accoudoirs (fermés comme l'extrémité des manches d'un manchot). L'accoudoir de gauche et le gland saturé de vermillon qui en pend n'ont déjà plus pour fond cette paroi, mais une large bordure bleu-vert qui donne à leur contraste sa pleine résonance. Dans ce fauteuil rouge — un personnage à lui seul —, une femme est assise, les mains dans le creux d'une robe à larges rayures verticales, très légèrement indiquées au moyen de petites taches éparses de jaune-vert et de vert-jaune, jusqu'au bord de la jaquette gris-bleu qu'un nœud de soie bleue où jouent des reflets ferme sur le devant. Sur le visage lumineux, la proximité de ces couleurs permet un modelé simple ; même le brun des cheveux en bandeaux couronnés par un chignon et le brun lisse des yeux sont obligés de s'affirmer contre ce qui les environne. *C'est comme si chaque point du tableau avait connaissance de tous les autres.* Tant chacun participe, tant s'y combinent adaptation et refus ; tant chacun veille à sa façon à l'équilibre, et l'assure ; de même que le tableau entier, en fin de compte, fait contrepoids à la réalité. »

Cette situation nouvelle va-t-elle apporter à Paul l'équilibre dont il aurait besoin ? On peut en douter, à voir combien, dans cette période — celle qui précède immédiatement la guerre de 1870 —, il multiplie, lorsqu'il se retrouve à Paris, les attitudes provocantes. Piètres provocations, en fait, où tend à s'exprimer une lassitude qui semble détourner le peintre de lui-même, de son vrai génie, pour l'amener à se jouer de ses propres outrances, de son romantisme mal purgé, de ses démons baudelairiens. Et il va délibérément dans le sens de ce qui ne peut manquer de déplaire. Il peint une *Moderne Olympia*, où Manet paraît à la fois cité en référence et caricaturé. Il propose au Salon le portrait d'Empéraire, parce que c'est une œuvre qui peut choquer, un nu parce que c'est un nu. On comprend qu'il fasse ricaner plus que jamais. Un M. Stock, journaliste, l'apostrophe. Il lui répond : « Oui, mon cher monsieur Stock, je peins comme je vois, comme je sens, et j'ai les sensations très fortes. Eux aussi, ils sentent et voient comme moi, mais ils n'osent pas. Ils font de la peinture de Salon. Moi, j'ose, monsieur Stock, j'ose. J'ai le courage de mes opinions, et rira bien qui rira le dernier. »

Mais *oser* est une chose, être constamment refusé en est une autre. Cela commence à se savoir et à marquer Cézanne d'une certaine réputation. D'autant plus que tous les autres ont fini par avoir au moins un envoi accepté. Renoir, Pissarro, Sisley, Bazille, après Manet, et, ce qui est plus fâcheux, Solari et même le jeune Honoré Gibert. Un tableau de Fantin-Latour, *Un atelier aux Batignolles*, réunit d'ailleurs autour du chevalet de Manet la plupart des peintres du groupe : Cézanne ne figure pas parmi eux. Très nettement, Zola semble perdre confiance. Un témoignage précis existe. Un de ses correspondants, Théodore Duret, lui écrivait ceci : « J'entends parler d'un peintre nommé, je crois, Cézanne ou quelque chose d'approchant, qui serait d'Aix et dont les tableaux auraient été refusés par le jury. Il me semble me souvenir que vous m'avez, dans le temps, parlé d'un peintre d'Aix tout à fait excentrique. Ne serait-ce pas le refusé de cette année ? Si oui, veuillez, je vous prie, me donner son adresse et un mot de recommandation, afin que je puisse aller faire connaissance avec le peintre et sa peinture. » Réponse de Zola : « Je ne puis vous donner l'adresse du peintre dont vous me parlez. Il se renferme beaucoup, il est dans une période de tâtonnements. Et, selon moi, il a raison de ne vouloir laisser pénétrer personne dans son atelier. Attendez qu'il se soit trouvé lui-même. »

Zola, lui, *se trouve*. Son œuvre s'édifie. Sa vie s'arrange. Il signe ce billet à Duret le 30 mai 1870, la veille même de son mariage. Les rumeurs de guerre ne cessent de monter.

15

Les rochers de L'Estaque

L'Estaque est un petit port de pêche, à l'ouest de Marseille. La toile intitulée *Rochers à L'Estaque* a ceci d'important que la masse rocheuse qui y est « traitée » semble inséparable, organiquement, du bleu de la mer qui se découpe à l'horizon. Or, à L'Estaque, le paysage est réellement ainsi. Lorsqu'on regarde la mer, du port, on voit, sur la droite, ce déferlement de rochers qui semblent prêts à débouler sur l'eau, très bleue. Très bleue, surtout quand le soleil est vif. Mais le jour où Cézanne a peint, il devait y avoir des nuages : on les distingue très bien, en fines mèches, sur le ciel. Le résultat, c'est que tout l'éclairage est modifié dans le sens d'une étrange diffusion des couleurs. Les rochers, eux aussi, sont bleus, mais plutôt bleu-violet comme si quelque chose montait de la terre pour pénétrer, illuminer doucement, du dedans, la pierre. Cette terre, en bas, est rouge, d'un brun quasi rouge, mais peu à peu elle est recouverte par les langues vertes de la végétation qu'on trouve en ces lieux, plutôt rare, mais capable de s'insinuer, se glisser partout, de monter même à l'assaut du roc. Et la mer est là, par-dessus. Mais, en fait, ces couleurs sont-elles vraiment très importantes ? L'essentiel n'est-il pas dans ces volumes que deviennent les rochers, volumes vraiment, au sens le plus précis, le plus exact du mot ? A gauche, une verticale marquée, qui vient délimiter comme un parallélépipède ou un prisme, puis le cylindre et la sphère qui viennent travailler tous ces éboulis, enfin des blocs carrés de rocher, çà et là, dans le bas et vers la droite, erratiques, mais bien pris dans l'ensemble. Finalement, ce n'est pas la couleur *ou* le volume qui serrent et dressent ce paysage, ce sont les deux, à part égale, impossibles à dissocier. Or, L'Estaque, c'est exactement comme ça.

Ce n'est pas toujours comme ça. Ce peut être aussi une grande étendue plane de mer avec, pour la border, la belle courbure d'un golfe. Cézanne a vu cela aussi. Et peint cela aussi. Le tableau *le Golfe de Marseille vu de L'Estaque* se caractérise par l'ample saisie de cette courbe bleu sombre (la Méditerranée, vraiment crue, par temps chaud) entre des terres vertes et rouges — si rouges que l'on dirait qu'un nuage de bauxite vient peser sur les maisons, sur les toits, sur les tuiles que l'on voit au premier plan, avec une ou deux cheminées d'usine qui indiquent, quelque part, la verticalité nécessaire à cet autre paysage. Au fond, les collines de Marseille avec, sur l'une d'entre elles, un point doré sous le soleil qui doit être la basilique de Notre-Dame-de-la-Garde. Sur ces collines, ondulent encore les bleus, les verts, les bruns. C'est un vaste tableau, qui fait largement la place du paysage marin, mais qui rappelle que l'horizon n'est pas tout, qu'il y a aussi, comme avant-scène, les hommes, leur vie, leur travail, avec quelque chose d'usinier, dans ces masses ocre, qui devait à l'époque être vraiment dans le caractère de L'Estaque : non seulement port de pêche, mais lieu de petites fabriques, de petites industries, de tuileries.

Sur la place du village — la place de l'Église —, la mère de Paul louait depuis assez longtemps une petite maison. C'est là qu'il vient chercher abri pendant la guerre de 70. Il installe Hortense, puis vient la rejoindre. Leur vie commune commence véritablement au rythme du battement de la mer. A l'extérieur, éclate cette « drôle de guerre » que la Prusse va se charger de mener bon train, mais dans laquelle, pour l'instant, l'état-major impérial français se précipite dans le désordre et la forfanterie. Paul ne semble pas inscrit sur les listes de mobilisation. Peut-être lui « achète »-t-on un remplaçant. De toute façon, il vaut mieux être loin. L'Estaque est l'endroit idéal pour trouver le calme, la paix — oui, la paix, au sens le plus propre du mot, au milieu de la guerre —, et les conditions de la clandestinité qu'implique cette liaison protégée par la mère. Et pas très éloigné d'Aix, où il est aisé d'aller passer, de temps en temps, un jour ou deux dans la famille. C'est surtout un lieu de travail parfait. Un site parfait où peindre. Paul escalade les rochers, prend les sentiers qui montent entre les ravines, trouve le point précis où il peut planter son chevalet pour avoir toute la vue qu'il souhaite sur l'étendue de la baie. Il reste là, en plein soleil. La rade de Marseille est très nette, la mer miroite, les contours dentelés de quelques îles blanches tachées de vert se dessinent au loin. Quand il a longtemps travaillé, il redescend vers le port où se serrent les barques colorées des pêcheurs sur la grève. Les hommes sont là, sur le quai, faisant sécher leurs filets, triant les coquillages, exposant le poisson frais pêché. Il parle un moment avec l'un d'entre eux qui vient de déposer à ses pieds un panier d'oursins (un jour à Zola : « Je me trouve à l'Estaque, patrie des oursins »). Puis, il s'assoit sur un rebord de pierre, regarde un bateau qui passe au loin.

L'Estaque deviendra un des hauts lieux de la nouvelle peinture. Mais, en attendant, le petit port n'est rien d'autre qu'un havre de protection. C'est si vrai que Zola lui-même y débarque avec Gabrielle, pensant qu'il est sage de venir rejoindre là son ami, au moins pour un temps, tandis que les événements s'aggravent. La défaite de Sedan a eu lieu, Napoléon III s'est rendu à l'ennemi, la République a été proclamée. Mais la guerre continue, on se bat autour de Paris et jusque sur la Loire. Évidemment, tout cela se passe loin de L'Estaque et d'Aix, mais il y a tout de même un vent qui souffle sur la France entière et qui n'est pas seulement un vent de défaite. L'heure a peut-être sonné de changer les institutions et les esprits, et de tenter de bousculer la société. Les insurgés de la Commune vont bientôt se lever. Mais à Aix, on pourrait tenter peut-être, puisque la République est là, de secouer la municipalité. Un groupe s'y emploie, qui fait élire, par acclamations, conseillers municipaux Valabrègue, Baille, un négociant en huile, ancien condisciple de Paul lui aussi, Victor Leydet, et — ô surprise! — Louis-Auguste, le père, le banquier! Il faut croire, d'ailleurs, que la famille Cézanne est plutôt bien en vue dans ces sursauts municipaux et politiques puisque, quelques mois après, la ville, procédant au renouvellement des membres de la commission de l'École de dessin, élit Cézanne par quinze voix sur vingt, ce qui lui donne des chances de devenir le directeur de l'établissement. Cela ne semble pas l'intéresser le moins du monde et il ne prendra pratiquement pas la peine de siéger aux séances de la commission. Double destin curieux, à y réfléchir, du père et du fils! Ils passent l'un et l'autre, délibérément, à côté de l' « institution » qui, pourtant, leur ouvre ses portes. Elle ne paraît pas les séduire : l'un préfère continuer à gagner de l'argent, l'autre à peindre. Ils ont en un sens le même caractère. L'intérêt public n'est pas leur fort. Mais peut-être, en cette époque agitée, ont-ils manqué l'occasion de comprendre que certains événements pouvaient faire bouger le monde. Un grand sursaut va se produire. Cela ne les concerne pas. L'un ne veut que s'obstiner à gérer sa fortune, l'autre s'obstiner à réaliser son œuvre. Et ce dernier préfère se faire oublier. Quand les gendarmes se présentent un jour au Jas de Bouffan pour tenter de l'enrôler, car le bruit a couru qu'il était mobilisable et réfractaire, sa mère n'a

142

qu'à répondre, ouvrant toutes grandes les portes et les fenêtres, qu'elle ne sait absolument pas où il est. Et quand Zola s'enflamme, prévoyant, au lendemain de la guerre, l'avènement d'un monde nouveau, un ordre différent, le triomphe de leurs idées, on ne sait toujours pas où il est.

Il est tout simplement à L'Estaque. L'hiver de 1870-1871, la guerre, la Commune, ce monde qui se convulse, cette société qui se soulève, pour Cézanne, c'est tout simplement L'Estaque ! Et, chose inattendue, merveilleuse, L'Estaque sous la neige ! Car cet hiver-là est très froid. Il n'arrive pratiquement jamais qu'il neige à L'Estaque. Cette année-là, cela se produit. Une couche silencieuse et feutrée tombe sur le petit port de pêche comme pour faire taire l'histoire. Ce blanc, si proche du bleu de la mer, c'est un spectacle rare ! Et, plus rare encore, celui de cette neige qui va fondre entre les pins, sur les pentes rocheuses. Il est impossible de la manquer. Cézanne peindra donc *la Neige fondante à L'Estaque* (une autre indication dit *la Neige fondue à L'Estaque*, où est la différence ? dans l'instant du regard ? dans celui du coup de pinceau ?). Un magnifique tableau. Tout le calme, et toute la déroute en même temps, de ce blanc, dans ce monde des chatoiements méditerranéens. Paul, pendant que se tourne cette page d'histoire, a trouvé son lieu et son silence.

Il y a peu de chances aujourd'hui que l'on voie L'Estaque sous la neige. Les climats ont changé. Et puis, la petite ville s'est tellement développée dans l'extension tentaculaire de Marseille que l'on cherche- rait en vain dans son tissu urbain des espaces pro- pres à recevoir la neige. Illusion peut-être. Pourtant, on peut toujours flâner sur le port. Regarder la futaie serrée, sur la mer, des mâts des petits bateaux et des

yachts, les canots, les barques. Aller jusqu'au bout de la jetée qui s'avance dans la mer et frôler le dos des pêcheurs à la ligne qui s'amusent à jeter là leur fil. Puis revenir vers le quai et s'arrêter devant les restaurants réputés qui offrent aux Marseillais en visite leurs odeurs de bouillabaisse ou de bourride.

Enfin, de là, remonter vers l'intérieur, par un lacis de rues escarpées qui portent les noms pittoresques de rue de la Rascasse, rue du Rouget ou rue des Scaphandriers, passage du Fielas ou passage du Pataclet. On voit bien que la mer gouverne tout et que le nom du poisson est roi. D'escalier en ruelle, on finit par arriver à la place de l'Église, qui s'appelle aujourd'hui place Maleterre. C'est là que la mère de Cézanne avait sa maison, là que Paul est venu se mettre à l'abri avec Hortense. Une petite place, avec des maisons très proprettes. Rien n'indique vraiment le passé, sauf peut-être la devanture d'une boucherie-charcuterie qui paraît presque d'époque. Tout cela est très préservé, très calme. Rien de commun avec l'animation et le bruit qui règnent en bas, sur le port.

Si l'on s'avance sur le devant de la place, on comprend, tout d'un coup. On comprend que le surélèvement des lieux suffit à modifier toutes les perspectives, et que Paul a dû trouver là un observatoire qui lui a permis, en effet, d'embrasser le mieux possible le spectacle de la mer et du golfe de Marseille. La mer est là, sous nos yeux, toute palpitante et frémissante-scintillante de soleil, et Marseille est là, déployée au bas de ses collines, avec les môles, les bassins du port, les immenses groupes d'habitations que l'on devine, l'éminence de Notre-Dame-de-la-Garde, les toboggans autoroutiers. Tout cela un peu estompé dans le poudroiement du soleil, avec les îles devant. Mais on retrouve bien la vaste courbure qui vient comme

épouser le mouvement du regard circulaire. On imagine Paul laissant longuement promener sur
l'horizon ce regard-là. Puis l'accrochant tout d'un
coup aux rochers de la partie droite du panorama. Ils
sont toujours là. Ils déboulent toujours de la même
manière. Toutefois, si on tourne légèrement la tête en
arrière et si on lève un peu les yeux, on voit de hauts
pylônes électriques qui les surplombent. Signe que le
paysage a changé. Beaucoup de choses ont changé. Il
y a comme un lourd soupçon de pollution un peu
partout, dans l'environnement. Et les usines ne sont
plus les petites fabriques d'autrefois.

Ce qui ne bouge pas, pourtant, est une certaine
manière des maisons de se percher en haut des côtes,
sur les flancs des collines dominant la mer. Des
choses que Cézanne a vues peuvent être vues encore.
Par exemple, le prodigieux tableau Maisons à
L'Estaque (de 1880) donne l'impression que l'on est
en face d'une réalité qui n'a pu totalement disparaître : ces « cabanons » provençaux, nichés entre des
arbres et des pentes de roc, qui semblent se planter
sur la terre à l'aplomb du paysage. La fantastique
construction de l'œuvre, accusée par le jeu très pur
des verts et des jaunes, le mouvement géométrique
des arêtes et des ombres, fait que l'on a le sentiment
que ces maisons sont là, indécrochables. Le plus étonnant dans ce tableau étant l'absence de la mer, qui ne
peut que se deviner. Là, L'Estaque semble reposer sur
un socle vraiment terrien. Et on y devine la sécurité
que Paul est venu y chercher. Elle est diffuse dans ces
sentiers et ces escarpements qui vont vers les hauteurs, au milieu des pinèdes, vers le Rove, vers Saint-
Henri, vers tous ces lieux qui dominent le village,
vers ce « plateau du peintre » d'où il obtenait le point
de vue optimal. Là, la mer revient, elle reparaît, elle

145

reprend le contrôle du paysage. Terre et mer croisées, comment s'étonner que ce site ait pu retenir les peintres ? Renoir viendra un jour rejoindre Cézanne, travailler avec lui sur le même terrain, accueillir les mêmes horizons. L'Estaque, petit port de pêche aux couleurs mouvantes, aux rochers mauve et bleu, aux tuileries rouges, demeurera un pôle de la nouvelle peinture.

Pour conclure ce chapitre, quelques lignes de Peter Handke : « Pendant la guerre de 1870-1871, Paul Cézanne se fit acheter un remplaçant par son père, le riche banquier. Il passa la guerre à peindre à L'Estaque, en ce temps-là un village de pêcheurs sur une baie, à l'ouest de Marseille, et qui fait aujourd'hui partie de la banlieue industrielle de la ville.

« Je ne connais l'endroit que par les tableaux de Cézanne. Et pourtant, ce seul nom, L'Estaque, donne l'espace et la paix telle que je l'imagine. La région, quelle qu'elle ait pu devenir, reste " le lieu de l'abri et du retrait " : non pas seulement contre la guerre de 1870 ; non pas seulement pour le peintre d'alors ; non pas seulement face à la guerre caractérisée.

« Cézanne, d'ailleurs, y a souvent travaillé pendant les années suivantes, et de préférence en pleine chaleur et par un " soleil si effroyable " qu'il lui semblait " que tous les objets se détachaient en ombres, pas seulement en noir et blanc, mais en bleu, rouge, brun et violet ". Les tableaux de l'époque où il se cachait étaient presque noir et blanc, des atmosphères d'hiver surtout ; mais ce lieu, avec les toits rouges devant la mer bleue, devint plus tard peu à peu son " jeu de cartes ".

« C'est dans les lettres envoyées de L'Estaque qu'il ajouta pour la première fois à son nom le mot pictor,

comme jadis les peintres classiques. C'était l'endroit
" dont je m'éloignerai le plus tard possible, car il
existe ici de très belles vues ". Dans les tableaux de
l'après-guerre, plus d'atmosphères ni de moments
particuliers de la journée ou de l'année : sans cesse la
forme révèle vigoureusement le village élémentaire
sur la mer bleu calme.

« Au tournant du siècle, les raffineries naquirent
autour de L'Estaque, et Cézanne cessa de peindre
l'endroit. Dans quelque cent ans, disait-il, vivre
n'aurait de toute façon aucun sens. C'est seulement
sur les cartes géologiques que la région apparaît
intacte encore dans le jeu des couleurs, et une petite
surface vert réséda porte même, probablement pour
toujours, le nom de calcaire de L'Estaque. » (Peter
Handke, La Leçon de la Sainte-Victoire.)

16

La maison du pendu

Les bords de la Méditerranée sont une chose, les bords
de l'Oise en sont une autre. Il faut bien « alterner » les
paysages. Quand Cézanne regagne Paris, avec Hortense,
après la guerre, après la Commune, il est d'abord rendu à
cette vie urbaine dont une des principales caractéristiques, en ce qui le concerne, semble être la mobilité. Nouveaux emménagements. Nouveaux domiciles, rue de Che-
vreuse d'abord, au voisinage de Solari, rue de Jussieu
ensuite, près de la halle aux vins, au voisinage d'Emperaire. Dans ces conditions, on comprend que le recours à
la campagne soit plus qu'un correctif : une exigence impérieuse liée au travail. La campagne, en ces années-là, ce
sera la vallée de l'Oise, ses eaux calmes, ses prés verts, ses
ciels gris et mouillés. Daubigny a, depuis longtemps,
donné le signal. Pissarro a suivi, de manière plus décisive
puisqu'il a choisi un important village pour en faire un
lieu de sa peinture, de *la* peinture : Pontoise.

Paul a toujours eu tendresse et admiration pour Pissarro. Il a bien envie de le rejoindre. D'autant plus qu'à
Paris son statut de peintre n'a rien de réjouissant. Alors
que, pour d'autres, des évolutions se confirment, des
succès surviennent, des étapes sont franchies, il semble
que, pour lui, au lendemain de la tourmente historique,
l'horizon soit encore plus barré qu'avant. Et la solitude se
creuse. Emperaire le dit un jour de mars 1872, notant, un

peu effrayé : « Je sors de chez Cézanne. Je l'ai trouvé délaissé de tous. Il n'a plus un seul ami intelligent ou affectueux. » Pourtant, c'est au début de cette année-là qu'Hortense met au monde le petit Paul, déclaré et reconnu par son père à la mairie du Ve. Cette paternité pourrait sans doute éclairer la vie du peintre : elle est aussi fatalement source de tracas de toute nature, et Cézanne ne peut oublier que, financièrement, il reste un célibataire dépendant de la modeste pension servie par son père. Quant aux amis, tout indique que s'ancre de plus en plus dans leur esprit l'idée d'un Cézanne fantasque et invivable, décourageant tous les efforts que l'on fait pour lui. De toute façon, Zola ne peut le chaperonner indéfiniment. Il a sa propre œuvre à édifier, sa propre percée définitive à réaliser, et il s'y emploie activement dans cette période, bâtissant pierre après pierre, livre après livre, *les Rougon-Macquart*, montrant d'éclatante façon qu'il n'est pas nécessaire de réussir pour persévérer, mais qu'il est important d'espérer pour entreprendre. Et l'espérance de Zola est à la mesure de la fantastique force de travail qu'il porte en lui.

Cette manière de se projeter en avant pour franchir les obstacles n'est pas du tout dans le caractère de Cézanne. Il aurait plutôt tendance à se cogner très fort contre eux. Et, plus que jamais, Paris le blesse. Il est donc certain que Pontoise peut représenter pour lui le nouvel asile dont il a besoin (d'autant plus que la naissance de l'enfant interdit provisoirement tout retour à Aix). Non seulement asile, d'ailleurs, mais école. Pissarro, qui est un des rares à garder confiance en lui, est prêt à lui faire partager son sens aigu du travail en plein air, en contact étroit, direct, avec la nature, à lui apprendre à supprimer de sa palette « le noir, le bitume, la terre de Sienne et les ocres » pour ne plus travailler qu'avec les trois couleurs *primaires*, le jaune, le rouge, le bleu, les vraies, les indécomposables.

Cézanne accepte cette leçon, parce qu'il a compris que Pissarro sait fragmenter ces couleurs assez savamment pour leur permettre de rendre tous les reflets de l'atmosphère claire et changeante des rives de l'Oise. Il se laisse envelopper avec lui par ces paysages. Le voilà chez son ami, rue de l'Hermitage, à Pontoise. Puis, bientôt, en compagnie d'Hortense et du petit Paul, dans un hôtel de la ville. Une nouvelle existence va-t-elle commencer ? Une nouvelle saison, heureuse, pour le travail ?

Il existe près de Pontoise un calme village dont les rues s'étirent entre l'Oise et ses coteaux, et qui porte le beau nom d'Auvers-sur-Oise : un nom appelé à devenir un pôle, un clignotant de la nouvelle peinture. Pour Cézanne, c'était tout simplement un petit bourg à la limite du Vexin normand et du Beauvaisis, où il pouvait trouver des conditions de paix et de concentration encore meilleures qu'à Pontoise. Corot y avait vécu. Daubigny en avait fait le port d'attache de son bateau-atelier. Mais surtout, un médecin un peu excentrique, le docteur Paul-Ferdinand Gachet, s'y était installé depuis peu pour soigner sa jeune femme atteinte de phtisie. Il avait des tenues qui le faisaient regarder un peu bizarrement par les voisins, mais qui pouvaient plaire à des coloristes. Van Gogh le représentera ainsi : « Je travaille à son portrait, la tête avec une casquette blanche, très blonde, très claire, les mains aussi à carnation claire, un frac bleu et un fond bleu cobalt, appuyé sur une table rouge, sur laquelle un livre jaune et une plante de digitale à fleurs pourpres » (lettre à son frère Théo, mai 1890). Non seulement *casquette blanche* et *paletot bleu*, mais toque de fourrure, l'hiver, ou ombrelle verte, l'été. Libre penseur, socialiste et homéopathe avant l'heure, de surcroît. Volontiers médecin des pauvres et même médecin des bêtes. Ouvert à tout, curieux de tout. Et curieux en particulier de peinture moderne. Admirant Courbet, connaissant Manet, Monet et Renoir, fréquentant Pissarro qui lui présente Paul. Suivant avec ferveur leur travail à tous, attentif avec enthousiasme aux voies qu'ils ouvrent. Plein d'intuition, et d'intelligence de l'art. Peignant lui-même sous le pseudonyme flamand de Van Ryssel, et se consacrant volontiers à la gravure, à l'eau-forte. C'est même par là qu'il se tourne vers Cézanne, souhaitant le faire participer, avec Guillaumin et Pissarro, à ce mode de travail. Il semble avoir connu son père lors d'un voyage d'études à Aix, ce qui facilite le rapprochement. L'amitié est rapidement nouée. Paul, très vite, plaît à Gachet, l'intéresse. Proposition lui est faite de venir à Auvers où il pourra louer une petite maison, rue Rémy, ce qui sera mieux que l'hôtel de Pontoise. Le docteur habite, lui-même, rue des Vessenots, au cœur du village, et il sait (car c'est à Paris qu'il exerce, rue du Faubourg-Saint-Denis) le prix de cette quiétude campagnarde. Paul accepte. Il a l'impression qu'il va bien s'entendre, lui le bourru, avec Gachet l'original. De plus, Hortense et le petit Paul seront très bien dans ce cadre : agréablement abrités, en même temps qu'un peu cachés. Il s'installe avec eux à l'automne de 1872. Il va passer à Auvers presque deux années. Parmi les plus belles de sa vie.

On peut comprendre. Il suffit de longer les rues du village pour trouver ces maisons de bois aux toits de chaume qui semblent faites pour baigner dans une lumière tamisée, bleue ou verte, et de quitter ces rues pour les retrouver, à flanc de coteaux, au bord des prés ou des rideaux de peupliers. De nombreux chemins partent dans toutes les directions, entre des arbres, des cours de fermes, des jardins, certains pierreux, d'autres tapissés d'herbe, d'autres toujours frais et humides sur les rives de l'Oise. Innombrables promenades. Innombrables lieux où planter le chevalet. Fête perpétuelle. Régal. Paix véritable.

Un jour, au bout d'un de ces chemins, pas très loin de la

rue où il habite, Paul voit une espèce de bâtisse, en contrebas, dont l'allure pourrait être un peu sinistre si le jaune du chaume et des murs ne lui donnait une luminosité inattendue. On l'appelle d'ailleurs la maison du pendu. Quelqu'un s'y est-il pendu ? Il ne semble pas (il n'y a eu qu'un seul pendu dans toute l'histoire d'Auvers-sur-Oise, et c'était un pauvre hère, ivrogne, pas un propriétaire de maison). Mais un Breton a pu habiter là, du nom de Pendut, ce qui a sans doute amené la méprise. De toute façon, dans les villages, on aime bien ces rumeurs qui viennent envelopper les fermes écartées. Donc, Paul se trouve devant cette vieille demeure. Tout lui paraît jaune. Les pentes du terrain devant la cour, les murs, la porte et la fenêtre de la grange, l'arbre sec planté devant, le chaume. Et les taches de l'herbe, à terre, le vert-moisi du toit bas du premier plan se mêlent à ce jaune sans le couper. L'ensemble est compact, dense, d'une manière inhabituelle en peinture, comme si l'espace s'était solidifié dans sa lumière. Au loin, on peut deviner la plaine et la vallée de l'Oise. Mais il y a d'abord cette masse serrée, vibrante d'on ne sait quelle vie rurale obscure, avec quelque chose qui se creuse, qui s'enfonce au centre, comme si le maléfice du pendu se cachait là. Pourtant, le tableau, dans sa totalité, rayonne. Un grand moment d'Auvers-sur-Oise.

Il y en a beaucoup d'autres. Car, sans cesse, les champs, le ciel, la terre, les murs, les croisements des rues, offrent des instants qu'il faut saisir, des angles de vue qu'il ne faut pas laisser échapper. Et les maisons se révèlent sous tous leurs aspects. Y compris, d'ailleurs, leurs aspects secrets, intimes. Derrière leurs façades, leurs fenêtres, il y a le charme des « intérieurs ». Et dans ce coquet village protégé, c'est un charme certain. A la rue des Vessenots, le docteur Gachet demande à sa femme de rechercher pour Paul tous les fruits, les pichets, les cruches, les verres, les assiettes de faïence qu'elle pourra trouver. Elle dispose cela pour lui, construit des « natures mortes ». Un matin, ce sont des fleurs fraîchement cueillies qu'elle lui offre, arrangées en un bouquet bien composé dans un vase de Delft. Paul voit tout de suite l'équilibre de cette composition, à la fois simple et savante. Le bleu du vase palpite en bas et, au-dessus, les fleurs se détachent en masses vives, en volumes colorés où dominent le noir, le vert, le blanc (des dahlias ? des pivoines ?), le rouge (des géraniums ?), le bleu (des glycines ?), le tout sur le fond d'une tenture sombre coupant un mur clair. Quelque chose se serre et s'élève à la fois dans ce tableau — salué plus tard par Van Gogh — d'une pleine et radieuse facture où éclate la force d'une harmonie, d'un bonheur.

Ce bonheur, c'est celui d'Auvers. Une extraordinaire parenthèse, en effet, ce séjour. Un merveilleux havre, ce village. Cézanne a l'impression non seulement de travailler comme il le souhaite, mais aussi de s'affirmer, de vendre ses toiles même, car Gachet les lui achète parfois. Ce qui toujours l'enchante et l'étonne, car il peut tout concevoir sauf le « prix », la valeur marchande de ce qu'il peint. La petite histoire (la petite anecdote, plus exactement) raconte qu'il a pu payer, à cette époque-là, des notes qu'il devait à l'épicier Rondès de Pontoise en abandonnant à ce dernier quelques toiles. Légende vraie, qui reparaîtra à d'autres époques de sa vie. Mais comment serait-il sûr de son statut, de l'image que les autres ont de lui et de son art ? Si le docteur Gachet est un excellent collectionneur et un mécène avisé, a-t-il un jugement assez sûr pour apprécier sans malentendu le travail de Paul ? Il parie, certes, sur son avenir. Mais il est attiré aussi par ce côté « mouton à cinq pattes » de Cézanne (c'est ce que Pissarro disait au critique Théodore Duret : « Dès le moment où vous cherchez des moutons à cinq pattes, Cézanne pourra vous satisfaire, car il a des études fort étranges et vues d'une façon unique »), par l'originalité non seulement de son génie, mais de sa personne.

C'est que Paul, à Auvers, est plus que jamais cet homme barbu aux yeux fous qui ne semble heureux que lorsqu'il marche tout seul à travers la campagne. Femme, bébé, sécurité, hospitalité des protecteurs, tout cela est très bien. Mais il y a mieux. L'appel des champs, l'appel des pierres, l'appel de tous ces murs jaunes, l'appel de la rivière là-bas, l'appel de la solitude. Pour y répondre, il va, la tête baissée sous sa vieille casquette ou son chapeau de paille, de gros souliers aux pieds pour mieux escalader les sentes. Bizarre vagabond dévoré d'un feu qui fait quelquefois réellement peur à ceux qu'il croise.

Aujourd'hui, à Auvers-sur-Oise, au syndicat d'initiative, une vieille dame dit qu'en effet, d'après les souvenirs qu'elle a pu enregistrer de sa propre grand-mère, Cézanne avait vraiment cet air à la fois rude et un peu fou qui pouvait effrayer les gens. De plus, sa présence n'était pas sans causer un certain émoi, sinon un certain scandale. Et même, pourrait-on dire, la présence collective de sa famille. Il y avait d'abord l'irrégularité de la situation. Il y avait aussi une servante, qui aidait Hortense (mais n'était-ce pas Hortense elle-même ?) que le village voyait d'un œil soupçonneux parce qu'elle avait des allures insolites et, notamment, marchait dans les rues « dépoitraillée » (ce qui voulait dire, à l'époque, qu'elle ne portait pas robe ou blouse fermée jusqu'au haut du cou, selon les convenances). Toutefois, on reconnaissait que Paul avait su s'intégrer progressivement à la vie du village, s'y faisant de vrais amis, le docteur

Gachet le premier, bien entendu, plus tard le pâtissier Murer, curieux homme, artiste-confiseur et peintre du dimanche chez qui on se réunissait volontiers, sans parler de Pissarro et Daubigny, de Guillaumin, Oller et Renoir, qui viendront rejoindre le groupe. En attendant Van Gogh, qui sera l'âme et le tournoyant soleil d'Auvers-sur-Oise.

Il faut d'ailleurs reconnaître qu'Auvers, aujourd'hui, c'est surtout Van Gogh. Le souvenir de Van Gogh, beaucoup plus que celui de Cézanne. Pas simplement parce qu'une bordure du cimetière abrite les tombes de Vincent et de son frère Théo. Mais parce que l'église, par exemple, qui se trouve au bout du village, à l'est, est bien celle qu'a immortalisée Van Gogh. A cette différence que, dans la réalité, elle n'a pas cette merveilleuse ivresse, cette étonnante soûlerie de la couleur, qui semble la faire tituber sur ses assises et trembler dans l'air lumineux : elle est, à la lettre, sobre, sévère et plutôt ramassée dans sa forme. Mais tant d'autres choses célèbrent Van Gogh ! Des champs qu'il peignait (le « champ aux corbeaux » où il se tua) à la chambre qu'il habitait dans l'auberge Ravoux, sise au cœur de la ville, du parc qui porte son nom à la statue de lui qu'a sculptée Zadkine.

Au fond, il est bien que Cézanne soit un peu en retrait. Conformément à son habitude, il a recherché à Auvers plus le silence que le tapage. Et, aujourd'hui, en marchant le long des rues de cette petite ville restée très protégée, très calme, avec ses résidences élégantes et discrètes, on a le sentiment qu'il pourrait se glisser là comme une ombre. C'est ce qu'on ressent fortement en passant devant la maison du docteur Gachet (dans cette rue qui s'appelle maintenant « rue du Docteur-Gachet »), superbement embellie et rajeunie avec ses croisées roses et ses volets noirs, et en poussant jusqu'au bout, jusqu'au carrefour de la rue Rémy qu'il habitait. Un carrefour où il aimait peindre et où on a envie de s'arrêter. Quelques pancartes, quelques indications rappellent qu'il a placé ici son chevalet, choisi là un angle de vue. La marche peut continuer jusqu'à l'extrémité de la rue François-Coppée, jusqu'à la maison du pendu ou à la ferme du four. Là, vraiment, la présence est forte. On retrouve cet ocre-brun mêlé de vert des « routes de village », des « cours de ferme » qu'il a saisies.

On peut revenir par la rue de Léry, le pont, le château, les chemins bordés de murets et les escarpements de la ville. Redescendre vers les bords de l'Oise, si l'on en a envie. S'arrêter au passage dans un de ces petits restaurants de campagne qui font le charme de cette région. Regagner la gare où arrive le train de Pontoise. On est dans la grande banlieue de Paris. Elle n'a rien de tentaculaire, ici. Auvers-sur-Oise a été préservé, mystérieusement, par ses peintres.

17

Impression

Cette fois, la joie est à son plein, mais la provocation est à son comble. L'Olympia aux chairs roses que l'on voit au cœur de ce tableau non seulement n'est pas celle de Manet, mais elle en est la sœur délibérément parodique et d'une indécence beaucoup plus drôle, puisque ce sont d'abord ses cuisses et ses genoux repliés qui viennent frapper le regard, avant les seins, les bras lascifs et les cheveux noirs étalés, comme si elle était vue d'en dessous par quelque observateur posté très bas, au pied de sa couche. D'ailleurs, cet observateur existe et tout laisse penser — scandale des scandales ! — que c'est l'artiste lui-même. On le reconnaît bien, avec son crâne dégarni et sa barbe, bien qu'il porte jaquette, pantalon et canne à pommeau (chapeau claque posé derrière lui), pour faire « bourgeois », sans doute. Ce monsieur bien vêtu regarde donc cette dame dévêtue, d'en bas et d'en dessous. Cela s'appelle *Une moderne Olympia*. C'est un thème autour duquel Cézanne tourne depuis des années déjà, mais, là, il est arrivé à la version qui lui convient. Celle qui va faire le maximum de dégâts. Non pas, à tout prendre, que la toile soit d'une réelle insolence (celle de Manet, pour d'évidentes raisons, l'est beaucoup plus), puisque tout tourbillonne dans un envol romantique et une fête pointilliste de la couleur qui conjurent tous les défis du réalisme, mais simplement parce qu'il est clair que le peintre s'est amusé

159

à faire se rencontrer Delacroix et Baudelaire dans une mise en scène spectaculaire et facile. Il suffit de voir le geste large et tournoyant de la servante noire qui dénude Olympia sur son haut lit blanc pour s'en convaincre : ce n'est pas seulement l'offrande faite au voyeur (l'artiste), c'est un grand mouvement de dévoilement-révélation pour un public de théâtre qui attend le moment d'applaudir. Le moment ne viendra pas. Peut-être, justement, parce que le public attend autre chose. Et on peut se demander si Cézanne lui-même s'exprime vraiment dans cette manière d'orchestrer ses fantasmes romantiques, plutôt que dans l'art de peindre, serré, des objets. Il est vrai, et il faut bien le dire, que les objets ne sont pas absents de cette *Moderne Olympia*, et c'est peut-être ce qui, en définitive, en fait la secrète originalité. Il y a, sur la gauche, une table rouge aux pieds torsadés comme des queues de serpents, chargée de pendeloques, coffrets et bibelots de toute nature, et, à droite, un immense vase bleu sur piédestal, empli de fleurs et de végétation proliférante. Tout cela dans le flou, la tache et la vibration diffuse, plutôt que dans la construction des formes, mais, s'ajoutant au tapis vert du sol, aux tentures (baudelairiennes) du fond, au chat (baudelairien, lui aussi) qui se tient près de l'artiste, ces détails font très fortement *décor*. Décor à l'orientale peut-être, érotico-baroque sûrement.

Voilà ce que Paul a voulu. Il semble que le docteur Gachet ait manifesté devant lui la plus vive admiration pour l'*Olympia* de Manet, cela a dû le piquer, l'agacer, et reprenant ce vieux projet qu'il avait dans ses cartons, il a fait en un tournemain cette *Moderne Olympia*, à la fois bâclée et légère, grandiloquente et ironique. Il la prend et, avec *la Maison du pendu* qui, elle, représente l'autre versant de son travail — le versant rigoureux et maçonné —, il l'apporte à la première exposition des Impressionnistes.

Double événement, ces deux toiles, pour un grand Événement !

Car cette exposition est le résultat, au grand jour, du mouvement souterrain qui agite maintenant la peinture moderne depuis des années. Les rapins du Guerbois et des Batignolles ne sont plus seuls. Gachet n'est pas unique dans son genre. Les marchands de tableaux ou de couleurs entrent dans la ronde, et leur rôle, à côté des collectionneurs et des mécènes, se prépare à être décisif. De Durand-Ruel au père Tanguy, ils commencent à ouvrir sérieusement l'œil. Ce dernier surtout, Julien Tanguy, dispose d'une expérience qui fait de lui tout autre chose qu'un amateur improvisé. C'est un homme d'origine modeste, fils de tisserands bretons, qui a exercé tous les métiers : plâtrier, charcutier, enfin broyeur de couleurs. Il a fini par se mettre à son compte, et à vendre des couleurs lui-même, notamment aux nouveaux peintres, à ceux du plein air, Monet ou Pissarro, dont il est devenu l'ami, à ceux d'Auvers-sur-Oise. Figure pittoresque, il est aussi par certains côtés une figure révolutionnaire, et pas seulement en art. Il a été fait prisonnier, au moment de la Commune, les armes à la main, parmi les Fédérés, on l'a arrêté, traduit en conseil de guerre, déporté à Brest. Un miracle qu'il ait échappé au peloton d'exécution. Il finira par retrouver la liberté et son activité. Mais sa boutique continuera à avoir un parfum de soufre, ou plutôt de poudre : certains ne se priveront pas d'établir un lien entre les communards et ces peintres anarchistes, sans foi ni loi, qui outragent l'art autant que la société. Le père Tanguy se sent tout de suite attiré par Cézanne. Son côté sauvage et mal policé lui inspire une sympathie fraternelle, et son travail de peintre une réelle admiration. Il lui fournira couleurs et toiles, en échange de quoi Paul lui laissera quelques œuvres qu'il tentera de vendre dans sa boutique.

Ce marché a une valeur d'indice. Il manifeste l'existence

d'un courant de plus en plus net d'intérêt pour cette peinture qui ne parvient pas à se faire reconnaître dans les cercles officiels, mais dont les hommes de terrain, doués de flair et d'expérience (et même d'expérience un peu maquignonne) pressentent de plus en plus l'importance. Et il est normal que les artistes qui illustrent cet art nouveau se groupent et s'organisent. C'est bien ce qui va se passer en ce printemps de 1874. Les jeunes peintres veulent sortir de leur isolement et briser la dictature du Salon. Elle est, en effet, toujours la même, les refus ont continué à être nombreux, jusqu'à l'année précédente, même si certaines acceptations ont eu lieu, créant d'inévitables divisions dans la troupe : Guillemet, par exemple, se montre sensible aux consécrations officielles, Manet aussi, qui n'a pas tellement envie de voir son travail confondu avec celui de Paul (« Je ne me commettrai jamais avec M. Cézanne », dit-il publiquement, ajoutant que ce dernier n'est « qu'un maçon qui peint avec sa truelle » — affirmation qui se veut dépréciante, mais que l'on peut prendre comme un magnifique et très lucide éloge de Cézanne !). D'autre part, Zola n'est plus disponible pour mobiliser les énergies. La peinture est passée à l'arrière-plan de ses préoccupations. La grande œuvre avance. Et si le maître songe encore à son vieil ami d'enfance, c'est plutôt pour déceler dans sa personnalité ce qui peut faire un personnage de roman : dans *le Ventre de Paris*, il a introduit un certain Claude Lantier, peintre, qui, plus tard, pourra prendre de l'épaisseur, une curieuse importance... Évocation rapide pour l'instant. Mais Zola est en train de bâtir son monde.

Dans ces conditions, on conçoit que les nouveaux peintres n'aient à compter que sur eux-mêmes. Ils le savent bien. L'idée de réaliser une exposition de groupe gagne du terrain. Pissarro, Monet, Degas sont très agissants. Des solidarités se manifestent de plusieurs côtés, y compris des solidarités financières. Les participants apporteront de toute façon leur propre contribution. Le projet mûrit. Il faudra trouver un nom. On propose celui de *la Capucine*, car Nadar, le photographe, a proposé d'ouvrir aux exposants les grands locaux de l'atelier qu'il occupe au boulevard des Capucines, à l'angle de la rue Daunou, et qu'il va quitter. Mais Renoir récuse ce nom, un peu léger. On retient toutefois la proposition de Nadar, et l'exposition aura lieu effectivement, le 15 avril, deux semaines avant le Salon, dans ses locaux. Elle se présentera tout simplement et tout prosaïquement comme l'initiative d'une *Société anonyme, coopérative d'artistes, peintres, sculpteurs, graveurs, etc.* Le public aura tôt fait de lui trouver un autre nom, un vrai, peu bienveillant, mais mémorable : *la première exposition des Impressionnistes.* C'est là que Paul, bravement, apporte son *Olympia* et son *Pendu.*

Les visiteurs viennent nombreux. Mais ils viennent surtout pour s'esclaffer. Ils n'hésitent pas à payer pour cela le droit d'entrée de 1 franc, relativement élevé pour l'époque. On n'a pas tant d'occasions de rire ! Pourtant, les organisateurs ont pris des précautions. Degas les a invités à la prudence et leur a proposé même d'ouvrir leurs portes à quelques peintres classiques ou non contestés qui pouvaient être leurs amis, comme Boudin, artiste à succès, Henri Rouart, industriel, collectionneur et peintre lui-même, quelques disciples de Corot. Beaucoup de monde, en somme. Une vraie foule même, dans laquelle se noieraient peut-être ces *intransigeants*, qui apparaissaient comme les plus agressifs entre les agressifs et les plus barbouilleurs entre les barbouilleurs, même s'ils se nommaient Pissarro, Monet, Sisley, Renoir ou Cézanne. C'était eux qu'on voulait voir et qu'on voulait railler.

On ne s'en priva pas. Il fallait leur faire payer leur audace et cet esprit d'indépendance qui les avait conduits à organiser leur propre exposition à l'écart de l'art officiel, provoqué cette fois de front. On déclara que cette peinture était « affreuse », « bête », « sale », « pitoyable », « hystérique », digne « de la Salpêtrière » : le dépouillement de la presse et de certains courriers de l'époque révèle un florilège d'insultes. Mais le ricanement l'emportait de loin sur l'injure. Tout naturellement, la palme revint à Cézanne qui (n'oublions pas les propos de Manet !) inquiétait déjà ses propres coéquipiers. Un certain Marc de Montifaut, dans le journal *l'Artiste*, déclara qu'à regarder ses tableaux on ne pouvait voir en lui qu' « une espèce de fou agité, en peignant, du *delirium tremens* ». Quand à Louis Leroy, feuilletoniste médiocre du *Charivari*, c'est lui qui eut le privilège historique de l'invention du terme *impressionniste* qui fit fortune, mais qui, en fait, circulait déjà depuis longtemps. Il le voulait sarcastique. Dans un laborieux dialogue fictif avec un peintre de tradition désigné du nom de Joseph Vincent, il imaginait que celui-ci, devant les œuvres exposées, était saisi du tournis et même frappé d'un véritable coup de sang, au point de se mettre à délirer lui-même en public. Mais il ne glissait pas tout de suite dans la confusion mentale, il se débattait d'abord longuement, il essayait de comprendre et cela donnait la conversation suivante avec son guide (à propos d'abord d'un *Champ labouré* de Pissarro) :

« ... Ça, des sillons, ça, de la gelée ?... Mais ce sont des grattures de palette posées uniformément sur une toile sale ! Ça n'a ni queue ni tête, ni haut ni bas, ni devant ni derrière.

— Peut-être... mais l'impression y est.

— Eh bien, elle est drôle l'impression ! Oh !... et ça ?

— Un *Verger* de M. Sisley. Je vous recommande le petit arbre de droite, il est gai ; mais l'impression...

— Laissez-moi tranquille avec votre impression ! Ce n'est ni fait ni à faire. »

Le sommet est atteint avec un tableau de Monet, qui

164

s'appelle justement *Impression, soleil levant.* C'est devant cette toile que le malheureux voit son esprit vaciller : « *Impression,* j'en étais sûr ! Je me disais aussi, puisque je suis impressionné, il doit y avoir de l'impression là-dedans... et quelle liberté, quelle aisance dans la facture ! Le papier peint à l'état embryonnaire est encore plus fait que cette marine-là ! » Le triste scénario se termine par une sorte de danse du scalp que le supposé Vincent, devenu complètement fou, se met à danser devant les œuvres qui l'agressent. Et on ne s'étonnera pas de voir que c'est encore Cézanne qui fait le plus largement les frais de cette crise : « Hugh ! Je suis l'impression qui marche, le couteau à palette vengeur, *le Boulevard des Capucines* de Monet, *la Maison du pendu* et *Une moderne Olympia* de M. Cézanne ! Hugh ! Hugh ! Hugh ! »

Inutile d'insister sur le niveau de l'ironie et du sarcasme. Il semble pourtant qu'au milieu des rires, un visiteur se posa quelques questions sérieuses sur certaines des toiles qu'il voyait, *la Maison du pendu* notamment. C'était un homme d'une cinquantaine d'années, grand aristocrate et grand collectionneur, le comte Armand Doria. Il regarda le tableau, ne l'aima pas d'abord, mais en discuta avec son fils qui l'accompagnait. Puis, tout d'un coup, il décida de l'acquérir, disant ces simples mots : « Décidément, nous n'y entendons rien. Il y a des choses de premier ordre là-dedans. Il faut que j'aie quelque chose de ce peintre. »

Cézanne à sa mère, le 26 septembre de cette année-là : « Je commence à me trouver plus fort que tous ceux qui m'entourent, et vous savez que la bonne opinion que j'ai sur mon compte n'est venue qu'à bon escient. J'ai à travailler toujours, non pas pour arriver au fini qui fait l'admiration des imbéciles. Et cette chose que vulgairement on apprécie tant n'est que le fait d'un métier d'ouvrier, et rend toute œuvre qui en résulte inartistique et commune. Je ne dois chercher et compléter que pour le plaisir de faire plus vrai et plus savant. Et croyez bien qu'il y a toujours une heure où l'on s'impose, et on a des admirateurs bien plus fervents, plus convaincus que ceux qui ne sont flattés que par une vaine apparence. »

18

« Billoir en chocolat »

Un de ces admirateurs a une assez grande, fière et coupante allure. On pourrait penser à une sorte de Don Quichotte moderne. La chevelure est abondante, fournie, rejetée en arrière, mais le collier de barbe gris argent encadre, avec une netteté aiguë, le bas du visage allongé, osseux, auquel des tons bruns, ocrés, donnent une sorte de sévérité mate. Le nez est aquilin, fort, d'une noble sensualité. L'oreille droite forte, elle aussi, bien dessinée, pleine. Les yeux d'une extrême intelligence et d'une profonde douceur sont un peu creusés, sous les paupières basses. Un sillon de finesse et d'élégance descend de l'aile du nez à la pointe de la barbe, en contournant la moustache (encore gris argent). Le cou se dégage fortement d'une chemise blanche très ouverte, sous un vêtement bleu qui prend l'homme aux épaules et semble le hausser sur ce fond taché de vert où son profil (plus exactement son visage saisi de trois quarts) se détache. Si ouverte, la chemise, qu'on pourrait croire à celle d'un condamné dont on aurait déjà coupé le col au ciseau, pour la guillotine. Le public ne se prive pas, d'ailleurs, d'évoquer la guillotine. Il y a eu, assez récemment, un certain Billoir qui a défrayé la chronique en coupant une femme en morceaux. On trouve qu'il lui ressemble et on ricane devant le tableau (à cause des tons bruns) : « Billoir en chocolat ! »

Il s'appelle Victor Chocquet. Il est rédacteur à la Direction générale des douanes. C'est un collectionneur passionné, lui aussi. Il fréquente les ventes de l'hôtel Drouot. Il est fou de Delacroix. Comme Paul est fou de Delacroix à sa manière, ils sont faits pour s'entendre. La rencontre est ménagée par Renoir qui avait remarqué (à l'hôtel Drouot, justement) le zèle grave et calme de cet amateur. Il avait pensé qu'il aimerait Cézanne. Il ne se trompait pas. Chocquet découvre d'abord un tableau, des *Baigneuses,* qu'il achète chez le père Tanguy (demandant à Renoir de l'emporter à sa place, puis de venir un jour l' « oublier » chez lui, pour ne pas trop effaroucher son épouse par cet achat audacieux). Il découvre ensuite le peintre, que Renoir amène lui-même à l'appartement de la rue de Rivoli, près des Tuileries. Cet appartement est un musée. Il est plein de Delacroix, de Corot, de Manet, de meubles rares de tous les siècles, de pendules de prix, de collections de faïences et de porcelaines qui voisinent avec les aquarelles et les dessins les plus divers. Il faudrait tout voir, tout admirer. Mais Paul est surtout attiré par les Delacroix. Alors, Victor Chocquet les décroche les uns après les autres, ou les sort des cartons, des tiroirs, et les dépose dans tout le salon, sur le tapis, sur les fauteuils. La petite histoire raconte que les deux hommes tombent à genoux au sol, au milieu de ce fantastique décor, regardent, admirent, confrontent, comparent, et finissent par se retrouver en larmes, tous les deux. Fraternisation ardente, sur le tapis. Ainsi Cézanne rencontre son nouveau mécène, sous l'œil attendri de Renoir. Il peindra pour lui une *Apothéose de Delacroix.*

De mécènes, de protecteurs, d'amateurs, il a, plus que jamais, besoin. Sa situation est difficile, et bien particulière. S'il est avec les *Impressionnistes* — et, on l'a vu, un des plus brocardés d'entre eux —, il n'en a pas moins le sentiment diffus que cette peinture-là ne va pas à l'essentiel, à la construction, à l'unité, à la rigueur tant recherchées par lui, qu'elle s'arrête à quelque chose qui demeure en surface, à l'extérieur — cette *impression* justement, qui se ramène trop souvent au mouvement le plus furtif du pinceau — et qu'il a, pour sa part, absolument besoin de dépasser. Il cherche. Et il cherche seul. Il le sait très bien. Sans la moindre illusion. Zola se tait maintenant depuis longtemps. Il a écrit *la Conquête de Plassans*, puis *la Faute de l'abbé Mouret*, et ces deux livres montrent au moins une chose, c'est qu'il n'oublie pas Aix ni la campagne aixoise, ce domaine de Galice qui n'est pas très loin du Jas de Bouffan, ces sites parcourus jadis par les « trois compagnons ». Mais les racines aixoises, en ce moment, ont-elles un sens pour Paul ? Il a fait le choix des paysages du Val-d'Oise et s'est rallié à ce courant de peinture qui cherche là des tons incertains, des ciels changeants, des éclairages subtils. Le pays des lumières tranchées a-t-il encore une importance pour lui ? A vrai dire oui, et probablement n'a-t-elle jamais été si grande. Mais Aix, dans cette période, représente à la fois le lieu des origines et l'impossible retour à ces origines. Il ne voit aucune chance d'y revenir durablement, tant qu'il est dans cette situation de clandestinité conjugale qui le conduit à maintenir avec sa mère des relations épistolaires de confidence et de confiance, mais à ne s'adresser à son père (qui semble, avec l'âge, devenir de plus en plus incommode, coriace et avare) que sur le mode cauteleux. Visiblement, il voudrait obtenir de lui une pension un peu plus élevée, mais il sait que toute révélation sur sa situation de famille réelle aurait immédiatement l'effet inverse. D'où un embarras constant, des ruses, des affirmations patelines : il aimerait bien revenir « travailler dans le Midi », qui offre « tant de ressources pour (sa) peinture », il est prêt de nouveau à y « étudier », mais il faudrait pour cela qu'on l'aide, qu'on le soutienne, qu'on le reçoive. Le père est d'ailleurs prêt à le recevoir, pourvu que ce soit seul. D'où de petits séjours, où il retrouve non seulement les siens, mais ces paysages de son enfance qu'il se met à regarder et à peindre avec des yeux « impressionnistes ». Les arbres du Jas de Bouffan, tout d'un coup, tremblent des mêmes vibrations que ceux d'Auvers. Puis retour à Paris. A la vie quotidienne, aux tracas. Ils sont assez grands, côté finance et côté famille. Le petit Paul grandit, il a maintenant trois ans, il faut s'occuper de lui, il va et vient au milieu des palettes, des pinceaux, des toiles, il en crève parfois une pour s'amuser, ce qui, loin d'émouvoir son père, le ravit parfois : Cézanne a toujours été conscient de la valeur de son art, mais il a toujours eu cette éminente qualité de ne pas sacraliser son travail de peintre ; détruire une toile pouvait être pour lui aussi intéressant que la réaliser.

Mais Paris, ce n'était pas que cela. C'était, bien entendu, la chance toujours offerte. Et Cézanne le sentait bien. Il comprenait l'importance de ce réseau d'amis et de mécènes qui soutenaient la nouvelle peinture et percevait que, dans leur intervention, quelque chose se jouait pour l'avenir. Il avait vu cela, de manière très directe, avec Chocquet, qui le considérait de plus en plus comme « son peintre ». Il le constatait d'une autre manière avec le jeune Gustave Caillebotte, fils de famille, placé par la mort de son père à la tête d'une imposante fortune et pour qui la vie se résumait à quelques grandes passions concrètes : les bateaux, l'horticulture, la philatélie et surtout la peinture, qu'il pratiquait lui-même avec talent. Une philosophie un peu angoissée semblait habiter cet amateur distingué et fin, proustien avant l'heure, particulièrement généreux et hospitalier pour ses amis les peintres : la pensée qu'il pourrait mourir jeune en toute sérénité s'il avait rassemblé, pour les léguer à la postérité, les toiles dont les autres ne voulaient pas (son mot favori, devant les tableaux : « Personne n'en veut. Bon ! Je l'emporte »). Il y avait aussi Cabaner, jeune musicien catalan, d'humeur

170

drôlatique, et également philosophe, qui apportait son soutien actif.

Tout cela ne signifiait pas que Cézanne se trouvait comme un poisson dans l'eau dans les milieux artistiques de la capitale. Il constate d'abord que son « métier », en ce qui le concerne personnellement, se révèle peu rémunérateur et tout à fait insuffisant pour vivre (ce qui le ramène fatalement et de manière vraiment obsédante au problème des mensualités paternelles) : si les expositions sont décevantes, les tentatives de vente à l'hôtel Drouot le sont plus encore, l'intervention d'un Victor Chocquet étant bien évidemment l'exception et non la règle. Et certains aspects de la vie parisienne-mondaine obligatoire exaspèrent Paul plus que jamais. Il ne se sent à l'aise ni dans les cafés — celui de la Nouvelle-Athènes, place Pigalle, qui a remplacé le Guerbois —, ni dans les salons. Il y va, tout de même. Mais non sans maladresse. Là encore, la petite histoire raconte qu'un jour, chez Nina de Villard, muse et « princesse de la bohème », où il était attendu à dîner avec d'autres artistes et écrivains, il arrive exagérément tôt à l'hôtel particulier de la rue des Moines où se tenaient ces soirées et, reçu par une servante aux cheveux blonds, à demi dévêtue, affairée par les préparatifs, ne parvient même pas à s'expliquer, ne comprend absolument pas ce qui lui arrive et se juge quasi définitivement hors-jeu, incapable de participer à des activités mondaines de ce type. Il n'a pas le savoir-vivre requis : et c'est vrai qu'à la lettre Cézanne ne *sait* pas *vivre* de cette façon-là.

Il a le sentiment d'avoir échoué partout. Le Salon continue à le refuser. Les expositions de groupe ne l'attirent plus guère. Il sent que des rumeurs confuses circulent, même parmi les siens, qui ne lui sont guère favorables. Duranty, l'homme du « réalisme », s'est permis de dire de lui publiquement : « Pour que Cézanne mette tant de vert sur sa toile, il faut qu'il s'imagine qu'un kilogramme de vert fait plus vert qu'un gramme. » (Heureusement, Gauguin dira plus tard : « Un kilo de vert est plus vert qu'un demi-kilo. Il te faut, jeune peintre, méditer sur cette lapalissade ! ») Et la critique officielle, plus que jamais, est accablante pour l'ensemble du mouvement. Albert Wolff, du *Figaro*, ne manque pas une occasion — pas une vente, pas une exposition — d'ouvrir le feu : « L'impression que procurent les Impressionnistes, dit-il, est celle d'un chat qui se promènerait sur le clavier d'un piano ou d'un singe qui se serait emparé d'une boîte de couleurs. » Pour beaucoup, Cézanne, avec ses habits râpés ou tachés, sa maladresse insociable et sa mauvaise humeur caricaturale, est sans doute ce singe-là. De toute façon, Wolff se surpasse quand il le faut. A propos d'une présentation de tableaux rue Le Peletier, chez Durand-Ruel, où une femme, Berthe Morisot, a eu l'audace de montrer ses œuvres à côté de celles de ses amis, il atteint des sommets : « La rue Le Peletier a du malheur. Après l'incendie de l'Opéra, voici un nouveau désastre qui s'abat sur le quartier... Cinq ou six aliénés, dont une femme, un groupe de malheureux atteint de la folie de l'ambition, s'y sont donné rendez-vous pour exposer leurs œuvres. Il y a des gens qui pouffent de rire devant ces choses. Moi, j'ai eu le cœur serré... Effroyable spectacle de la vanité humaine s'égarant jusqu'à la démence. »

Tel est le climat. Que peuvent, en face de ce flot, les prises de position d'un Chocquet ou de quelques autres ? La bataille est dure. Le poids des résistances accablant. Celui de la bêtise étouffant. Comme toujours, quand ce n'est vraiment plus respirable, Paul prend le large. C'est-à-dire le chemin du Sud.

19

Sept pommes

Sept pommes. Peut-être sont-elles toute la consolation de la vie ? Celles qu'on voit sur ce tableau, accroché au musée cantonal des Beaux-Arts de Lausanne, ont une si merveilleuse luisance rouge, sur leur fond vert, qu'on pourrait le croire. Seule la plus grosse, celle du premier plan, est jaune (et légèrement teintée de vert elle-même) comme si elle voulait se singulariser, se mettre un peu hors du rang (ou plus exactement hors du volume). Les autres font masse, font groupe, et sans doute est-ce ce qui donne cette impression de sombre à l'ensemble. Elles luisent, en effet, elles sont rouges en effet, mais elles sont sombres en même temps, comme dans les intérieurs bien calfeutrés.

Elles sont posées sur cette espèce de tapis vert qui forme le fond du tableau et, bien calées, elles ne roulent pas (on dit que Cézanne avait l'habitude, quand il le fallait, de les relever ou de les retenir au moyen d'une pièce de monnaie, pour les placer dans le meilleur éclairage ou les traiter comme une femme qui doit montrer son meilleur profil), elles forment un bel équilibre, trois au milieu, deux à gauche, deux à droite, une — celle de devant — bien éclairée, une, en arrière, nettement dans l'ombre. Le seul mot de « tapis vert » fait penser au jeu : il n'y a pas de jeu ici, mais ces pommes ont quelque chose de la disposition des boules à jouer, telles qu'elles se rassemblent naturellement sur le terrain, en Provence, où l'on aime bien cet exercice-là. On peut même dire qu'elles sont des boules, quasi parfaitement des boules. Immobiles, sur leur fond, dans leur ombre, dans cette belle luisance rouge, mais portées peut-être par on ne sait quel hasard. Un hasard qui pourrait les faire rouler, mais précisément ne les fait pas rouler. Elles n'ont pas le mouvement. Mais simplement le désir, le « possible » du mouvement. Ce qui veut dire qu'elles sont vivantes. Extraordinaire d'être vivant, quand on est une *nature morte*. Désigné de ce faux nom de nature morte, qui dit tout sauf la vérité, comme si l'immobilité (toujours improbable) était la mort, alors qu'elle est simplement ce calme, cette tranquillité que le *still* anglais de *still life* dit beaucoup mieux et beaucoup plus justement. Encore que le calme des pommes, toujours pleines et entières, avec quelque chose qui voudrait bien éclater peut-être, ou se fendre, comme dans les grenades, soit par certains côtés incertain.

Mais l'important n'est pas là. L'important, pour Cézanne, c'est que la pomme, comme le dit magnifiquement Jean Arrouye, « fruit arrondi à la peau brillante et aux vives couleurs, est en effet un objet idéal pour qui veut régler simultanément par la " modulation " les problèmes du volume, de l'espace, de la lumière et de la couleur. De plus, pour qui veut réduire la nature à des formes géométriques simples, la pomme est par excellence un objet problématique car, ronde, elle n'est jamais sphérique, et sa forme rapportée sur l'espace imaginaire du tableau ne se ramène jamais d'elle-même au cercle, dont elle se rapproche pourtant ». Le critique précise, avec beaucoup d'intuitive lucidité, en quoi elle se distingue de ses sœurs-voisines, la pêche ou l'orange : « La pêche aussi est presque ronde, mais creusée d'un sillon en son milieu, qui empêche, sous peine de lui faire perdre son identité, toute possibilité de l'idéaliser géométriquement. L'orange, par contre, s'assimile naturellement à un cercle quasi parfait. Mais, par là même, elle est sans intérêt pour le peintre qui cherche à découvrir dans quelle mesure le travail des contours par la couleur peut corriger illusoirement l'imperfection naturelle de la forme, tout en respectant les données du réel. »

La pomme est-elle un fruit provençal ? On sait que non, elle peut même être plus normande que provençale. Mais elle est un fruit de partout, universel, primitif (indiscutablement, puisqu'elle est la « tentation » première, originelle), échappant en définitive aux localisations géographiques et, de toute façon, se trouvant moins sur son arbre, dans un verger, dans le cadre de la nature qui la produit, que *là*, sur la table, dans le compotier, dans le plat, sur la nappe, sur le fond vert où elle est placée. Peu importe que Cézanne ait peint ces pommes à Aix ou ailleurs, l'important est que, les peignant, il ait témoigné, dans leur forme et leur lumière mêmes, qu'il était, à ce moment-là, loin du bruit et de l'agitation auxquels étaient livrés les artistes de Paris, et en effet ailleurs. Un ailleurs que cette Provence, à la fois lieu de l'origine, lieu de l'appartenance et lieu de l'impossible retour, symbolisait assez bien. Une certaine intimité, vraiment imprenable, s'y résume en effet pour lui.

Un tableau daté à peu près de la même époque et que conserve le musée national de Budapest, *le Buffet*, le montre à sa manière. Un buffet, on le sait, est toujours le signe d'une chaleur-intimité domestique qui protège, abrite, renferme, mais en même temps capte on ne sait quelle provision d'énergie matérielle secrète, traduite dans des réserves de couleurs ou de volumes. C'est bien ce que Rilke a senti devant ce tableau, le commentant ainsi dans une autre lettre à Clara de 1907 : « Ici la réalité est du côté du peintre ; dans le bleu épais et ouaté qui lui est propre, dans son rouge ou dans son vert sans ombres et dans le noir rougeâtre de ses bouteilles de vin. » Et c'est vrai, il y a ce *vin*, ces *bouteilles*, il y a des tasses aussi, une nappe, et surtout ce *rouge*, ce *vert*, sur le sombre du buffet. Mais il y a, surtout, cette espèce de ralliement général autour du meuble, ou sur le meuble, de ce qui va construire l'intimité revendiquée. Et, donc, les pommes sont là aussi, présentes à l'appel, elles aussi, bien nettes sur le devant du tableau. Visiblement, devant ce buffet, dans cet intérieur, dans cette maison, Cézanne est chez lui. Vers la même époque, le *Plat de pommes*, qui est à Philadelphie, fait éclater, en plus clair, avec un panneau ou meuble aux motifs plus gais en arrière-plan, et des objets plus lumineux comme le sucrier qui avoisine les pommes, la même célébration domestique.

Si l'on est en Provence, on y est donc très bien. Est-ce évident ? Éloigné d'Hortense et du petit Paul qui sont restés à Paris, contraint à déjouer sans cesse la méfiance paternelle, Cézanne n'est sans doute pas aussi heureux auprès de ses parents et de ses sœurs qu'il y paraît. Et si le Jas de Bouffan reste une retraite agréable, rien ne dit que l'environnement aixois, plein de rumeurs et de suspicions, soit, lui, aussi agréable. Même à L'Estaque, où il va retrouver points de vue et souvenirs au début de l'été 1876, il ne peut s'empêcher d'être vulnérable à une certaine hostilité qui flotte dans l'air. « Si les yeux des gens, écrit-il à Pissarro le 2 juillet, lançaient des œillades meurtrières, il y a longtemps que je serais foutu. Ma tête ne leur convient pas. »

Et le climat méridional, tellement vanté, peut subir de pénibles éclipses. Au même Pissarro, quelques mois avant : « Il vient de faire ici une quinzaine de jours très aquatiques. Je crains fort que ce temps n'ait été général. Chez nous autres, il a tant gelé que toutes les récoltes de fruits, de vigne, sont perdues. Mais voyez l'avantage de l'art, la peinture reste. »

Il serait dommage de ne pas s'arrêter sur cette dernière

phrase. Les fruits passent ou meurent, *la peinture reste.*
Même si les pommes ne sont plus récoltées, les pommes
peintes demeurent. On s'en doutait bien. Mais il est intéressant que cette évidence soit soulignée par le peintre lui-
même. Les pommes, cueillies ou pas, sont enracinées dans
son imaginaire profond. Et il n'est peut-être pas superflu
de rappeler que, dans cette période-là, Cézanne revient à
ses baigneuses qui appartiennent certainement au même
imaginaire, mais ont en outre l'avantage de se rapporter
au monde des souvenirs d'enfance. Aucun doute que,
chaque fois qu'il revient en Provence, Paul ne reprenne les
promenades du bord de l'Arc et ne cherche à retrouver la
force érotique de ces baignades primitives, saturées de
merveilleux fantasmes. Mêler les pommes à cela peut
paraître étrange, mais les critiques et commentateurs ne
s'en sont pas privés, tant il est vrai que *pomme* et *baigneuse* participent — et pas seulement par la rotondité des
formes — du même monde de la nostalgie et des bonheurs
visuels-tactiles enfouis au fond de l'adolescence, inlassablement poursuivis au fil de la vie. Là encore, Jean
Arrouye a su montrer qu'un lien existait, dans le travail
du peintre, entre le thème de la pomme et celui de la féminité de Vénus, de la féminité tout court même, comme
l'attestent plusieurs tableaux qui vont du *Jugement de
Pâris* de ses début à sa *Léa et le Cygne* en passant par son
Déjeuner sur l'herbe (le sien propre qui, justement, ajoute
à Manet deux pommes rouges !). Mais ce lien n'est pas seulement mythologique, il tient évidemment à quelque
chose de beaucoup plus secret et profond.

C'est sans doute dans cette perspective qu'il faut
regarder les diverses baigneuses qui sont peintes à cette
époque et semblent signifier que le retour à Aix est vraiment un retour aux rives du souvenir-fantasme. Toute
cette période est pleine de *Luttes d'amour* (un thème qui
unit très fortement le donné mythologique et cette espèce

de puissance naturelle qui émane des scènes champêtres, des représentations de baignades), et de *Baigneuses* de toute sorte, *Baigneuse assise, Baigneuse au bord de la mer, Cinq Baigneuses, Trois Baigneuses,* ou de *Baigneurs* — les échanges-confusions apparaissant de manière marquée —, *Baigneurs au repos, Baigneur aux bras écartés, Nu de jeune baigneur,* etc.

Quand on regarde ces tableaux, non en détail mais ensemble, par exemple dans un album, un *Tout l'œuvre peint de Cézanne* où ces toiles se trouvent groupées, rapprochées, on a le sentiment d'une abondance heureuse quasi délirante. On se dit : Tiens, l'homme des pommes abritées et recluses est aussi l'homme de ce prodigieux épanchement de chair, dans des théâtres de verdure toujours renouvelés et toujours proliférants ! Rondeurs pour rondeurs, voilà qu'il troque celles du garde-manger familial contre celles de ce décor où les moindres trempettes semblent des bacchanales, construites à grand renfort de statures trapues, claires ou brunes, de reins, de cuisses, de croupes inondés de lumière verte. D'un côté, tout le *dedans*, de l'autre tout le *dehors*. On se prend à rêver, parce que, de l'un à l'autre, il y a tout. Peut-être la totalité du monde. Quelque chose qui circule, sans jamais s'arrêter. Sauf si un *Nu debout*, planté sur la terre comme une sentinelle plus mince mais fortement sexué, vient interrompre de sa présence nette la folle rêverie.

Alors on se dit que la réalité est bien là-dessous. Elle peut d'ailleurs s'affiner tout d'un coup. Sur certaines aquarelles, par exemple. Il ne faut pas oublier Cézanne aquarelliste. John Rewald a fait un assez grand et beau travail en rassemblant ses aquarelles pour qu'on se donne, de temps en temps, la peine d'y penser, et même d'y revenir impérativement. Voilà que justement le thème de la *lutte d'amour* figure sur une aquarelle de cette époque, un travail merveilleux qui figure dans une collection de Zurich, réalisé vers 1875-1876. Si l'on regarde de près, on s'aperçoit que la grande empoignade mythologique, la lutte érotique des corps sur l'herbe, prend cette fois la forme d'un dessin d'un extraordinaire délié, une suite de figures tracées de la pointe du pinceau, avec des notes de couleur — bleu ou vert — ultra-légères, une exécution générale d'une si grande finesse qu'on croirait que la délicatesse, la discrétion et la pudeur sont les marques dominantes de cette scène orgiaque. Tout cela, à cause du toucher de l'aquarelliste. Le même homme pourtant qui, dans le même moment, peint ces trois baigneuses de la Barnes Foundation de Merion qui frappent par leur grâce pataude, leur manière de montrer, sans ambages, leur dos, leur ventre ou leurs fesses, au bord de l'eau, dans une fête champêtre qui ressemble par certains côtés à une fête animalesque un peu obscène. Contrastes. Écarts. Recherches. Variations. Même thème, pourtant. Décidément, les paysages aixois offrent de la ressource. Quand Paul s'y promène dans cette période, dans la maturité de ses trente-cinq ans, loin des amis et complices parisiens, loin des siens, loin de sa femme et de son fils qui sont à Paris, mais loin aussi de ses parents et de ses sœurs qui sont tout près, à la maison, au Jas, il est plongé dans l'ivresse de la plus précieuse des solitudes, celle où il fait exactement ce qu'il veut, où il peint ce qu'il veut. Est-ce la réalité, ce monde qu'il porte en lui et qu'il reconstitue dans la campagne aixoise ? Est-ce un monde à produire au jour, à exhiber, ou à garder prudemment en soi ? Ces *Baigneuses*, ces femmes, est-il bon de les montrer ? Un jour, le père en avait vu une, et s'était dit scandalisé. « Voyons, Paul, avait-il demandé, tu as des sœurs, comment as-tu pu faire une grosse femme nue ? » Comment, en effet ? Paul avait répondu : « Mais mes sœurs n'ont-elles pas des culs comme vous et moi ? »

179

Heureusement qu'il y avait les pommes qui, elles, étaient de tout repos et de bonne compagnie. Parfaitement rassurantes. Le charme discret de l'intimité domestique.

20

Le lorgnon et la barbiche

L'heure de Zola sonne. Le travail acharné, décidément, paie. Après la conspiration du silence qui avait accueilli *la Conquête de Plassans*, un petit murmure flatteur s'élève autour de *Son Excellence Eugène Rougon*. Mais sans le succès. Avec *l'Assommoir*, les choses changent. Si le roman est controversé lorsqu'il paraît en feuilleton dans *le Bien public*, en volume il est le premier grand succès de son auteur. Zola devient tout d'un coup l'homme dont on parle. Lorgnon, barbiche, le voilà caricaturé, c'est-à-dire célèbre. Du jour au lendemain.

On peut se demander dans quelle mesure ceux qui le « reconnaissent » ne l'opposent pas aux peintres, ses amis, qu'ils continuent à refuser de reconnaître, eux, obstinément, et dans quelle mesure il n'entre pas lui-même dans ce jeu. L'attitude du triste et puissant Albert Wolff est significative sur ce plan-là. Il dit de *Son Excellence Eugène Rougon* (le voilà, le murmure flatteur!) : « C'est l'œuvre d'un écrivain de race qui manque de tact, j'en conviens, mais son ouvrage est d'un intérêt très grand et d'une valeur incontestable. » Au même moment, il écrit sur les impressionnistes les insanités que l'on sait. Probablement, Zola est conduit à se demander s'il ne s'est pas fourvoyé en trop soutenant ses anciens compagnons d'avant-garde, s'il n'a pas commis là une erreur de jeunesse, coûteuse pour lui, s'il ne vaut pas mieux faire route tout seul désormais dans la voie du sain naturalisme et prendre une certaine distance à l'égard de leurs épuisantes tentatives. Au fond, la peinture n'est pas son domaine. Il n'y connaît rien. Et, scandale pour scandale, il vaut mieux choquer par la représentation crue de la réalité sociale que par la représentation contournée de la réalité des choses. Il doit être conforté dans son jugement par certains témoins, comme Duranty, habitué du groupe de la Nouvelle-Athènes, qui prend acte, dans une brochure intitulée *la Nouvelle Peinture*, des découvertes essentielles de ses amis — ils ont, dit-il, « reconnu que la grande lumière décolore les tons, que le soleil reflété par les objets tend, à force de clarté, à les ramener à cette unité lumineuse qui fond ses sept rayons prismatiques en un seul objet incolore, qui est la lumière » —, mais ne peut s'empêcher en même temps d'écrire, avec un certain mépris, à propos du caractère hétéroclite de leurs tempéraments et de leurs manières : « Des originalités et des ingénuités, des visionnaires à côté d'observateurs profonds, des ignorants naïfs à côté de savants qui veulent retrouver la naïveté des ignorants, de vraies voluptés de peinture, pour ceux qui la connaissent et qui l'aiment, à côté d'essais malheureux qui froissent les nerfs ; l'idée fermentant dans tel cerveau, l'audace presque inconsciente jaillissant sous tel pinceau. Voilà la réunion. »

Ambiguïté. Et comme toujours, quand il y a incertitude de ce genre, on peut être sûr que, dans l'ordre des réserves exprimées ou de la mauvaise humeur critique subie, Cézanne remporte la palme. C'est toujours lui qui est le premier visé, désigné ou non. Avec Duranty, il est d'ailleurs en un sens désigné, puisque celui-ci, qui meurt en 1880, laisse après sa mort un étrange livre, *le Pays des arts*, où un jeune artiste imaginaire est supposé se rendre un jour chez un certain Maillobert, « ce détraqué de Maillobert, dont on parlait dans quelques ateliers parmi les jeunes gens ». Or le détraqué en question est affublé d'un accent méridional très marqué et assez ridicule, et la charmante façon dont est décrit son atelier est la suivante : « Je me trouvai tout étourdi par le lieu et par le personnage. De la poussière, des ordures, des tessons de pots, des loques, des gravois, de la terre de sculpteur desséchée, formaient des tas comme chez un chiffonnier. Une odeur de moisi vous affadissait le cœur. Le peintre, chauve, avec une immense barbe et deux dents d'une longueur extraordinaire qui lui tenaient les lèvres entrouvertes, l'air jeune et vieux à la fois, était lui-même comme la divinité symbolique de son atelier, indescriptible et sordide. Il me fit un grand salut, accompagné d'un sourire que je ne pus définir, narquois ou idiot. »

Malgré ce climat équivoque, Paul ne se décourage pas. Alors qu'il n'avait pas voulu participer à leur deuxième exposition, il décide de présenter dix-sept tableaux à la troisième exposition des Impressionnistes — qui, cette fois, porte officiellement ce nom — ouverte rue Le Peletier en avril 1877. Il y a tout, *Baigneurs*, *Baigneuses*, *Tête d'homme*, *Figure de femme* et, bien entendu, le portrait de Victor Chocquet, qui va faire tant murmurer. Cézanne montre vraiment ce qu'il peint, ce dont il est capable, à côté de Monet, à côté de Renoir, à côté de Pissarro, à côté de Caillebotte, et, s'il le fait, c'est peut-être qu'il sent le moment venu d'accepter les vrais affrontements. Si la nouvelle peinture a ses adversaires, ses détracteurs qui ne désarment pas et ses amis ambigus, elle a tout de même aussi maintenant ses défenseurs déclarés qui, s'il le faut, prennent leurs responsabilités. Ainsi Théodore Duret, qui prépare sa brochure sur *les Peintres impressionnistes*. Ainsi, surtout, le jeune Georges Rivière, qui fonde pour la durée de l'exposition le journal *l'Impressionniste* et n'hésite pas à déclarer : « L'artiste le plus attaqué, le plus maltraité depuis quinze ans par la presse et par le public, c'est M. Cézanne. Il n'est pas d'épithète outrageuse qu'on n'accole à son nom, et ses œuvres ont obtenu un succès de fou rire qui dure encore. Un journal appelait le portrait d'homme exposé cette année " Billoir en chocolat "! Ces rires et ces cris partent d'une mauvaise foi qu'on n'essaie même pas de dissimuler. On vient devant les tableaux de M. Cézanne pour se dilater la rate. Pour ma part, j'avoue que je ne connais pas de peinture qui porte moins à rire que celle-là... M. Cézanne est, dans ses œuvres, un Grec de la belle époque; ses toiles ont le calme, la sérénité héroïque des peintures et des terres cuites antiques et les ignorants qui rient devant *les Baigneurs*, par exemple, me font l'effet de barbares critiquant le Parthénon. M. Cézanne est un peintre et un grand peintre. Ceux qui n'ont jamais tenu une brosse ou un crayon ont dit qu'il ne savait pas dessiner, et ils lui ont reproché des imperfections qui ne sont qu'un raffinement obtenu par une science énorme... Ses natures mortes si belles, si exactes dans les rapports des tons, ont quelque chose de solennel dans leur vérité. Dans tous ses tableaux, l'artiste émeut, parce que lui-même ressent devant la nature une émotion violente que sa science transmet à la toile. » Rivière terminait en livrant cette opinion: « Le peintre des *Baigneurs* appartient à la race des géants. Comme il se dérobe à toute comparaison, on trouve commode de le nier; il a pourtant des similaires respectés dans l'art, et si le présent ne lui rend pas justice, l'avenir saura le classer parmi ses pairs à côté des demi-dieux de l'art. »

On ne peut nier la force prophétique, et même excessive, du ton. Et l'authentique conviction. Que peut penser, dire, Cézanne devant cela? Rien. Il ne sait pas. Il continue à travailler. A chercher. C'est-à-dire à composer, à construire. Plus que jamais s'impose à lui l'idée de l'unité, de la cohérence du travail du peintre. Il déteste les discours théoriques et l'intellectualisme, mais il sent cela plus fortement que n'importe qui. Et ce qu'il sent, il l'applique, il le vérifie. En peignant ses pommes. En peignant Hortense assise dans un fauteuil. En allant souvent rejoindre Pissarro à Pontoise, ou Guillaumin à Issy-les-Moulineaux. Un sentier, un coteau, un étang suffisent pour bien préciser les choses. Tout est dans le « motif ». Et rien n'est dans la personne du peintre. Peu importe à quoi il ressemble. Il sait qu'il est de plus en plus débraillé, fripé, mal fagoté, avec ses vêtements tachés de peinture, son vieux chapeau sur son crâne devenu chauve. Il sait surtout qu'on le juge en général peu présentable. Il s'en est bien aperçu lorsqu'on lui a fait rencontrer un certain Paul Gauguin, jeune boursier raffiné, averti en affaires et dans les choses de la banque, au talent prometteur, d'ailleurs, et portant en lui un monde d'avenir et d'aventure. En se regardant dans le miroir de ce jeune artiste, en se regardant dans le miroir des autres, tout simplement, il se juge en effet peu présentable.

Mais le problème n'est pas qu'on le voie de cette manière ou d'une autre, ni même qu'on le juge. Le problème est qu'on aime ce qu'il peint. Un jour, en pleine rue de Paris, transportant sous son bras, pour une hypothétique vente, ses *Baigneurs au repos*, il rencontre par hasard Cabaner, le musicien, qui ne peut s'empêcher de clamer son admiration devant la toile : Paul la lui offre aussitôt, là, sur le trottoir. Il paraît que son visage était baigné de larmes. Une vraie maladie, les larmes.

21

A table

Ce soir-là, son visage doit plutôt être couvert de sueur. Il vient de manquer le train qui conduit de Marseille à Aix, et il fait à pied les trente kilomètres de route qui séparent les deux villes. En ce temps-là, on marche beaucoup, et sans problèmes. Tout de même, il n'est pas très fréquent d'aller de Marseille à Aix à pied. Le petit omnibus qui est en service depuis trois ans seulement et dessert au passage Septèmes et Gardanne est bien commode, quoiqu'un peu lent. Mais ce soir-là, Paul s'est trompé, il a mal lu l'indicateur, ou les renseignements de l'indicateur étaient faux, et il a raté le dernier train. Il a pourtant l'habitude de « bouger » — ses incessants voyages entre Paris et Aix le montrent, et même sa manière de déménager sans cesse à Paris, les choses sur ce plan-là ne se sont pas calmées, il a changé encore au moins trois fois d'adresse ces dernières années — et il sait ce qu'est un train, comment on le prend, comment on s'y installe, comment on regarde le paysage par la vitre ou la portière.

Mais, là, pour ce soir, c'est manqué. Et il n'y a plus de moyen de transport possible entre Marseille et Aix. Pas question, pourtant, de ne pas rentrer à la maison où le père l'attend pour le dîner. On ne plaisante pas avec Louis-Auguste. Et on ne plaisante pas surtout sur l'heure des repas. Or, il est bien évident que, ce soir, Paul ne sera pas à l'heure. Même en marchant vite, on n'avale pas

187

comme ça trente kilomètres. Même si le soleil est tombé, il fait déjà chaud en ce mois d'avril. Il hâte le pas. Il a remplacé son vieux chapeau de ville par un chapeau de paille. Il a sa veste sous le bras. Ses gros souliers de marche. Il connaît très bien toutes les règles de la marche, et toutes ses disciplines. Mais tout de même, le trajet qu'il s'agit de faire ce soir, ce n'est pas exactement la même chose que les excursions vers le Tholonet ou Bibemus, les parcours des sentiers de collines ou des chemins de rochers de l'Estaque. C'est tout autre chose, d'assez fastidieux à vrai dire. Il y a bien, quand on sort de Marseille, ce grand plan qui vous fait découvrir d'un seul coup le pays d'Aix, puis les bois de Bouc-Bel Air sur la droite, et le Clos des Trois Pigeons avant Luynes, de beaux sites à regarder, le plus beau de tous étant certainement le panorama de la Sainte-Victoire, après Gardanne, quand il se découpe dans la lumière estompée du soir — celui dont Joseph Gibert disait, en passant devant la campagne de Paul Alexis, en chemin de fer justement, que « les lignes se balancent trop ». Oui, il y a bien tout cela, mais la marche forcée, à ce rythme, n'est certainement pas le meilleur moyen de s'imprégner des paysages.

Paul hâte le pas. Dans le meilleur des cas, il arrivera avec une heure et demie de retard. Il peut s'attendre à voir Louis-Auguste froncer le sourcil. Ou, plus exactement, à garder le nez dans son assiette en silence. Il n'en pensera pas moins. Car, en ce moment, il doit penser beaucoup. Il y a toute chance qu'il ait décacheté une lettre, il y a quelques jours, où ce maladroit de Victor Chocquet parlait de *madame Cézanne et du petit Paul.* Voilà ce que c'est un père qui ouvre vos lettres et les lit ! Elle portait pourtant sur l'enveloppe, celle-là : *Monsieur Cézanne, artiste peintre.* Mais il se donne tous les droits ! Il est en permanence aux aguets, dans le soupçon. Il faut dire qu'il l'est à juste titre. Pour une fois, du moins. Paul vient d'installer, depuis quelques semaines, Hortense et le petit garçon à Marseille, dans un appartement de la rue de Rome au centre de la ville, faisant semblant, lui, de vivre et de travailler à L'Estaque, et, par là, compliquant invraisemblablement sa vie, tiraillée entre trois localités, entre trois pôles. C'est la raison pour laquelle il doit absolument rentrer à Aix ce soir. Il est allé voir Hortense et le « petit » qui est malade depuis quelques jours, clandestinement, mais il n'est pas du tout supposé dormir à Marseille, ni à L'Estaque d'ailleurs.

Il hâte donc le pas. Il a de la ressource, de l'énergie. Mais à trente-neuf ans, on n'est plus un tout jeune homme, même si l'on est encore un petit garçon. Il voit d'ici la mine renfrognée de Louis-Auguste. Et il entend ses questions. Ou, ce qui est pire, son silence. Il essaie de ne pas ralentir le rythme, mais le souffle commence à lui manquer un peu. Enfin, il approche. Le Montaiguet et la campagne de Meyreuil, à droite, le pont de l'Arc, devant. Des lieux familiers. La grande bouffée des souvenirs. Le jour décline. Une sorte de paix lointaine descend, en même temps que le soir. Et ces teintes rousses, là-bas, ce sont bien les premiers murs d'Aix.

Il arrive avec une heure de retard. C'est en un sens un exploit. Mais on ne lui en sait évidemment pas gré. Un lourd silence pèse sur la table familiale. Louis-Auguste, la serviette nouée autour du cou, garde, comme prévu, les yeux rivés sur son assiette. Honorine s'est levée pour accueillir son fils et lui faire servir quelque chose, mais elle reste quasi muette. Elle a mauvaise mine. Elle n'est pas en très bonne santé ces temps-ci. Marie regarde ailleurs. Elle a ce visage un peu coupant qui peut faire penser tantôt à une gravure de mode tantôt à un Greco. Rose est peut-être là aussi, avec son « promis », Maxime, mais s'ils sont là, ils regardent ailleurs, eux aussi. On ne plaisante pas avec le père, surtout lorsqu'il est en colère.

Paul s'est assis. Il voudrait bien se laver, changer de chemise. Il voudrait bien boire aussi. Il a soif. Soif et faim. Dans l'état de légère hébétude où l'a mis la fatigue de la marche, il a l'impression de flotter dans un nuage. Ses yeux, à travers ce nuage, voient un pichet bleu sur la table, qui doit contenir de l'eau fraîche. A côté du pichet, il y a une carafe, et derrière la carafe une grande bouteille de verre soufflé. Tout ce verre tinte drôlement dans sa tête. Là-bas, au bout de la table, il voit un grand saladier blanc. Ils en sont peut-être déjà à la salade. Un peu plus loin, sur la nappe, une boîte de biscuits et un compotier qui doit contenir des fruits, mais il est en partie caché par un grand pot de confiture. Ils en sont peut-être au dessert. Paul ne peut plus détacher les yeux de ce compotier, de ce pot, ni de ce pichet. La tête lui tourne jusqu'au vertige. Il lui semble entendre Louis-Auguste mastiquer dans son assiette, ou laper une sauce. Il lui semble entendre le bruit de la robe de sa mère, frôlant les meubles, tandis qu'elle revient de la cuisine. Il évite de regarder les sœurs. Encore plus le beau-frère.

Dans quelques jours, il écrira à Zola : « Ma bonne famille, excellente d'ailleurs pour un malheureux peintre qui n'a jamais rien su faire, est peut-être un peu avare, c'est un léger travers, bien excusable sans doute, en province. » Ils sont excusables, de toute façon, puisqu'il est *un malheureux peintre qui n'a jamais rien su faire.* C'est bien ce qu'il dit, ce qu'il écrit, en pesant ses mots. Zola, lui, a su faire quelque chose. Il est allé jusqu'au bout, il a tenu bon et il a gagné. Des droits d'auteur énormes lui sont versés maintenant. Et quand il revient dans le Midi, c'est glorieusement. Il est venu à L'Estaque, lui aussi, récemment, pour écrire son nouveau livre, *Une page d'amour,* mais il y est venu comme un « monsieur » : il se faisait servir, dans les meilleurs restaurants, les meilleurs coquillages et les meilleures bouillabaisses. Lui, Paul, est l'éternel clandestin, il doit toujours se cacher, à cause de ce vieillard, là-bas, au bout de la table, qui ne se contente pas de grommeler pour tout et n'importe quoi, mais qui prend vraiment très mal les choses qu'il réprouve et se montre capable, à quatre-vingts ans, de violents éclats. Il doit surtout cacher cette femme et cet enfant qu'il ne sait plus où mettre. Marseille pouvait être une solution. Un logement de deux pièces dans un quartier « où on n'assassine pas trop ». C'est ce qu'il a demandé à sa mère de trouver. Ou, plus exactement, ce qu'il a demandé à sa mère, par l'intermédiaire de Zola, devenu respectable entre les respectables. Heureusement qu'il y a cette chaîne de complicité, de Zola à la mère, qui permet de faire face au père, au moins de contourner les obstacles qu'il dresse sur la difficile route du fils. Mais, ce soir, la mère ne dit rien, elle s'affaire de la salle à la cuisine avec la servante, anxieuse, malade, affolée de ce retard inexcusable et, si elle a pu deviner que Paul est venu de Marseille à pied, terrifiée à la pensée de l'épreuve qu'il s'est infligée, de son épuisement, de la fatigue de plomb qui pèse dans ses membres. Elle n'ose en dire un mot. Simplement, elle lui apporte à manger, une soupe chaude, et elle avance la bouteille de vin vers son assiette.

Paul regarde la bouteille. Il observe le goulot étroit, les reflets du vin à travers les soufflures du verre. Puis ses yeux se dirigent de nouveau vers le pichet, et puis vers la tasse, à côté de l'assiette de son père, ainsi que vers la boîte de biscuits qu'il n'avait pas vue tout d'abord. Oui, le père doit en être au dessert. De toute façon, il mange plus vite que les autres. Les autres, qui ne disent toujours rien. Paul voit maintenant une cruche pansue, à l'anse ronde, sur la petite table, à côté de la table principale. Encore de l'eau fraîche ! Il lui semble l'entendre couler. Mais, sans doute, il rêve. Ou alors, c'est l'eau qui coule là-bas, dans la « pile », à la cuisine. Il commence à avaler sa soupe. En silence. Mais justement, dans ce silence, on doit entendre le bruit de ses lèvres et de son gosier, qui avalent. Il est décidément recru de fatigue. Il pense au petit Paul qui vient d'avoir une fièvre muqueuse. Il va mieux maintenant, mais son état pendant quelques jours a été assez grave, et c'est bien pourquoi il a fallu aller le voir à Marseille. Si le père, à la suite de ce qu'il a découvert, décide de réduire la pension ou même de couper carrément les vivres, que va-t-il lui arriver ? Avec ce qu'il doit déjà, à Tanguy par exemple ? Il faudra emprunter de l'argent à Zola, une fois de plus. C'est le seul recours. Mais cette fois, Zola peut prêter sans problèmes. L'argent lui vient, à lui. Ce n'est, à tout prendre, que justice, pense Paul. Ce dernier livre, *Une page d'amour*, est vraiment bien troussé : un travail de création conscient de ses moyens, un sens de la gradation et de la mise en scène très précis, un art du roman presque aussi sûr que l' « art poétique » d'Horace. Zola sait ce qu'il veut et où il va. Au fait, il pourrait peut-être restituer cet ancien tableau où l'on voit sa pendule de marbre noir et un magnifique coquillage (hommage au mangeur de coquillages qu'il est devenu !) posé sur une table, pour le présenter à la prochaine exposition des Impressionnistes. Si exposition il y a, et si tout cela a encore un sens.

Paul ne sait plus très bien où il en est. Il a parfois le sentiment d'aller à la dérive. A Aix, où l'on ne se rend pas du tout compte de ce qui se passe à Paris, où l'on se rend trop compte peut-être de ce qui s'y passe, son image a toute chance d'être totalement négative. Quand il marche dans les rues, avec sa curieuse dégaine et ses cheveux longs, il a le sentiment d'éveiller le soupçon, de faire naître la malveillance à tout moment. Surtout dans le milieu des beaux-arts de province, dans le milieu de la fameuse École de dessin. C'est ce qu'il écrit à Zola : « Les élèves de Villevieille m'insultent au passage. Je me ferai couper les cheveux, ils sont peut-être trop longs. » Il ajoute : « Je travaille : peu de résultats, et trop éloigné du général. » Zola devrait être à même de comprendre cela. S'il ne le comprend pas, qui le comprendra ? Il fera certainement cet effort financier pour aider son vieil ami. Alors, les mesures financières que pourra prendre le père seront moins catastrophiques.

Car il les prendra. Il suffit de le regarder, avec sa figure renfrognée au-dessus de la tasse, son nez busqué, son dos voûté, ses gestes avares, pour comprendre ce qui va arriver. Il va faire semblant de ne rien savoir et il va réduire, brutalement, la pension. En réalité, depuis la lettre décachetée, il sait très bien, mais, au lieu de discuter franchement avec lui, Paul croit très malin de lui opposer toutes les dénégations possibles et imaginables. Il aura toujours peur de ce vieil homme, c'est plus fort que lui. Une crainte vraiment insurmontable et maladive. Dans un tel climat, tout peut arriver. Et encore, Paul ne suppose pas le pire. Il ne sait pas ce qui va survenir dans quelques jours. Dans quelques jours, Louis-Auguste décachètera une autre lettre, venue de Paris. Elle est signée du propriétaire de Paul, et celui-ci fait grief au peintre de recevoir dans son appartement de la rue de l'Ouest (nouvelle adresse !) des « personnes étrangères » (en réalité il a prêté sa clé à son voisin, le cordonnier Guillaume, qui souhaitait héberger quelques parents de province à l'occasion de l'Exposition universelle) : il n'en faudra pas plus pour que le vieux fou imagine son fils dans on ne sait quel rôle de proxénète, abritant des *femmes* chez lui. Voilà les choses ! Avec un homme comme celui-là, il n'est même pas possible de prononcer le nom d'Hortense. Quelle Hortense ? Il n'y a pas d'Hortense. A Zola : « Je nie violemment, et fort heureusement comme le nom d'Hortense ne se trouve pas dans la lettre, j'affirme que c'est adressé à quelque femme quelconque. » Pauvre Hortense ! Son sort ne doit pas être bien brillant à Marseille, il vient de le constater. Et à Paris non plus. Par-dessus le marché, il a fallu qu'elle s'offre une « petite aventure », comme elle vient de le faire. Ce qui ne le gêne pas beaucoup, mais tout de même ! Il est indispensable que Zola lui envoie absolument l'argent promis. Et lui envoie encore demain d'autres subsides, si vraiment le père met à exécution ses menaces. Quel tracas ! C'est vraiment effrayant, la vie !

Et ils sont tous là, à table, en attendant ! Tranquillement. Comme si tout allait sans problèmes. Ils ne se rendent même pas compte qu'il vient de faire trente kilomètres à pied. Ils ne se rendent pas compte de la réalité de l'existence d'un artiste. Quand il regarde sa vie et qu'il la compare à celle des amis du terroir, des anciens condisciples, il peut mesurer la distance. Huot, par exemple, qui est devenu architecte. Et Marion ? Il l'a aperçu l'autre jour, devant la faculté des sciences, à Marseille, où il est professeur de zoologie, à trente-deux ans, et il ne s'est pas décidé à aller lui parler. Un monsieur ! Qu'est-il, lui, Paul, en face de tout cela ? Il est de la race de ceux qui manquent tout. Comme Emperaire. Achille Emperaire est, en effet, bien le seul à avoir manqué le coche autant que lui. Et les difficultés dans lesquelles il se débat sont encore plus dramatiques que les siennes. Il faudrait bien que Zola l'aide aussi. Mais Zola ne peut pas aider tout le monde. Il ne peut être le financier de tout le monde.

Le père somnole maintenant sur sa tasse. Sa tête dodeline. Il est presque attendrissant, comme ça. Paul sent toute sa rancœur tomber. Si seulement son vieux papa pouvait faire un effort pour le comprendre. Si quelque chose pouvait se dérider en lui. S'il pouvait s'ouvrir sur le tard à la vie, et même à l'amour et aux femmes. Pourquoi pas ? Tout peut arriver ! En septembre de cette année-là, 1878, à Zola — ô surprise ! : « Papa m'a rendu 300 francs ce mois-ci. Je crois qu'il fait de l'œil à une petite bonne charmante que nous avons à Aix ; moi et maman, nous sommes à L'Estaque. »

Mais, en attendant, cette soirée est difficile. Ce repas passe mal. La vie est dure. Paul se dit que, pour se consoler, il va reprendre, en se couchant, la lecture de l'*Histoire de la peinture en Italie* de Stendhal. Au moins, quelque chose de solide à quoi se raccrocher. Pour le reste, les échecs, les difficultés, les ennuis, il doit se dire que tout est d'abord de sa faute, à lui, Paul Cézanne. A Zola, en humble confidence, à propos d'un refus au Salon : « Je comprends très bien que ce ne pouvait être reçu, à cause du point de départ, qui est trop éloigné du but à atteindre, c'est-à-dire la représentation de la nature. » Il va aller dormir, après cette soirée accablante de gâchis. Il a encore beaucoup à réfléchir, en effet. A avancer. La nuit porte conseil.

22

Le thé en ce jardin

Médan, Seine-et-Oise.

Nous allons essayer de vous peindre en ce jardin, chère madame Zola ! Et de vous peindre occupée à servir le thé. C'est évidemment un peu plus difficile pour vous que de tenir la « pose » dans un fauteuil, mais ce serait bien pour moi, Paul Cézanne, de tenter la chose. Et de réussir.

C'est un magnifique jardin où commencent à venir beaucoup de visiteurs, et même des visiteurs illustres, et vous serez parfaitement à votre place dans ce cadre. Vous recevez avec tant de distinction. Il y a loin de la dame que vous êtes devenue à la fleuriste de la place Clichy que vous étiez et que j'ai eu l'honneur de connaître et de fréquenter avant même que le cher Émile commençât à s'intéresser à vous. Les temps ont changé, chère Gabrielle. Mais pas votre beauté. Certes, ce n'est plus tout à fait ce visage fin et lisse, un peu fermé, que je tentais de saisir dans mon « étude de femme ». Mais c'est toujours les mêmes épaules, les mêmes bras, la même gorge. La plénitude. Avec, aujourd'hui, l'autorité que confère une situation sociale bien assise. Et ces bras, qui sortent des manches de cette robe à ramages légers, vont faire merveille autour de la théière. Ces mains, un peu potelées, vont faire merveille sur les tasses. Ces doigts bagués seront parfaits sur les anses. Voilà. Exactement ainsi. Ne bougez plus. Ne perdez jamais de vue que la « pose » a de terribles exi-

197

gences. Je suis, pour ma part, d'une patience sans limites. Vous devez apprendre à être encore plus patiente que moi. Si vous pouviez voir Hortense! Des heures entières, sur une chaise, dans un fauteuil. D'une immobilité sans défaut. La femme idéale, sur ce plan-là. Il est vrai que je vous demande de servir le thé, et que vous m'objecterez avec raison que c'est là un geste vivant, un mouvement, qui n'a rien de commun avec l'inertie d'une nature morte. Il faut que le thé coule, que le jet fumant sorte du bec de la théière et que votre bras soit levé. C'est vrai. C'est difficile. Mais, vous le savez, j'ai toujours aimé la difficulté. Si vous vous déplaciez légèrement vers la gauche et vous reculiez de quelques centimètres de la table pour donner un peu plus d'ampleur à votre geste, ce serait parfait. Voilà. Et, maintenant, vous essayez de ne plus bouger d'un moment. Ce ne sera pas très long. Si ce n'est pas fini aujourd'hui, nous recommencerons demain.

Cette maison de Médan, Zola a dit, en l'achetant, que c'était une « cabane à lapins ». Il a usé de cette expression pour informer de son acquisition son vieux maître Flaubert. Un certain culot, tout de même! Évidemment, il l'a eue pour 9 000 francs, ce qui est une excellente affaire (et il commence à s'y connaître en affaires!), mais la cabane est tout de même une propriété magnifiquement située au bord de la Seine, dans ces paysages de Seine-et-Oise si apaisants. D'ailleurs, Paul, qui a choisi en ce printemps 1879 de s'installer à Melun et qui reprendra bientôt pied à Paris dans le quartier de Plaisance, est prêt à venir le plus souvent possible et à y retrouver les charmes de Bennecourt ou d'Auvers. Pourquoi pas? On peut attendre d'Émile au moins une chose: l'hospitalité. Il adore accueillir ses amis, ses anciens compagnons, il a toujours une chambre à leur offrir, même pour une nuit ou deux (il n'aime pas contraindre ni retenir de force), et il ne déteste

pas leur montrer où il habite et travaille. Car Médan, cette
retraite de campagne, ce pourrait être désormais sa résidence six mois par an. Et une résidence dont il est très
content de faire faire le tour, de montrer les pièces une à
une. Paul aurait beaucoup à dire là-dessus et il pense que
son cher camarade Émile a un peu la tête qui tourne et le
vertige des grandeurs pour s'entourer de tout ce mobilier
ostentatoire, de tout ce décor excessif, mais c'est son
affaire, c'est ainsi. M. de Maupassant, qui a l'œil aigu, visi-
tant son bureau, a dit qu'il était « tendu d'immenses tapisseries, encombré de meubles de tous les temps et de tous
les pays ; des armures du Moyen Age, authentiques ou
non, voisinent avec d'étonnants meubles japonais et de
gracieux objets du XVIIIe siècle ». Vous voyez le genre ! Ce
n'est certainement pas celui de Cézanne. Heureusement
qu'il y a aussi sur les murs un certain nombre de ses
tableaux ! Il doit bien y en avoir une bonne dizaine en
tout. Espérons qu'ils peuvent avoir leur place, dans le
décor, avec ceux de Manet, de Monet et de Pissarro, même
s'ils ne sont pas du goût de tous les visiteurs. Et même si
« madame », justement, souhaite plutôt les voir au grenier.

Mais, pour l'instant, la voilà, vestale de ce temple ! Cette
femme qui sert si gracieusement le thé. On dirait que son
bras se fatigue. Elle ne peut, évidemment, comme les
Danaïdes, remplir indéfiniment une tasse qui aurait
débordé depuis longtemps si du thé coulait réellement du
bec de la théière. Elle ne peut faire que le simulacre de ce
service. Voilà ce qui est beau, justement : le simulacre,
l'image. Et il est très bien que la théière soit vide. Mais le
geste, lui, est bien réel, et il doit commencer à devenir fati-
gant, épuisant peut-être même. On dirait que le bras, la
main descendent, faiblissent peu à peu. Il faut souffrir
pour être modèle. Mais il faut souffrir, et même beaucoup
plus, pour peindre. Être modèle ! En ce moment, la chère

Gabrielle l'est à sa manière. Une manière qui, bien entendu, n'a rien à voir avec celle de ces femmes qui posent dans les ateliers, ou qui viennent chez les peintres poser aussi nues que dans les ateliers. Encore que... Dans les reflets du soleil qui traverse ce jardin de Médan, la robe à ramages a parfois de ces transparences tout à fait étonnantes. Surtout dès qu'il y a un effet de contre-jour, avec le couchant. Toute Mme Zola qu'elle est, elle est là, avec son corps et sa chair. Et si la robe, tout d'un coup, pouvait devenir diaphane, dans la luminosité de l'air, au point de se dissoudre, ce serait une bien curieuse aventure. Une aventure qui pourrait intéresser Renoir, au premier chef. Paul n'est pas sûr, lui, d'être vraiment tenté. L'autre jour encore, quand Hortense et le petit n'étaient pas là, une femme est venue chez lui, pour poser. Elle s'est déshabillée, le plus naturellement du monde, et il ne savait plus que faire ni quoi dire. C'est elle qui a parlé, pour murmurer : « Monsieur, vous semblez troublé... » Voilà comment il est, malgré sa longue fréquentation des ateliers de rapins. On ne se change pas. Ah oui, *les Baigneuses*, bien sûr ! Mais, justement, Gabrielle n'est pas une baigneuse ! Elle est tout, sauf une baigneuse. A la rigueur, avec un peu d'imagination, on pourrait la voir en ce moment comme une ondine, une nymphe peut-être, un peu semblable à celle d'Ingres versant son eau de son urne. Mais le bras baisse, la main descend encore. Il va falloir arrêter la pose.

Ce qui est un peu irritant chez les gens qui fréquentent chez Zola, ce sont les grands airs qu'ils se donnent. Lui, Paul, n'aime pas du tout cela. Il est tout à fait honoré de rencontrer là des hommes importants qui écrivent des choses importantes, comme Henri Céard ou Léon Hennique, à qui on l'a présenté, ou ce M. Huysmans qui paraît être un esprit très curieux (si curieux qu'il se penchera sur sa peinture avec une attention assez inquiète et y verra un

« cas oculaire » caractéristique), mais il n'est pas vraiment à son aise dans ce milieu. On les appelle d'ailleurs « Messieurs Zola », ce qui est tout dire, et ils ne sont vraiment eux-mêmes qu'aux côtés du maître, quand il les reçoit dans ce bureau solennel dont on ne sait pas s'il fait penser davantage à un musée qu'à une église. Il est là, dans son fauteuil Louis XIII et, derrière lui, on peut lire, sur la cheminée, en lettres d'or : *Nulla dies sine linea.* Il faut reconnaître que la maxime lui a servi, et lui tirer son chapeau. Pauvre chapeau crasseux et bosselé de Cézanne ! Lui qui vit entre son lit, sa chaise, sa table bancale et son chevalet !

Le chevalet, justement ! Attention de ne pas le déplacer. Il est là, bien planté dans le jardin, tandis que le soleil décline et qu'arrive l'instant des couleurs les plus heureuses. La chère Gabrielle a accepté de poser encore un moment, après s'être reposée quelques minutes. On dirait qu'elle prend goût à la chose. Il est certainement plus agréable qu'on ne croit pour une femme d'être « peinte ». Ce doit être comme une caresse un peu lointaine, un peu distante, sur la peau, mais caresse tout de même. Elle doit aimer cela. L'impalpable tressaillement de la robe semble indiquer que oui. Et aussi, ce court frisson qui soulève la chevelure. Il faut en profiter. Le tableau devrait être réussi. Mais rien n'est difficile comme d'attraper cette tache de lumière qui devrait descendre là, sur la joue, au coin de la bouche, ou bien cet or fugace du thé qui coule. C'est surtout l'équilibre entre les couleurs, le bleu de la robe, le rose de la peau, qui est vraiment comme une équation à résoudre, un vrai problème dont il faudrait trouver la solution, là, sur l'heure. Mais comment y parvenir ? Sans parler de ces courbes de la table de jardin qu'il faut bien faire cohabiter avec les verticales des arbres du fond : autre problème. Espérons que Gabrielle, par son application à bien poser, va aider à découvrir la clé. Il faut lui reconnaître un mérite : dans son attitude, elle est vraiment souveraine. Gracieuse, mais souveraine. Comment s'en étonner ? Elle est la femme d'un écrivain qui marche vers la gloire. Elle se donne maintenant pour mission d' « arranger » au mieux son intérieur, son lieu de travail, son lieu de création, et d'aménager dans les meilleures conditions sa vie, de la lui rendre confortable et protégée. C'est elle qui, depuis quelques années déjà, a su assurer le caractère rituel de ces « jeudis » qui sont devenus célèbres, et qui maintenant règne sur Médan. Elle n'est pas insensible à l'argent que son mari gagne, à ce qui demain sera peut-être leur commune fortune. Mais tout cela est très bien, très normal, n'est-ce pas, ma chère petite fleuriste d'autrefois ? D'où, ce vrai port de reine. Sûrement de quoi faire un grand tableau.

Malheureusement, un importun arrive. C'est Guillemet. Il a une certaine chance en peinture et, il faut bien le dire, un certain talent. C'est ce qui le rend un peu sûr de lui, jovial et sympathique. Sympathique en tout cas aux yeux de Mme Zola. Elle lâche brusquement la pose, plante la théière sur la table, et va vers lui, tout sourire, tout miel. Paul manque en avoir un coup de sang. A l'instant précis où il allait capter ce ton bleu. Elle est tout de même d'une désinvolture incroyable. Et Guillemet, lui, qui connaît le travail, pourrait se rendre compte de ce qu'il vient de faire, de ce qu'il vient de « casser ». Mais non, il ne se rend compte de rien. Il est tout en politesse, en civilités et en ronds de jambe. De toute façon, ils sont tous en politesses, civilités et ronds de jambe. Mais lui, Guillemet, est un vrai artiste. Il y a des choses qu'il pourrait comprendre. Ici, Cézanne ne sait pas ce qui l'attend, ce qui va lui arriver un peu plus tard, en 1882. Guillemet, désormais membre du jury du Salon — ce « Salon de Bouguereau », si méprisé, si convoité —, aura la possibilité, à ce titre, de faire admettre une œuvre refusée. Il promet à Paul d'user de ce privilège en sa faveur. La condition, un peu cocasse et humiliante, mais nécessaire, est qu'il veuille bien se présenter comme « élève de Guillemet » : Paul, hélas ! accepte. Le marché est conclu, et une œuvre — un *Portrait d'homme* — est donc reçue au Salon cette année-là. Triomphe ? Forcing réussi ? A ceci près que le portrait, accroché négligemment dans une salle écartée, n'est vu, ni même remarqué par personne et que la procédure utilisée est dite « de charité ». Merci à Guillemet pour le service ! En attendant, il est là, il fait ses courbettes à Mme Zola.

L'exaspérant, avec tous ces gens, c'est qu'ils se prennent vraiment au sérieux. Comment n'en serait-il pas ainsi, puisque Émile, derrière son bureau, donne le ton. Depuis que *Nana* a fait un bruit énorme, il ne se content plus. Le scandale, en vérité, chez les bourgeois ! Mais, quand ce scandale-là fait la joie des caricaturistes et des chansonniers, qu'espérer de mieux, qu'attendre de plus ? Émile n'attend plus rien, il est au sommet de sa (mauvaise) réputation, aussi vilipendé que célébré, empereur républicain du *naturalisme*. Donc, il peut se permettre d'avoir toute cette espèce de cour autour de lui. Paul supporte très mal certains des courtisans, surtout quand ils sont dans les affaires ou le théâtre, comme ce cynique Busnach qui a adapté pour la scène *l'Assommoir* et *Nana*. Plus ils sont parisiens et mondains, plus il aime à se montrer provincial et grossier avec eux. Grossier, c'est bien le mot. Il enlève sa veste et se met en manches de chemise dans les réceptions, il parle avec l'accent quand il faut parler pointu. Il n'épargne rien. Voici ce que raconte le *gentleman* Gauguin à propos de Médan, plus exactement à propos d'un tableau représentant, dans une haute et fine architecture de couleurs, le château et le village de Médan :

« Cézanne peint rutilant paysage, fonds d'outremer,

verts pesants, ocres qui chatoient; les arbres s'alignent, les branches s'entrelacent, laissant cependant voir la maison de son ami Zola aux volets vermillon qu'orangent les chromes qui scintillent sur la chaux des murs. Les véronèses qui pétardent signalent la verdure raffinée du jardin, et en contraste le son grave des orties violacées, au premier plan, orchestre le simple poème. C'est à Médan.

« Prétentieux, le passant épouvanté regarde ce qu'il pense être un pitoyable gâchis d'amateur et, souriant professeur, il dit à Cézanne :

« — Vous faites de la peinture?

« — Assurément, mais si peu...

« — Oh! je vois bien : tenez, je suis un ancien élève de Corot et, si vous voulez me permettre, avec quelques habiles touches, je vais vous remettre tout cela en place. Les valeurs, les valeurs... il n'y a que ça.

« Et le vandale, impudemment, étale sur la rutilante toile quelques sottises. Les gris sales couvrent les soieries orientales.

« Cézanne s'écrie : " Monsieur, vous avez de la chance, et, faisant un portrait, vous devez sans doute mettre les luisants sur le bout du nez comme sur un bâton de chaise. "

« Cézanne reprend sa palette, gratte avec le couteau toutes les saletés du monsieur. Et, après un temps de silence, il lance un formidable pet, se retourne vers le monsieur, disant : " Hein, ça soulage! " »

Voilà la manière, quelquefois. Qui pardonnerait cela? Émile, il faut l'espérer. Il accueille tout et tout le monde. Et, finalement, du haut de son podium de gloire, il a peut-être plus d'intelligence, d'intuition et d'affection que d'autres. Bien sûr, il a pris ses distances et continue à les prendre. Mais ces mots, l'autre jour, dans le *Voltaire*, sur ses ex-compagnons peintres, n'étaient pas sans soulever (en lui, Paul) quelque émotion : « On les traite de farceurs, de charlatans se moquant du public et battant la grosse caisse autour de leurs œuvres, lorsqu'ils sont au contraire des observateurs fidèles et convaincus. Ce qu'on paraît ignorer, c'est que la plupart de ces lutteurs sont des hommes pauvres qui meurent à la peine de misère et de lassitude. Singuliers farceurs que ces martyrs de leurs croyances. »

Ne rien exagérer. Pauvre homme, il l'est. Lutteur, il l'est. Farceur, il peut l'être (et pourquoi pas ?). Martyr de sa croyance ? Paul hoche la tête. Ce qu'il voudrait, c'est pouvoir travailler tranquille. Cette année, il a vécu et peiné à Melun. Un changement d'adresse encore, bien sûr, mais il a appris tant de choses : sur la lumière, sur la couleur, sur l'espace, sur leur impossible fusion et leur indispensable rencontre. Et puis cette paix, cette concentration de Pontoise où il est retourné si souvent ! Et ce jardin de Médan, aussi, où il est finalement si bien, avec cette maison si hospitalière ! Il serait temps maintenant que Mme Zola reprenne correctement la pose et daigne replacer sa main sur l'anse de la théière. Faudra-t-il aller chercher Émile là-bas, dans son bureau, pour qu'il vienne la tancer discrètement et la rappeler à son devoir de modèle ? Ou va-t-elle se décider elle-même ? Mais non, elle continue à badiner avec le cher Guillemet. Incroyables de désinvolture, l'un et l'autre. Enfin, il la quitte, il s'éloigne d'elle. Mais c'est pour se tourner vers le chevalet. Va-t-il avoir le culot de venir voir ce qui est sur la toile ? Paul est perplexe, incertain, le pinceau levé. On entend des grommellements, des jurons qui sortent de sa bouche.

Au moment précis où Guillemet va s'approcher pour regarder, sans doute un bon mot aux lèvres, Paul s'aperçoit que le tableau, tel qu'il va le voir, n'a certainement rien de commun avec ce qu'il tentait de peindre. Ni exécuté ni construit. Inconcevable, ces couleurs qui ne s'accordent pas, ces taches qui n'ont aucun sens et ces courbes qui ne veulent rien dire. Raté. Manqué. Paul se lève. Il casse ses deux pinceaux. Envoie sa palette en l'air. Crève sa toile d'un coup de pied et la piétine dans l'herbe. Ce portrait de Mme Zola servant le thé dans le jardin de Médan ne sera désormais qu'un tableau imaginaire.

23
« Une belle formule »

Des tableaux bien réels, ceux-là. Ils sont de plus en plus abondants. Et ils représentent tout à fait ce que Paul recherche le plus : une complicité, dans son « isolement ». C'est le mot qu'il prononce lui-même. Et c'est le mot juste. Il n'est décidément pas fait pour cette agitation parisienne, source de contrariétés innombrables. Il est fait pour le Jas de Bouffan, qui n'offre, bien entendu, qu'un isolement relatif, mais qui est bien une sorte d'île. Là, vraiment, on peut en paix édifier ce monde des objets qui rassure.

Donc, voilà : un jour, c'est une *Assiette de pêches*, un autre jour, des *Pommes et Biscuits*, un autre jour encore, un *Verre et Pommes*, un autre, un *Verre et Poires*, le suivant, une *Assiette bleue*, le lendemain, des *Poires et Couteau*, ... *Quatre Pommes et un Couteau*. C'est comme un ballet, dont les figures se multiplient, mais où les « figurants » sont en nombre relativement limité, se bornant à changer de place ou de position, cherchant toutes les alternances ou tous les chassés-croisés possibles, le jeu des combinaisons étant par définition illimité. Le vocabulaire tient son rôle dans ces figures, puisque les *noms* des objets viennent à leur manière « jouer » dans les titres. Déploiement à l'infini de ces compositions qui s'appellent *Pot de fleurs sur une table*, ou *Pichet et Fruits sur une table*, ou *Pommes, Bouteilles et Soupière*, ou *Vase de fleurs et*

Pommes... Tout cela maintenant dispersé aux quatre vents des musées du monde, à tous les points cardinaux de la boussole, « tous azimuts », pour user pour une fois de cette expression dans son sens le plus exact, car c'est bien de cela qu'il s'agit : de New York à Munich, de Leningrad à Bâle, de Los Angeles à Tokyo, de musées en fondations ou en collections privées, ces *choses* se sont propulsées un peu partout et sont là comme les particules d'une étonnante galaxie fragmentée sur la planète, « planetarium » en effet, chaîne de solidarité, d'intimité et de fraternité rassurante, avec leur message de calme *objectivité.* Cézanne, d'ailleurs, a pu les peindre dans n'importe lequel des multiples endroits où il a résidé, à Paris comme à Pontoise, à Melun comme à Aix. Mais le Jas de Bouffan est un peu comme le lieu symbole de la complicité.

Tout n'y est pourtant pas aussi calme qu'on pourrait le rêver en cet automne de 1882. Si Marie, la sœur aînée de Paul, est toujours célibataire et, par là même, portée à régenter la maison — ce qui veut dire aussi bien évidemment régenter son frère —, Rose, la cadette, s'est mariée avec son Maxime, et cela a été la source de toutes sortes de tracas. D'abord, ils ont voulu venir en voyage de noces à Paris, et Paul a été obligé de les accueillir, de les piloter et, forcément, de les amener au Louvre, rôle de guide dans lequel il se voyait assez mal. Mais les rhumatismes de Rose (elle n'a pourtant que vingt-sept ans) ont tout compliqué, et il a dû « rembarquer » assez vite sœur et beau-frère pour le Midi. Ensuite, ils ont eu un enfant, tout de suite. Rose est venue accoucher au Jas, et tout indique qu'ils vont y rester un certain temps, qu'il faudra supporter les « vociférations » du bébé, ce qui n'est pas nécessairement bénéfique pour la peinture. Paul, en fait, devrait être le dernier à se plaindre de ce genre de choses, il a eu comme tous les pères à supporter les « vociférations » de son propre rejeton, mais il a tellement pris l'habitude de mettre Hortense et le petit Paul en lieu sûr, c'est-à-dire à l'écart, qu'il s'est senti assez vite dispensé de ce genre de souci. Il est vrai que des soucis d'autre nature abondent, ne cessent de s'amplifier.

Certains jours, même au Jas, même au milieu de tous ces objets protecteurs et tendres, Paul n'a plus tout à fait le moral. Il a toujours le sentiment très vif que la plupart de ses anciens compagnons ont su s'affirmer : Victor Leydet est devenu député, Numa Coste a fait un bel héritage, s'est installé magnifiquement à Lambesc et à Aix. Ils ont tous mieux réussi que lui, même s'il n'envie pas tellement ce genre de réussite. Il écrit à Zola, un jour de novembre 1882, qu'il vient de rencontrer « le petit Baille », le frère de leur ancien camarade de collège, devenu avoué, qu'il « a l'air d'une jolie petite crapule judiciaire ». Et, dans la même lettre, il ajoute, s'abandonnant à l'humour noir : « Mais ici, rien de neuf, pas le moindre petit suicide. » Peut-être pense-t-il, en fait, au suicide récent d'un autre de leurs camarades, Louis-Antoine Marguery, avoué lui aussi, jadis joyeux premier cornet à pistons de la fanfare du collège, devenu auteur de vaudevilles, qui n'en avait pas moins mis fin à ses jours en se jetant de la galerie du premier étage du palais de justice d'Aix sur le sol de la salle des Pas perdus. Ou à la disparition prématurée de Manet, dont la nouvelle est arrivée comme une « catastrophe ». L'idée de la mort tourne probablement dans sa tête. A Zola encore, quelques jours plus tard : « J'ai résolu de faire mon testament, parce qu'il paraît que je peux le faire, les titres de rentes qui me sont afférents étant à mon nom. Alors, je viens te demander un conseil. Pourrais-tu me dire en quelle formule je dois faire cet écrit ? Je désire laisser en cas de fin, de ma part, la moitié de mes rentes à ma mère et l'autre au petit. Si tu sais là-dessus quelque chose, tu voudrais bien me mettre au courant. Car, si je mourrais à bref délai, mes sœurs hérite-

209

raient de moi, et je crois que ma mère serait frustrée, et le petit (étant *reconnu*, quand je l'ai déclaré à la mairie) aurait, je crois, toujours droit à la moitié de ma succession, mais peut-être non sans contestation. »

Curieuse lettre. Zola semble y être considéré comme avoué à son tour, ou notaire. Et les préoccupations d'intérêt, d'héritage, probablement assez présentes dans la vie quotidienne aixoise, y percent. Mais le mot important, troublant, est *si je mourrais à bref délai*. Quelle angoisse se cache dans cette petite phrase lancée avec un apparent détachement? Et le double souci, nettement exprimé, du petit Paul et de *la mère* rend un son étrange. La mère? Elle fait partie d'un autre réseau, d'une autre chaîne de complicité, non celle des bonheurs intimes, mais celle des secrets partagés. Elle fait un jour un voyage à Paris et découvre les conditions de la vie de Paul, elle reçoit à l'occasion Renoir à L'Estaque et lui prépare une brandade de morue dont celui-ci se souviendra comme d'une incomparable ambroisie, elle est malade et il faut la soigner, elle sent en diverses circonstances son cœur battre pour ce petit-fils qu'elle adore — même si elle n'adore pas dans les mêmes proportions sa mère — et dont il faut dissimuler la naissance dans une comédie dont elle commence à percevoir tout le ridicule : mais elle est là, heureusement, pour « diligenter » au mieux cette perpétuelle situation de clandestinité. Elle y réussit assez bien. Mais, tout de même, on commence à penser, dans la famille, que Paul ferait bien d'épouser Hortense et de tout mettre en ordre, au grand jour. C'est notamment le point de vue de Marie, qui n'est pas seulement la régente célibataire du Jas, mais en est aussi la gérante moralisatrice, dévote et bien-pensante. Mais ce frère obstiné a, comme l'on sait, ses humeurs et ses préventions. Il ne veut pas épouser Hortense. Et Hortense elle-même, dans tout cela? Elle se laisse ballotter par cette vie errante, pas toujours commode. Elle a un privilège, qui efface beaucoup d'humiliations : celui d'être peinte (beaucoup plus et beaucoup mieux que Gabrielle Zola !). On la voit plus que jamais, assise, debout, en pied, en buste, en portrait, avec ses cheveux bien tirés : elle est sur le chemin irréversible qui la conduira au statut de *Madame Cézanne,* et ne peut pas se plaindre. Et le petit Paul ne peut pas se plaindre non plus. Il a plus de dix ans maintenant et, sous l'enfant, pointe l'adolescent en herbe : on peut le peindre aussi. Paul ne s'en prive pas, qui doit trouver que sa tête ronde et bien pleine — oui, tout l'arrondi de celle de sa mère — capte bien le mouvement du pinceau (mon « affreux gosse », dit-il tendrement). N'oublions pas qu'il est *reconnu,* et qu'il a droit à un nom. Donc : *Portrait de Paul Cézanne, fils de l'artiste.*

Problèmes de vie ou problèmes de famille, tout se ramène peut-être aux problèmes de l'art. C'est-à-dire de l'artiste. Cézanne, plus que jamais, semble être dans une période de sa vie où la pratique quotidienne de son métier semble être inséparable d'une réflexion sur la place de l'artiste, ici et maintenant. Il vient de se lier avec Adolphe Monticelli qu'il a rencontré à Marseille, dans son atelier du cours Devilliers, derrière l'église des Réformés. Pour lui, Monticelli, bien que largement son aîné, est un contemporain et un frère. Il a grande allure, il est pauvre mais aime ce qui est somptueux, il peint comme un fou. Tout cela lui vaut incompréhension et insuccès. Paul se retrouve parfaitement en lui. Certaines de ses paroles lui vont droit à l'oreille et au cœur. Par exemple, quand il dit : « Je peins pour dans cinquante ans. » Ou quand, parlant du Salon, il lance ses sarcasmes : « On expose des tableaux ? Ah, très amusant ! Je connaissais les concours pour les bestiaux... J'y ai vu de superbes bœufs gras ! Oh ! là là !... » Ils s'entendent tous les deux, ils confrontent leurs expériences, ils travaillent ensemble. Ils partent même ensemble, pour le « motif ». Pendant près d'un mois même, ils parcourent les paysages entre Marseille et Aix, traversent les vallonnements, les pentes et les raidillons, sac au dos. Cézanne a réussi à entraîner Monticelli sur son terrain. La Sainte-Victoire sous tous ses angles, le massif du Cengle, la chaîne de l'Étoile, il les redécouvre avec lui. Et cet Adolphe Monticelli, qui rêvait de pourpres vénitiennes, le voilà rallié au bleu des crêtes, au vert des collines.

En réalité, on peut se demander si Paul n'a pas rencontré là surtout un partenaire en sauvagerie bougonne, en rêves inaccessibles et en solitude. Quelqu'un qui, comme le Frenhofer de Balzac, le peintre du *Chef-d'œuvre inconnu*, travaillant avec furie à sa *Belle Noiseuse*, finit par réaliser un fabuleux tableau incohérent, amas de lignes confuses et de couleurs bizarres, où personne ne voit ni ne reconnaît rien, sauf un pied nu de femme miraculeusement « échappé à une incroyable, à une lente et progressive destruction ». En réalité, Monticelli n'est pas du tout semblable à Frenhofer, mais Cézanne, peut-être, oui. Il est en tout cas fort possible qu'il le croie, qu'il en ait le soupçon, l'obsession même. Il a d'ailleurs authentifié personnellement la référence, en répondant à un questionnaire — à une période nettement antérieure, semble-t-il, preuve que le « mythe » s'était installé en lui assez tôt — où on lui demandait : Quel personnage de roman ou de théâtre vous est le plus sympathique ? Réponse : Frenhofer (qu'il écrivait : Frenhoffer). Oui, Frenhofer, le peintre dément, maudit et avorté. C'est clair. On peut toutefois noter, pour se consoler, que ce questionnaire — du type questionnaire de Marcel Proust avant l'heure —, rendu public en 1973 sous le titre *Mes confidences*, comporte beaucoup d'autres questions auxquelles sont faites des réponses plus rassurantes. Par exemple, quand on demande à Cézanne : Quelle est votre odeur favorite ? il répond : L'odeur des champs. Quelle fleur trouvez-vous la plus belle ? La scabieuse. Quelle est votre occupation préférée ? Peindre. Quel est, selon vous, la plus estimable vertu ? L'amitié. Quel est pour vous le plus agréable moment de la journée ? Le matin. Quel écrivain préférez-vous ? Racine. Quel est votre mets de prédilection ? Les pommes de terre à l'huile. On voit que tout est convenable et dans l'ordre. Comment ne pas noter toutefois qu'à la fin du questionnaire, Paul (il avait aussi répondu au passage à la question : Quel prénom auriez-vous pris, si vous l'aviez choisi ? Le mien), prié de citer une pensée dont il « approuve le sens », donne ces deux vers du *Moïse* de Vigny :

> *Seigneur, vous m'avez fait puissant et solitaire,*
> *Laissez-moi m'endormir du sommeil de la terre.*

Il est vrai aussi — pour rassurer le lecteur qui se laisserait gagner à son propos par on ne sait quelle angoisse métaphysique — qu'interrogé auparavant sur le point de savoir quel était pour lui « l'idéal du bonheur terrestre », il avait pris la précaution de répondre : *avoir une belle formule.*

24

Madame

Ici intervient dans la biographie du peintre un événement qui permet d'interroger justement ses biographes. Un événement normal, et banal même, puisqu'il s'agit d'une brève histoire d'amour. Mais il est frappant de voir comment, à partir d'une situation de ce genre — jugée *a priori* inattendue, incongrue, n'entrant pas dans les cases d'une vie tout entière pensée en fonction de certains mythes ou stéréotypes —, un certain malaise perce chez les commentateurs. Malaise d'autant plus évident que les données de cet épisode amoureux sont très fragmentaires et fuyantes, que les faits sont mal établis. Il vaut la peine d'y regarder d'un peu près et de commenter les commentateurs.

John Rewald, avec beaucoup de prudence, écrit : « Au début de 1855, la vie de Cézanne est traversée par une crise amoureuse ; une femme entre dans sa vie, bouleversant sa retraite. On ne sait rien d'elle, sauf que c'est à Aix que le peintre fit sa connaissance. Au verso d'un dessin, Cézanne a écrit le brouillon d'une lettre qu'il faut bien appeler une lettre d'amour, brouillon qui s'arrête au bas de la page sans entièrement nous livrer le secret de cet épisode étrange. » On soupèsera les mots : *crise amoureuse, bouleversant, secret, épisode étrange*. Mais on s'arrêtera un peu plus sur le segment de phrase *une lettre qu'il faut bien appeler une lettre d'amour*. John Rewald, magni-

215

fique explorateur de l'œuvre de Cézanne, spécialiste incontesté de son travail d'artiste, se trouve dans l'obligation, devant cet épisode qui dérange, d'employer le langage de la résignation un peu accablée. Sur le plan de l'information pourtant, on retiendra surtout : *On ne sait rien d'elle.*

Avec Henri Perruchot, au contraire, on sait quelque chose. Il écrit : « Printemps 1855. Au Jas de Bouffan, il y a une servante qui se prénomme Fanny. C'est une fille saine et vigoureuse aux chairs épanouies, une solide luronne, fortement charpentée, à qui ne font point peur les plus lourdes charges. " Tu verras la servante du Jas comme elle est belle, a dit Cézanne à quelqu'un ; elle ressemble à un homme. " [Témoignage au second degré dû, selon Perruchot, à Jean de Beucken, et dont on ne peut se priver d'apprécier toute la saveur.] Les yeux fiévreux, Cézanne observe cette belle fille de Provence. S'oublier dans l'amour d'une femme ! Étreindre, avant qu'il soit trop tard, quelque chose de réel, des seins, un corps, s'engloutir dans cette fraîcheur, dans cette douceur, connaître le délicieux vertige de l'amour, connaître ce que tant d'autres connaissent. N'est-ce pas folie que l'existence qu'il mène ? Demain, la cinquantaine ! Demain, la mort ! La vie lui aura échappé, la vie qui est là, tout près, à portée de ses mains. Sa gorge se noue d'appréhension et de désir. Fanny ! Quel appel magnétique dans cette chair radieuse ! Cézanne s'avance, saisit ce jeune corps, écrase sous ses lèvres cette bouche rieuse. » Que dire ? On a envie de suggérer à Perruchot d'arrêter là, de modérer ses épanchements, mais en même temps on ne peut que constater que, dans la situation décrite, entrent à la fois le thème des amours ancillaires (fleurant la Provence, et de toute façon Fanny est un prénom si provençal !) et une sorte d'euphorie charnelle à la Renoir : *la chaleur, la fraîcheur, la douceur, l'étreinte magnétique* et *la chair radieuse,* tout y est. Pourquoi pas, d'ailleurs ? Il y avait bien cette curieuse *petite bonne charmante* à qui, disait-il dans une lettre à Zola, son octogénaire de père *faisait de l'œil*. Est-ce la même ? Non, la Fanny, évoquée par Perruchot, n'a pas l'air d'une *petite bonne*. De toute façon, l'imagination peut rêver.

Avec Gerstle Mack, autre important biographe, elle ne rêve pas. Nous sommes dans les faits concrets et précis, en même temps que dans un certain puritanisme. Mack ne plaisante pas : « Avec le printemps, dit-il, la névralgie se calma [des douleurs névralgiques dans la tête dont se plaignait Paul], mais un mal plus grave lui succéda : Cézanne tomba amoureux. Ses lettres à Zola, pendant cette période — billets de quelques lignes empreints de la plus vive agitation —, contiennent des allusions plus ou moins voilées à cette affaire. Cézanne était beaucoup trop discret cependant pour confier au papier des détails ou des noms, et l'identité de la femme reste mystérieuse. La première allusion à cette nouvelle complication dans la vie de Cézanne paraît dans une lettre envoyée à Zola du Jas de Bouffan. » Autre vocabulaire : on notera les termes *un mal plus grave, agitation, complication* qui, même la part faite d'un humour léger, semblent suggérer un état pathologique. Une anormalité en tout cas, l'intrusion d'un événement qui n'est pas dans l'ordre de ce qui devrait arriver. Un peu plus loin, d'ailleurs, Gerstle Mack dit très nettement : « Cézanne n'avait rien d'un Don Juan, et cette aventure mystérieuse et passionnée dont nous savons si peu de chose semble avoir été un épisode unique en son genre. »

Donc, on le voit, affaire assez vite classée pour les biographes. A classer, en tout cas. L'ennui est que, si l'on lit la lettre en question, on a le sentiment que les choses ne sont pas exactement celles que l'on veut nous faire entendre. Et peut-être même d'une nature très différente. Or on peut la lire. John Rewald nous l'a livrée et, dans son édition de la correspondance de Cézanne, il l'accompagne d'un commentaire encore plus prudent et feutré que dans son livre. « Ce brouillon, dit-il, se trouve au verso d'un dessin de Cézanne appartenant à l'Albertina de Vienne ; il s'arrête brusquement en bas de la feuille. L'identité de cette femme n'est pas connue. Il semble que Cézanne ait eu une affaire avec une jeune bonne du Jas de Bouffan, mais cette lettre ne sonne pas comme si elle était adressée à une bonne, et il n'est pas non plus probable qu'une bonne lui aurait écrit, comme il en résulte des lettres à Zola qui suivent. D'ailleurs, cette bonne avait dû quitter Aix en 1884, rappelée par ses parents lors de l'épidémie de choléra qui sévissait à Marseille de juin à octobre. » Le doute donc semble découler à la fois de la critique interne et de la critique externe. Mais venons-en à la pièce elle-même, à la lettre. La voici :

« A une Dame,

Brouillon sans date
Printemps 1885

Je vous ai vue, et vous m'avez permis de vous embrasser ; à partir de ce moment, un trouble profond n'a pas cessé de m'agiter. Vous excuserez la liberté de vous écrire que prend envers vous un ami que l'anxiété tourmente. Je ne sais comment vous qualifiez cette liberté que vous pouvez trouver bien grande, mais pouvais-je rester sous l'accablement qui m'oppresse ? Ne vaut-il pas mieux encore manifester un sentiment que de le cacher ?

Pourquoi, me suis-je dit, taire ce qui fait ton tourment ? N'est-ce pas un soulagement donné à la souffrance que de lui permettre de s'exprimer ? Et, si la douleur physique semble trouver quelque apaisement dans les cris du malheureux, n'est-il pas naturel, Madame, que les tristesses morales cherchent un adoucissement dans la confession faite à un être adoré ?

Je sais bien que cette lettre, dont l'envoi hasardeux et prématuré peut paraître indiscret, n'a pour me recommander à vous que la bonté de... »

Il suffit, évidemment, de lire ce texte pour voir qu'il n'a rien d'un billet doux adressé à une petite bonne ni même à une servante au grand cœur (encore qu'il n'y ait pas lieu de juger nécessairement impossible ou déplacé le caractère respectueux d'un hommage amoureux adressé à une servante). La dame dont il est question est traitée avec une considération et une réserve un peu solennelles qui font penser que la lettre a été rédigée volontairement en termes choisis, et même empreints d'une certaine théâtralité. Le racinien *Madame* est révélateur à cet égard. Le mot *souffrance* plus encore. Et le salut adressé à *un être adoré* fait évidemment référence à la langue de la littérature. Difficile d'adapter cela à Fanny. Surtout à Fanny, telle qu'Henri Perruchot la présente, avec ses airs de *solide luronne*, ses beaux appas et sa bouche humide. Pourtant, celui-ci cite la lettre tout entière, et sans hésitation. Il indique même dans une note — ce qui est vraiment piquant, même s'il s'agit d'un point de légitime exégèse — qu'on peut lire peut-être *âme* plutôt qu'*ami* dans la phrase où il est question de *la liberté que prend envers vous un ami.* Involontaire drôlerie. Le dialogue de l'*âme* et de la *luronne.* Tout est possible dans l'imprévisible de l'amour. Et dans les détours de son langage. Mais ne s'agirait-il pas d'autre chose ?

Peut-être s'agit-il d'une rencontre d'un caractère tout différent, sur laquelle il n'y a pas lieu de se prononcer à tout prix, puisque Cézanne lui-même semble avoir choisi la discrétion et, dans une certaine mesure, le silence. Mais on peut tout de même très fermement prendre acte de l'affirmation de Rewald : « L'identité de cette femme n'est pas connue », pour s'en tenir à une position ouverte, en face de cet épisode. Ce brouillon de lettre est, en définitive, un document singulier, qui force l'attention. Quand on regarde, d'ailleurs, quels sont les dessins que l'on

trouve dans la collection Albertina de Vienne, on s'aperçoit qu'il y en a très peu. L'un d'eux, curieusement (d'exécution antérieure à ces événements), représente un *couple
dans un jardin.* Il est fait d'un crayon très vif et très léger,
mais ce qui retient surtout est qu'il montre un couple très
raffiné, très « bourgeois » (lui, jaquette et haut-de-forme,
elle, robe élégante et chignon), vu de dos, dans un décor
romantique de jardin. Tout est romantique, d'ailleurs,
dans ce dessin, le trait, l'ambiance, mais d'un romantisme
plutôt « mussetiste ». Y a-t-il là quelque projection, idéale,
rêvée du *couple*?

En fait, la leçon principale à retenir de cet épisode
amoureux est que, pour ceux qui écrivent sa vie, Cézanne,
à l'évidence, ne peut être amoureux d'une femme, à
l'âge de quarante-six ans, d'une manière naturelle
libre et « civile », sans que cela remette en question son
personnage. Le thème des amours ancillaires, en effet,
intervient comme le correctif d'un état de choses qui
gagnerait, à leurs yeux, à entrer dans un schéma social plus
conventionnel, donc plus aisément recevable, surtout touchant un vieil ours d'artiste provincial. En ce sens, on
peut dire que les biographes de Cézanne font involontaire-
ment chorus avec sa famille dans cette affaire, le pressant
en quelque sorte de rentrer dans le rang et de vite franchir avec eux cette page embarrassante de son existence.

Car c'est bien ce qui s'est passé. Tous se sont retrouvés
unis contre lui pour le ramener à la raison. Même Hortense, sortie de l'ombre, et Marie ont fait alliance. Marie,
de toute façon, incarnait une fois de plus l'ordre pieux et
moral. Servante ou dame, il fallait en finir avec cette
source de trouble. Le pauvre Paul le savait très bien qui,
dans cette période, a encore recours à l'inépuisable Zola
pour en faire le dépositaire de son petit secret et, plus
concrètement, des lettres qu'il pourrait recevoir (il préci-
sera même qu'il faut les envoyer poste restante et les mar-

quer d'une petite croix dans le coin de l'enveloppe). « Je t'écris, lui dit-il le 14 mai 1885, pour que tu aies l'obligeance de me répondre. Je désirerais que tu me rendes quelques services, je crois minimes pour toi et vastes pour moi. Ce serait de recevoir quelques lettres pour moi, et de me les renvoyer par la poste à l'adresse que je t'adresserai ultérieurement. Ou je suis fou ou je suis sensé. *Trahit sua quemque voluptas!* J'ai recours à toi et j'implore ton absolution : sont heureux les sages ! Ne me refuse pas ce service, je ne sais où me tourner. Mon cher ami, je te serre vigoureusement la main. » Et, post-scriptum, ce très étrange additif : « Je suis mince et ne peux te rendre nul service. Comme je partirai avant toi, je te servirai auprès du Très-Haut pour une bonne place. » Une lettre qui ressemble plus à une lettre de Nerval qu'à une lettre de Cézanne. Elle traduit un très curieux mélange de spiritualité amoureuse et de fébrilité pratique. Paul n'a jamais eu beaucoup de chance avec le courrier. Source d'ennuis et de difficultés pour lui. Et, dans ce cas précis, vrai problème des communications devant lequel il semble se faire, comme devant son père, tout petit adolescent. Il *implore* l'absolution de Zola et se déclare, très bizarrement, *mince* auprès de lui. Mince ? Humble, sans doute. Humilité et culpabilité, c'est clair. Une ou deux autres lettres seront adressées à Émile, dans le même sens, de La Roche-Guyon, près de Paris, où Paul est allé rejoindre brusquement Renoir, comme pour trouver un refuge. Émile ne comprendra pas. Il est occupé, il a du travail, il ne voit pas pourquoi son ami l'embête et le presse. « Que se passe-t-il donc ? Ne peux-tu patienter quelques jours ?... Aie de la philosophie, rien ne marche comme l'on veut, moi-même je suis bien ennuyé en ce moment. »

Paul se réveille. La brève aventure se termine par ce mot à Zola, du 6 juillet 1885 : « Je viens te prier de m'excuser — je suis un grand con. »

25

Les toits de Gardanne

Sur ce tableau, Gardanne a l'air d'une vraie citadelle. Ce n'est pourtant qu'une petite cité provençale, à la fois paysanne et minière, qui s'élève sur une terre rouge et noir, à dix kilomètres au sud d'Aix. Mais la toile accuse tellement la construction en étages du bourg, avec son clocher quadrangulaire tout en haut, ses hautes maisons serrées les unes sur les autres, ses toits nets, ses pentes, ses plans, ses rangées d'arbres dans le bas, qu'on a l'impression d'une vraie construction géométrique. Cela finira d'ailleurs par une vraie construction cubiste. A force de peindre Gardanne, Cézanne arrivera, dans un autre tableau qui se trouve maintenant au Metropolitan Museum de New York, à lui donner le vrai privilège d'un tassement si dense, si compact et si vertical des formes et des lignes que s'ouvrira là comme un travail propre à Braque, à Picasso ou à Derain. Chance de cette cité : son côté carré va déboucher sur le cube de l'art moderne, et c'est un musée new-yorkais qui nous rappelle cela aujourd'hui.

Mais Cézanne n'a pas toujours vu Gardanne ainsi. Il existe une aquarelle intitulée *le Pont à Gardanne* qui montre le bourg, en perspective nettement plus nuancée et plus douce, vu d'un petit pont. Le clocher est bien là, les toits aussi, mais le premier plan prime tout. C'est ce pont qui adoucit tout, par la courbure régulière, bien ronde, de son arche. Cézanne aime les ponts. Et, au fond, peu importe qu'ils soient en Provence ou dans la campagne de l'Oise ou du bord de la Marne. Ils viennent toujours annoncer qu'un paysage est en train de s'édifier au-dessus de cette voûte calme qui va en supporter les structures au moment même où le bas du tableau se laisse traverser par les reflets d'une douce fluidité. Sous un *Pont sur la Marne, à Créteil,* c'est une fluidité bleue. Sous le fameux *Petit Pont (le Pont de Maincy),* une fluidité verte : et là, l'œuvre atteint une force et un équilibre inégalés dans la façon de rassembler les lignes des fûts d'arbres et le volume vert sombre du feuillage au-dessus de la précise construction des arches et de la passerelle de bois. Le pont de Gardanne est bien différent, et certainement plus proche du pont des Trois-Sautets que de ces ponts de l'Ile-de-France, mais on y trouve aussi cette manière de faire émerger un monde d'une sorte de fondation flottante. Ce monde n'est ici qu'un village. Mais, en cette période de la vie de Cézanne, ce village escarpé est devenu un nouveau pôle de vie.

Il a choisi Gardanne, parce qu'il a envie à la fois d'être à Aix et éloigné d'Aix. Après cette aventure, après la réaction familiale, au retour de La Roche-Guyon, le Jas a pris pour lui un caractère quasi insupportable. Et il faut bien assumer Hortense. En l'installant à Gardanne, il la tient encore en dehors du cercle domestique, mais il la rapproche cette fois d'Aix, le plus possible. Et puis, la courte distance des deux villes permet des allées et venues quotidiennes et des promenades dans des sites dont il ne se lasse pas. Voilà donc une nouvelle période, gardannaise, qui commence. Importante pour la peinture. Calme, et même un peu désespérante pour la vie. Renoncement aux amours. Une terrible lettre à Zola, du 25 août 1885 : « C'est le commencement de la comédie. J'ai écrit à La Roche-

Guyon le même jour que je t'envoyais un mot pour te remercier d'avoir pensé à moi. Depuis, je n'ai reçu aucune nouvelle ; d'ailleurs, pour moi, l'isolement le plus complet. Le bordel en ville, ou autre, mais rien de plus. Je finance, le mot est sale, mais j'ai besoin de repos, et à ce prix je dois l'avoir. »

Repos ? C'est la pente vers une existence retirée que Paul semble appeler de plus en plus de ses vœux et qui sera celle, solitaire mais totalement vouée au travail, de ses dernières années. Le matin ou le soir, passage au café où il rencontre le médecin du pays ou ce Jules Peyron à la fine moustache et à la barbe bien taillée qui deviendra un de ses amis (l'hommage du portrait, à ceux qu'il rencontre et qu'il aime, est une des constantes de la vie relationnelle de Cézanne, et le principe d'un jalonnement du cours de son existence). Dans la journée, excursions un peu partout sur le terrain, sur le motif. On raconte qu'il achète un âne pour transporter son matériel de peinture, mais que l'âne, conformément aux idées reçues, se montre rétif et indocile. Il ne fait jamais ce qu'on lui demande, part brusquement quand on ne s'y attend pas, refuse de bouger quand on veut qu'il se mette en route. Paul doit comprendre ce genre de caractère et il fait bon ménage avec son âne. Le mieux est de le suivre, de se laisser conduire par lui. Il ira toujours vers un endroit intéressant, la pente d'une colline, une butte où est perché un moulin, les flancs de la Sainte-Victoire ou du Cengle. Cézanne n'hésite pas à partir pour plusieurs jours, à faire halte dans les fermes, à coucher, s'il le faut, dans les granges ou les paillères. Pour découvrir les paysages, il est nécessaire d'y entrer, de s'y perdre, d'y habiter. A Victor Chocquet, auquel il donne de ses nouvelles (précisant, à propos de sa vie tranquille dans la petite cité : « Le petit est à l'école, et sa maman se porte bien »), il déclare superbement : « Toujours le ciel, les choses sans bornes de la nature m'attirent et me procurent l'occasion de regarder avec plaisir. » Et il ajoute, à propos d'une remarque sur la beauté des frondaisons : « Je ne pourrai souhaiter pour vous que la réussite de vos plantations et un beau développement de végétation : le vert étant une couleur des plus gaies et qui fait le plus de bien aux yeux. » Oui, le vert ! Oui, *le vert est une couleur gaie* et *fait du bien aux yeux* ! C'est du vert que son vieil ami Marion vient de chanter la gloire à sa manière en publiant, en collaboration avec Gaston de Saporta, les dix-neuf volumes d'une *Évolution du règne végétal.* Quel règne, en effet ! Marion lui rend visite un jour pour en discuter, parlant avec passion de géologie, des soubassements de la terre qui sont aussi ceux de la peinture. Paul est un géologue à sa manière. Un explorateur des mystères de ce sol sur lequel il a pris souche et refuge. Il conclut ainsi la lettre à Chocquet déjà citée : « Pour finir, je vous dirai que je m'occupe toujours de peinture et qu'il y aurait des trésors à emporter de ce pays-ci, qui n'a pas encore trouvé un interprète à la hauteur des richesses qu'il déploie. » Sans commentaire.

Paul, en attendant, est donc à Gardanne. Il vit dans une maison située sous les platanes du boulevard de Forbin.

*

Le boulevard de Forbin est toujours là, aujourd'hui. Il n'a pas tellement changé. Toujours des platanes, nombreux, serrés, donnant une belle ombre. Avant d'y arriver, on entre dans la ville par d'autres avenues assez larges, aux noms républicains, boulevard Carnot, cours de la République, ce qui donne l'impression d'une vraie cité moderne, pas du tout village, certainement beaucoup plus importante que celle d'autrefois.

Mais Gardanne reste Gardanne. Ce qui domine à l'entrée, à l'arrivée, c'est cette terre rouge-ocre caractéristique, cette bauxite que traitent les établissements Pechiney, régnant ici avec leurs tubulures, leurs hautes cheminées d'usines (le signal, l'emblème de Gardanne, aux quatre points de l'horizon !), leurs tours, leurs échafaudages métalliques, leurs rails et leurs wagons. On baigne littéralement dans le rouge (qui est, dans ces lieux, non seulement une couleur, mais une matière, une substance).

La ville est active, vivante, en raison de ce potentiel industriel et minier, et le côté bourgade paysanne s'estompe : nombreux commerces, nombreux magasins modernes, immeubles neufs, installations socioculturelles, offices municipaux d'un nouveau style. Pourtant, quand on arrive au cœur de la ville — au bout du boulevard de Forbin, justement, et près de rues ou de places encore républicaines, rue Mirabeau, place de la Liberté —, on peut avoir la surprise, en levant la tête vers la gauche, de découvrir un moulin à vent juché sur la colline, ou le cylindre de pierre qui en reste. Les moulins à vent ont fait longtemps partie du paysage de Gardanne, comme de bien d'autres communes provençales et, à l'époque de Cézanne, ils étaient des éléments du panorama familier de la vie.

En fait, c'est surtout de l'extérieur qu'il faut voir Gardanne. Avec un peu de recul, on s'aperçoit alors très vite que le vrai paysage de l'endroit est vraiment, profondément usinier. Au traitement de l'aluminium succède, en allant vers le Plan de Meyreuil et Fuveau, celui du charbon. Les Houillères de Provence *déploient là leurs installations, repérables de loin dans la campagne, avec leurs puits de mines, leurs tours de refroidissement cintrées, de nouveau leurs cheminées. L'environnement n'en est pas tellement noir, mais c'est tout de même, au milieu de cette plaine provençale, le monde de la mine et de l'usine. Avec la « modernité » industrielle d'aujourd'hui, qui fait que l'on ne reconnaît plus guère, dans ces grands ensembles, les équipements métalliques un peu frêles des Charbonnages du Midi qu'on voyait sur les cartes postales du temps de Cézanne. Le temps a passé, comme passe la couleur sépia des images.*

Mais il est probable que Cézanne ne se préoccupait pas tellement de cela. Ce qui n'a pas changé, ce sont les angles de vue qu'il pouvait avoir sur la cité, lorsqu'il grimpait sur une colline des environs. En particulier, l'une d'elles, dite « la colline du peintre ». Quand on sort de la ville par l'avenue Jules-Ferry pour prendre cette colline par sa face nord, puis la contourner, on peut voir les barres rocheuses qui limitent l'horizon, aussi bien la Sainte-Victoire que l'Étoile et le Pilon du Roi, ainsi que les sites de Luynes, de Meyreuil, du Canet. Mais, en laissant couler le regard au-dessous de soi, on peut voir surtout Gardanne même. Alors se retrouve dans sa plénitude l'inévitable, l'irrécusable construction. L'étagement brun-rouge des maisons et des toits. Les carrés, les cubes, les angles. La verticalité, dont on se demande si elle a été imposée par la nature, par l'histoire usinière qui a adossé les murs les uns aux autres, par l'escarpement de ce qui n'a été longtemps qu'un gros village, ou par le regard du peintre et le travail de son pinceau.

Qui le dira ? Mais Gardanne est bien là, debout, avec toute sa pierre et ses tuiles, ce bain rouge qui

228

*semble la teindre, cette couleur de terre et de minerai
qui l'imprègne. Et ce mouvement ascendant, ce mouvement de citadelle maure qui la dresse vers le ciel.*

26

L'Œuvre, fiction

C'est à Gardanne que Cézanne reçoit l'Œuvre, de Zola, au début d'avril 1886. On sait qu'il s'agit d'un roman dont le thème est la vie et l'échec d'un peintre. Sujet que Zola avait bien le droit d'aborder comme n'importe quel autre. Qu'il avait même le devoir d'aborder, dans la mesure où le vaste cycle entrepris par lui se proposait de tout couvrir des destinées et activités d'une famille : la création, donc, comme le reste. Il aurait toutefois pu s'arrêter à la création littéraire. En traitant de la création picturale plus particulièrement, il faisait un choix qui répondait à une intention précise. Certes, il s'agissait des affres de la condition d'artiste dans sa généralité, mais Zola décidait bien évidemment de s'appuyer sur l'évocation d'un univers qu'il connaissait bien et sur une expérience qui avait toujours été la sienne, depuis sa jeunesse : celle du compagnonnage des peintres. Il était tentant de retenir l'un d'entre eux, pour en faire le portrait romanesque. Claude Lantier était déjà apparu dans le Ventre de Paris. Il avait donc pris sa place dans la grande constellation en œuvre. Le moment était maintenant venu de faire de lui un personnage à part entière.

Que Cézanne se soit reconnu en Claude Lantier n'a rien de surprenant. Le contraire eût été étonnant. Encore que cette idée, pour un homme réel, de *se reconnaître*

dans un personnage de fiction soit loin d'être simple ou
d'aller de soi, et mérite en tout cas un examen attentif.
Disons simplement pour l'instant que Cézanne, s'il lisait
le livre, ne pouvait qu'avoir un certain nombre de raisons
de s'y retrouver, et certainement pas pour son plaisir.
Mais a-t-il lu vraiment le livre ? Qui le sait ? Est-il allé
jusqu'au bout ? N'a-t-il pas éprouvé très vite ce type de
malaise qui fait qu'on ne préfère pas poursuivre la lecture
d'un ouvrage où l'on risque de trouver ce qu'on n'a pas
tellement envie de trouver : la façon dont vous voit
l'autre.

Il est en tout cas connu qu'il a réagi sobrement et digne-
ment, mais que la lettre qu'il a adressée à Zola pour le
remercier de l'envoi a été la dernière de leur longue correspondance. Ce qui équivaut à une rupture. Antoinette
Ehrard, dans son excellente étude sur *l'Œuvre*, fait
observer que la brièveté de sa réponse n'a rien d'excep-
tionnel, et que, s'il remerciait toujours Zola de ses
romans, c'était toujours sur le mode du raccourci ou de
l'acquiescement sommaire. De *Nana*, il dit : « C'est un
volume magnifique. » Du *Bonheur des dames*, que le livre
lui a « beaucoup plu ». Pour *la Joie de vivre*, il se borne à :
« Je te remercie bien de ton envoi. » Zola écrit tant et
publie si périodiquement que cela devient une routine de
lui accuser réception de ses livres. De toute façon, Paul n'a
pas des élans de critique littéraire. Il ne se considère
guère compétent en littérature, et ce n'est que rarement
qu'il se risque à quelques esquisses de jugement ou d'analyse, à la lumière de souvenirs de culture humaniste. A
propos d'*Une page d'amour*, il dit par exemple : « La
conduite du roman est d'une très grande habileté. Il y a
là-dedans un grand sentiment dramatique. Je n'avais pas
vu non plus que l'action se passait dans un cadre restreint, condensé. » De *Thérèse Raquin* porté à la scène, il
observe : « On pourrait reconnaître la puissance et le lien

des personnages et le coulant de la chose déduite. » Il est intéressant, d'ailleurs, de noter que ses remarques, quand il en fait, portent presque toujours sur la facture du livre, non sur les sujets, sur le fond, la peinture d'un monde, la représentation d'une société — choses qu'il n'évoque pratiquement jamais.

De toute façon, il savait, en recevant l'Œuvre, qu'il se trouvait devant un ouvrage de fiction. Bien sûr, il le savait. Et Zola le savait aussi. Et tous ses critiques et exégètes le savent, qui n'ont pas cessé d'insister sur ce point. Attention, ce livre est une fiction ! Il a été fait selon les grandes lois, éternelles et bien connues, de l'imaginaire, de la liberté d'invention, de l'arrangement et de l'organisation du vrai en œuvre d'art, du portrait composite des personnages. Inutile d'insister. La leçon est depuis longtemps assimilée. Il eût suffi d'ajouter, en tête du roman, pour dissiper tout malentendu : Toute ressemblance entre des personnages de ce livre et des personnages réels, etc. Zola ne l'a pas fait. Il ne pouvait pas le faire. Car, dans un roman de ce type, si la fiction a ses droits, la réalité a aussi les siens (surtout pour un *réaliste*), et il serait vain de le nier. *L'Œuvre* évoque d'une manière très réelle et très documentée un milieu qui est celui des artistes de l'époque impressionniste en proie à leurs luttes et à leurs tourments, affrontant les verdicts du Salon officiel, se repliant vers le Salon des Refusés, se battant pour organiser leurs propres expositions et défendre leurs conceptions de l'art, au milieu des manœuvres et intrigues de toutes sortes liées au rôle des pouvoirs publics, des critiques et des journalistes, des amateurs et marchands de tableaux. Ce monde-là est saisi aussi vrai que nature et, si l'on laisse de côté le problème de l'identité de Claude Lantier lui-même, il est clair que le romancier Sandoz ressemble fort à Zola, que Mahoudeau peut faire fortement songer à Valabrègue, que Bongrand, de l'aveu de l'auteur lui-même, est « un Manet très chic » mâtiné de Flaubert, que Chambouvard renvoie à Courbet, que Fagerolles doit certainement beaucoup à Guillemet, etc. Donc, les clés existent, si l'on aime les clés. Elles sont d'ailleurs données plus encore par les situations que par les personnages, la plus transparente de ces situations étant celle qui, d'emblée, pose comme une donnée centrale du livre l'amitié, remontant à l'enfance, de Lantier et de Sandoz. Mais il en est d'autres, tout à fait caractéristiques, se rapportant aux séjours à Bennecourt, aux polémiques autour du *Déjeuner sur l'herbe* (devenu *Plein Air*), à l'intervention de Guillemet (Fagerolles) pour faire admettre une œuvre de Lantier (Cézanne) au Salon, qui sont autant de repères parfaitement clairs. Paradoxalement, c'est le système du marché de la peinture, dans ses transformations radicales, qui est le moins fidèlement rendu (encore que le père Malgras, marchand de tableaux, « gaillard très fin, qui avait le goût et le flair de la bonne peinture [...], jamais ne s'égarait chez les barbouilleurs médiocres, allait droit par instinct aux artistes personnels, encore contestés », ait lui aussi un accent d'indéniable authenticité), dans la mesure où Zola cherche à en évaluer les effets moraux et humains, plutôt qu'à en mettre au jour les réalités économiques et aussi le rôle de promotion dans l'art. Paradoxe, en effet, de la part d'un romancier qui s'est donné pour propos de décrire scientifiquement la société de son temps. Mais visiblement le *romanesque* domine l'*Œuvre*, et c'est en définitive la source de la puissance de ce livre. On le voit d'ailleurs à ce qui en fait la trame principale, le développement des amours à la fois folles et manquées de Claude et de Christine. C'est par là qu'on s'éloigne le plus peut-être des clés réelles, mais c'est par là que l'on entre de la manière la plus décisive dans l'univers du romanesque.

Imaginons donc Cézanne recevant le livre, ouvrant le

paquet postal, commençant à lire, porté par la curiosité, dans sa solitude de Gardanne. Que découvre-t-il ? Cette Christine, en effet. Elle est là, trempée par une pluie d'orage, en pleine nuit, dans un Paris désert et menaçant, perdue, affolée, cherchant abri et secours, devant la porte de l'atelier du peintre. Celui-ci la recueille, la fait entrer. Situation piquante. Cézanne, lisant, ne se souvient pas d'en avoir connu de pareille, mais le roman a ses lois et ses rythmes et, peu à peu, il entre dans l'action. Voilà pourtant qu'à la troisième page une phrase le fait un peu sursauter. Il la relit : « Cela le fâchait de s'attendrir, jamais il n'introduisait de fille chez lui, il les traitait toutes en garçon qui les ignorait, d'une timidité souffrante qu'il cachait sous une fanfaronnade de brutalité. » Qu'a voulu dire Émile ? A qui pensait-il ? Mais, un peu plus loin, une autre phrase, un autre sursaut : « Une angoisse la fit se lever. Elle aussi l'examinait, sans le regarder en face, et ce garçon maigre, aux articulations noueuses, à la forte tête barbue, redoublait sa peur, comme s'il était sorti d'un conte de brigands, avec son chapeau de feutre noir et son vieux paletot marron verdi par les pluies. » Là, Paul est vraiment perplexe. Il ressent l'impression très particulière que l'on ressent quelquefois devant un miroir, ou devant une photographie où l'on n'aime pas à se reconnaître. Poursuivant sa lecture, il ne peut cependant se défendre d'une certaine admiration devant la manière dont Émile dépeint Christine. Quel dosage de délicatesse et de force pour décrire cette jeune féminité ! Nouvelle surprise, quand il est question de la réaction de Lantier devant cette féminité-là précisément : « Cette fille l'occupait, un sourd débat bourdonnait en lui, le mépris qu'il était heureux d'afficher, la crainte d'encombrer son existence, s'il cédait, la peur de paraître ridicule en ne profitant pas de l'occasion. » Paul a très curieusement le sentiment que cela le concerne en une certaine manière, mais il passe.

Un peu plus loin, toujours à propos de Lantier : « C'était une de ses théories, que les jeunes peintres du plein air devaient louer les ateliers dont ne voulaient pas les peintres académiques, ceux que le soleil visitait de la flamme vivante de ses rayons. » Là, c'est moins gênant, parce que c'est moins personnel et intime, mais c'est encore une allusion très précise. Toutefois, pense Paul, sur ce registre, Émile peut continuer. Puisqu'il fait un roman sur la peinture, il faut bien qu'il parle des habitudes de vie et de travail des peintres.

Et puis, comme romancier, il a tous les droits. Par exemple, à la page suivante, c'est sûrement son atelier à lui, Paul Cézanne, qu'il a en tête et qu'il entreprend de décrire. Tant pis si, forçant un peu le trait pour faire pittoresque, il le voit comme ça : « Devant le poêle, les cendres du dernier hiver s'amoncelaient encore. Outre le lit, la petite table de toilette et le divan, il n'y avait d'autres meubles qu'une vieille armoire de chêne disloquée et qu'une grande table de sapin, encombrée de pinceaux, de couleurs, d'assiettes sales, d'une lampe à esprit-de-vin, sur laquelle était restée une casserole barbouillée de vermicelle. Des chaises dépaillées se débandaient, parmi des chevalets boiteux. Près du divan, la bougie de la veille traînait par terre, dans un coin du parquet qu'on devait balayer tous les mois. » Bon ! Ce serait complètement idiot de prendre mal les choses : ce genre de description est un excellent exercice d'école et on ne peut dénier à Émile le talent. Toutefois, Paul note que les indices s'accumulent. En voici un encore, touchant la peinture de Lantier vue à travers les yeux étonnés de Christine à son réveil, qui serait plutôt positif, à tout prendre : « Jamais elle n'avait vu une si terrible peinture, rugueuse, éclatante, d'une violence de tons qui la blessait comme un juron de charretier entendu sur la porte d'une auberge. » Un peu ambigu ! Mais enfin, si c'est de son travail qu'il s'agit, Paul ne

déteste pas cette idée de peinture *rugueuse*. Émile connaît
les mots, et sait s'en servir.

De page en page, de ligne en ligne, quelque chose se précise. Quoi ? Il ne voit pas encore très bien. Mais ce qu'il
remarque tout d'un coup, à la page 18, c'est que Lantier,
décidant de nettoyer sa casserole au vermicelle, en
détache « une pâtée où il coupait du pain et qu'il baignait
d'huile à la mode du Midi ». Il a bien lu : *qu'il baignait
d'huile à la mode du Midi.* Midi, M majuscule. Est-ce que
Lantier est du Midi ? Qu'est-ce que cela veut dire ? Au cas
où un doute subsisterait, Paul, dans le chapitre suivant,
découvre que Sandoz, le camarade de jeunesse de Claude,
est tout soulevé d'émotion pour évoquer Plassans, « la
petite ville provençale où le peintre et lui s'étaient connus
en huitième, dès leur première culotte usée sur les bancs
du collège ». Et là, désormais, tout y passe : non seulement le collège, avec les professeurs, les pions, le provi-
seur, le censeur, un marmiton de cuisine et une laveuse de
vaisselle qu'on avait surnommés Praboulomenos et Paral-
leluca, mais « les trois inséparables, comme on les nom-
mait, Claude Lantier, Pierre Sandoz et Louis Dubuche »,
un ruisseau qui est appelé la Viorne, mais une campagne
qui, elle, au détour d'une page, est carrément désignée
comme le Jas de Bouffan : « Le Jas de Bouffan, d'une
blancheur de mosquée, au centre de ses vastes terres
pareilles à des mares de sang. » Heureusement que la
blancheur de mosquée paraît relever tout à fait de l'imaginaire et la mare de sang du rêve, ce qui atténue un peu les
choses. Mais enfin, maintenant les noms sont là ! Les
noms propres.

On voit, à ce jeu, qu'il serait relativement facile d'écrire
une biographie de Cézanne à partir de *l'Œuvre*. En procédant à un montage de citations. Ce serait forcément, et
par définition, une biographie romancée. Mais elle aurait
le mérite de la vie, de la chaleur, d'une certaine véracité

plus forte que la vérité documentaire, et ferait la démonstration, quasi expérimentale, de l'inévitable part de fiction qui existe précisément dans toute biographie.

Jusqu'à un certain point, toutefois. Car, si tout ce qui touche à la vie quotidienne du peintre dans son atelier, à ses relations avec le milieu des artistes et le monde des Salons, à ses luttes et à ses échecs sonne vrai, il est bien évident qu'un problème délicat se pose en ce qui concerne l'issue de sa destinée. Il faut bien, là, dire les choses comme elles sont : Zola, en conduisant Claude Lantier au suicide, a réalisé purement et simplement le meurtre symbolique de Cézanne. La réponse sera une fois de plus que Lantier est un personnage générique et finalement abstrait. Mais si Cézanne s'est reconnu en lui, ou si d'autres l'ont reconnu, comment nier cette réalité sacrificielle ? Il s'agit là du cas par excellence où le romancier, usant souverainement de sa toute-puissance, se considère *a priori* innocent ou acquitté de tout ce qui pourrait résulter de son travail fictionnel. La preuve ? Zola envoie son livre à Cézanne et le lui donne à lire. Il le lui donne comme un *roman*, ce qui l'exonère *a priori* de toute responsabilité. Cézanne le prend comme un roman, mais il n'y lit pas moins sa propre mort. Son échec définitif. Son suicide. On peut imaginer le choc, le coup.

Bien entendu, le projet de Zola, sur le fond, est de montrer qu'il est des artistes qui n'arrivent pas à s'imposer, à s'affirmer, à cause d'une exigence si grande qu'elle finit par les conduire à l'impuissance. A ses yeux, Lantier est un « génie avorté », parce qu'il est trop *pur*, qu'il n'accepte pas les inévitables compromissions qui permettent une carrière officielle ou simplement la réussite, qu'il fait confiance, de manière presque hallucinatoire, à l'intensité de sa solitude créatrice et à rien d'autre. Affirmer cela à son propos est peut-être lui faire un extraordinaire hommage, lui adresser le plus haut des éloges, et il n'est pas impossible de penser que Zola ait pu avoir la naïveté de croire que Cézanne « percevrait » le livre ainsi. En un sens, pourquoi pas ? Mais l'échec relaté dans ce roman n'est pas celui de tout un mouvement, une école, le groupe impressionniste. C'est celui d'un homme. Et si, pour Zola, cet homme est Cézanne, son vieux compagnon, son vieux copain d'enfance, le peintre au génie duquel il a cru, c'est qu'il le voit bien ainsi, depuis un certain nombre d'années en tout cas. Fatalement et irréversiblement. Génie oui, mais génie avorté. En quoi le romancier a fait une erreur historique et artistique magistrale, dont il n'a ni à s'expliquer devant la postérité ni à payer le prix en aucune manière (puisque romancier, justement !), mais il a composé un grand livre.

Car la vraie beauté de *l'Œuvre* est dans cette fin tragique. Dans cette terrible constatation de l'« impossibilité » de l'œuvre d'art. Au dernier chapitre du livre, Christine, exaspérée de voir Claude se lever la nuit pour tenter de rectifier, dans la rage, dans la folie, à la lumière d'une bougie, une toile qu'il n'achèvera pas, qu'il sera incapable de mener à terme, constate la vanité de ses efforts : « Plus il s'acharnait, et plus l'incohérence augmentait, un empâtement de tons lourds, un effort épaissi et fuyant du dessin. » Elle va alors, dans un sursaut de désespoir, essayer de l'arracher à son obsession, de le ramener à elle, à son corps, à leur amour, et, opposant la femme réelle qu'elle est à la Femme grandiose et superbe qu'il a tenté de placer au centre de sa toile, elle s'écrie alors : « Est-ce qu'on est bâtie comme ça ? Est-ce qu'on a des cuisses en or et des fleurs sous le ventre ?... Réveille-toi, ouvre les yeux, entre dans l'existence. » Claude se réveille et entre dans l'existence, en effet. Il aura une folle nuit d'amour avec Christine. La dernière. Le lendemain, dans le petit matin froid, retrouvant le monde et la peinture, conscient de l'impuissance de son art, il se pend dans son atelier.

La mort de Lantier permet de tout comprendre. Sandoz et Bongrand, qui l'accompagnent au cimetière, ont le temps, en chemin, de dire tout ce qu'on peut dire sur une telle fin. Sandoz surtout. Il parle de « cette lésion trop forte du génie » qui affectait son malheureux ami. Il le salue comme « un travailleur héroïque, un observateur passionné dont le crâne s'était bourré de science, un tempérament de grand peintre admirablement doué », ou « un grand peintre, simplement ». Et, tandis que le convoi arrive devant la tombe, il va jusqu'à déclarer que tous les autres sont des tricheurs à côté de lui (et Sandoz, lui, le premier, présenté pourtant, sans fausse modestie, comme « le romancier alors dans toute la force de son labeur et de sa renommée ») : « Oui, il faut vraiment manquer de fierté, se résigner à l'à-peu-près, et tricher avec la vie... Moi, qui pousse mes bouquins jusqu'au bout, je me méprise de les sentir incomplets et mensongers malgré mes efforts. » Les pelletées de terre tombent sur le cercueil. Sandoz conclut : « Au moins, en voilà un qui a été logique et brave. Il a avoué son impuissance et il s'est tué. » On peut dire que, dans ces lignes, Zola *enterre Cézanne* — s'il s'agit de Cézanne — *sous les compliments et les fleurs*, si jamais cette expression métaphorique a pu trouver son sens littéral.

On imagine Paul lisant ces lignes, assistant à cet enterrement. Dans la mesure où Zola disait que Lantier avait été *logique* avec lui-même, il l'invitait en un sens au suicide. Bien entendu, tout cela recoupait plus ou moins ses propres hantises, ses propres obsessions, la pulsion de mort qui avait pu l'animer. Et il y avait du Frenhofer là-dessous. D'ailleurs, ce n'était pas tout à fait par hasard que Zola avait intitulé son livre *l'Œuvre* (l'on trouve, dans ses notes pour la recherche d'un titre, *le Chef-d'œuvre*, qui peut renvoyer en effet au *Chef-d'œuvre inconnu*). Mais Frenhofer, sans le fantastique, sans le délire. Le roman se termine avec toute la tristesse, la grisaille et l'absence d'illusions dont le naturalisme peut être capable dans ses grands jours. Zola n'épargne rien. Il ne donne aucune chance au hasard, à la postérité. Il fait même dire à Sandoz ceci — que Cézanne a pu ressentir assez durement : « Pas un sou. Je croyais trouver les études qu'il avait faites pour son grand tableau, ces études superbes dont il tirait ensuite un si mauvais parti. Mais j'ai fouillé vainement, il donnait tout, les gens le volaient. Non, rien à vendre, pas une toile possible, rien que cette toile immense que j'ai démolie et brûlée moi-même, ah! de grand cœur, je vous assure, comme on se venge! » Il y a tout de même là cette petite phrase assassine : *pas une toile possible.* Si l'on ajoute que l'intention globale de Zola est de montrer que pèse sur Claude Lantier le poids de cette hérédité qui est, comme on le sait, le principe moteur de son entreprise romanesque, et que l'on ne saurait échapper à la fatalité de son destin biologique et social, Cézanne pouvait s'estimer comblé.

Il lui restait à se dire que tout cela était du roman, et même du très bon roman. Il se le disait sans doute. Il n'empêchait que n'importe quel lecteur un peu averti du livre pouvait penser à lui à propos de Lantier, et que le malaise s'installerait vite dans l'opinion. Paul Alexis, le premier, à Zola, le 26 mars 1886 : « J'ai terminé *l'Œuvre* ce matin. Ce cimetière est une de vos plus belles pages et m'a remué. Le pauvre Duranty! Et Flaubert, et Cézanne, et moi, et nous tous! Notre jeunesse à tous est dans ce livre. » Monet, qui a quelque raison de reconnaître aussi en Lantier un certain nombre de choses le concernant, a du mal à dissimuler son embarras, sinon son déplaisir : « Mon cher Zola, vous avez eu l'obligeance de m'envoyer *l'Œuvre.* Je vous en suis très reconnaissant. J'ai toujours un grand plaisir à lire vos livres et celui-ci m'intéressait doublement, puisqu'il soulève des questions d'art pour lesquelles nous combattons depuis si longtemps. Je viens de le lire et je reste troublé, inquiet, je vous l'avoue. Vous avez pris soin, avec intention, que pas un de vos personnages ne ressemble à l'un de nous, mais, malgré cela, j'ai peur que, dans la presse et le public, nos ennemis ne prononcent le nom de Manet ou tout au moins les nôtres pour en faire des ratés, ce qui n'est pas dans votre esprit, je ne veux pas le croire. Excusez-moi de vous dire cela. Ce n'est pas une critique ; j'ai lu *l'Œuvre* avec un très grand plaisir, retrouvant des souvenirs à chaque page. Vous savez du reste mon admiration fanatique pour votre talent. Non ; mais je lutte depuis un assez long temps, et j'ai les craintes qu'au moment d'arriver les ennemis ne se servent de votre livre pour nous assommer. »

Restait Cézanne. Que pouvait-il dire ? Rien. C'est ce qu'il fait. A Zola, il ne répond, à la lettre, *rien*. Pure politesse. De Gardanne, le 4 avril : « Mon cher Émile, je viens de revoir *l'Œuvre* que tu as bien voulu m'adresser. Je remercie l'auteur des *Rougon-Macquart* de ce bon témoignage de souvenir, et lui demande de me permettre de lui serrer la main en songeant aux anciennes années. Tout à toi sous l'impulsion des temps écoulés. » Mais c'est sa dernière lettre à Émile. *Exit* Zola.

27

Les arbres

Cette année 1886, à y réfléchir, est tout de même celle
d'une certaine mort. Mort indispensable pour permettre
une certaine naissance. Tout se passe comme si Paul, pour
entrer dans une période où il se trouvera et s'accomplira
vraiment, devait d'abord réaliser des ruptures décisives.
La première est la rupture avec la clandestinité conjugale
qui le fait accéder à l'ordre bourgeois de la vie sociale. La
seconde est la rupture avec l'autorité-tutelle du père, du
fait même de la mort, réelle, de celui-ci.

Le mariage d'abord. Il a lieu le 28 avril. A la mairie
d'Aix. Louis-Auguste a fini par être mis au courant, ce qui
est une manière de parler, car il savait tout. Brève cérémonie, qui prend surtout la forme d'un repas de famille,
avec pour témoins Maxime Conil, le beau-frère, et Jules
Peyron, l'ami de Gardanne. Le lendemain, célébration religieuse discrète à l'église Saint-Jean-Baptiste du cours Sextius, avec, seulement, Maxime et Marie. La « régularisa-
tion » est faite. Hortense et le jeune Paul, maintenant âgé
de quatorze ans, gagnent le Jas de Bouffan. Le séjour sera
bref, car la vie n'est facile ni avec les beaux-parents ni avec
Marie. Au Jas, c'est surtout Paul qui se sent chez lui, vraiment chez lui. Comme il l'est sur cette terre provençale,
devenue profondément le lieu de son travail. Mais il y a,
hélas ! autant de raisons d'y demeurer que d'en partir.
Voilà que Monticelli, qui flambait à Marseille, vient de

243

mourir lui aussi des suites d'une hémiplégie. Autre avertissement. Il faut peut-être, pour un temps, quitter de nouveau ce sol. Retrouver Paris. Voir ce qui s'y passe. Paul
n'en est pas à un déplacement près. Nouvelle échappée
vers Paris.

Là, ce que Cézanne peut vérifier, tout de même, c'est
qu'en dépit du pessimisme de Zola à son égard on commence à porter la plus grande attention à son travail, à
Bruxelles par exemple — où le groupe des Vingt l'invitera
bientôt à exposer — et à Paris, notamment dans la boutique du père Tanguy, où les amateurs éclairés viennent
regarder de plus en plus près ce qu'il fait. Mais il le vérifie
mal, à vrai dire, Tanguy ayant à son égard une politique
boutiquière (c'est le mot!) qui lui masque cette réalité
sous un dehors de petites combinaisons souvent mes-
quines. Il faut lire la lettre du 31 août 1885 adressée par le
marchand à « Monsieur Sézanne » : elle commence par un
grand bonjour, mais se poursuit par une litanie pleurni-
charde où Tanguy, exposant sa « détresse » devant les exigences de son propriétaire, multiplie les demandes de
règlements, de paiements d'acomptes, de reconnaissances
de dettes : Cézanne lui doit tout, beaucoup de gratitude
certainement, mais aussi des couleurs, des boîtes, du
matériel, des toiles vierges. Il a pourtant reçu, lui, des
toiles peintes, en dépôt. Mais ces toiles, comment les
vendre? Tanguy, pour ne pas décourager les acheteurs, les
répartit en grandes et en petites et adapte les prix aux
dimensions. Il va même jusqu'à les débiter. Il existe cette
incroyable histoire, rapportée par Ambroise Vollard,
selon laquelle il lui arrivait de découper de petites
études peintes sur une même toile et les vendre sépa-
rément : ainsi un acheteur peu fortuné pouvait s'en aller
content de sa boutique, en emportant trois pommes de
Cézanne.

Il faut pourtant ajouter que c'est autour de Julien

Tanguy que Paul était amené à prendre des contacts qui établissaient peu à peu sa réputation et le plaçaient au cœur d'un réseau de sympathies important pour l'avenir de son travail. C'est chez lui, par exemple, qu'il rencontre Van Gogh, ce bizarre Hollandais arrivé depuis peu à Paris, avec lequel il devait partager une passion flamboyante pour la terre brûlée de Provence, autant qu'une tendresse mortelle pour la douce terre d'Auvers. Mais ils ne se comprennent pas vraiment. Cézanne le fou aurait dit à Van Gogh : « Sincèrement, vous faites une peinture de fou ! » Et puis, il y a Gauguin qui se jette maintenant à corps perdu (fou, lui aussi !) dans le travail, renonçant à son aisance boursière : il sent, pressent très fort la valeur de l'œuvre de Paul. « Voyez Cézanne, l'incompris, écrit-il un jour à un correspondant. [...] Homme du Midi, il passe des journées entières au sommet des montagnes à lire Virgile et à regarder le ciel. Aussi ses horizons sont élevés, ses bleus très intenses, et le rouge chez lui est d'une vibration étonnante. » Il voyait en lui un peintre d'un autre versant du monde, un peintre de l'Orient, ce qui, dans sa bouche, signifiait quelque chose.

Enfin, les « supporters » de naguère étaient toujours là. Victor Chocquet a eu sa vie assombrie par la perte de sa femme, puis de sa fille. Mais la peinture est sa consolation. Son existence décline, sa passion pour Cézanne, Monet ou Renoir augmente. Et Cézanne le peint : c'est sa manière de dire parfois à un homme sa reconnaissance, son affection durable, de l'associer à ce que le temps ne saura dissoudre.

Hélas ! le temps remplit son office. A Aix, le 23 octobre de cette année-là, Louis-Auguste meurt. A quatre-vingt-huit ans, on peut mourir. C'est, pour Paul, simultanément, la libération d'un oppressif surmoi et l'indépendance financière (on peut rappeler au passage que le défunt laisse à chacun de ses enfants 400 000 francs d'alors, une petite fortune !). Sur le coup, c'est un immense vide et un immense chagrin. Il pleure doucement : « Le papa ! » Et il part sur le terrain, vers le motif.

Ce n'est pas une façon de parler. Dans les moments de douleur, Cézanne ne connaît d'autre impulsion que de partir tête baissée vers la campagne, vers la nature, vers le paysage, vers les horizons de la Sainte-Victoire qui, plus que jamais, l'appellent, vers les collines de Saint-Marc qui sont en train de devenir son site de prédilection, vers la propriété de Montbriand qu'a acquise son beau-frère, près du plateau de Bellevue, non loin du Jas. Et, bien entendu, au Jas même, vers tous les détails, toutes les formes, toutes les couleurs, tous les objets, tous les végétaux qui l'appellent, qui l'attendent. Plus particulièrement les arbres. Cézanne n'a jamais peint autant d'arbres que dans cette période. Les *Marronniers* du Jas de Bouffan dressent devant lui leurs troncs, tantôt râblés et encore feuillus dans un paysage d'automne, tantôt nus et comme effilés dans un paysage qui est déjà celui de l'hiver. Le *Grand Pin* de Leningrad, frémissant de douleur et de violence, se plante au milieu des *terres rouges,* qu'il semble à la fois recouvrir et agripper de ses branches. Un *Arbre tordu* fait penser à un paysage extrême-oriental (et se trouve d'ailleurs aujourd'hui dans une collection particulière du Japon). Des *Sous-bois* laissent filtrer une lumière verte entre des lignes minces. Des *Peupliers* se serrent dans une superbe construction droite. Le thème *Arbres et Maison* se répète, mais dans des espaces différents. Ce peut être la campagne aixoise, bien sûr, mais des souvenirs de clos normand, de vergers de l'Ile-de-France viennent infléchir cette recherche. Car les arbres sont partout. C'est bien ce qui les caractérise. Et si Paul va vers eux si délibérément, maintenant, c'est qu'il sent bien que, au-delà des vicissitudes de la vie et du destin, ils représentent une inaltérable permanence. Zola a décrété la mort de Claude

Lantier. Monticelli a disparu. Le vieux Louis-Auguste est mort. Paul Cézanne est marié. Les arbres sont là. Debout. Fermes et tranquilles. Leur verticalité est certainement l'élément structural le plus sûr du travail de vraie « composition » auquel doit tendre un peintre. Paul commence à comprendre qu'une rigoureuse réflexion conduite sur ce sujet comme sur quelques autres est vraiment ce dont il a le plus impérieux besoin. Lui, le non-cérébral. Lui, le non-intellectuel. Lui, l'ennemi des bavardages littéraires et des conversations de salon. A Octave Maus, animateur du groupe des Vingt à Bruxelles : « J'avais résolu de travailler dans le silence, jusqu'au jour où je me serais senti capable de défendre théoriquement le résultat de mes essais » (27 novembre 1889). Il faut qu'il *pense*, qu'il conçoive cela. Il faut que la construction recherchée passe non seulement par son regard, mais par sa pensée. Les arbres doivent l'aider. Il se voue à eux. Il va vers eux. Un jour il dira à Joachim Gasquet que les arbres ont quelque chose à faire avec Kant : « L'autre soir, en revenant d'Aix, nous avons parlé de Kant. J'ai voulu me placer à votre point de vue. Les arbres sensibles ? Qu'est-ce qu'il y a de commun entre un arbre et nous ? Entre un pin tel qu'il m'apparaît et un pin tel qu'il est en réalité ? Hein, si je peignais ça... Ne serait-ce pas la réalisation de cette partie de la nature qui, tombant sous nos yeux, nous donne le tableau ?... Les arbres sensibles !... Et dans ce tableau, n'y aurait-il pas une philosophie des apparences plus accessible à tous que toutes les tables de catégories, que tous vos noumènes et vos phénomènes ? On sentirait en le voyant la relativité de toutes choses à soi, à l'homme. Je voudrais peindre l'espace et le temps pour qu'ils deviennent des formes de la sensibilité des couleurs, car j'imagine parfois les couleurs comme de grandes entités nouménales, des idées vivantes, des êtres de raison pure. Avec qui nous pourrions correspondre. La nature n'est pas en surface ; elle est en profondeur. Les couleurs sont l'expression, à cette surface, de cette profondeur. Elles montent des racines du monde. » Racines du monde. Racines des arbres. Tout est dans tout.

Le Cézanne qui philosophe ainsi est un homme solide, par certains côtés aussi droit que les arbres qu'il peint, malgré toutes les rumeurs de légende qui tendent à le montrer fuyant, courbé sous son manteau ou sous son chapeau. On le voit bien sur le tableau intitulé *Autoportrait à la palette*, conservé dans la collection Bührle de Zurich, où il apparaît splendidement campé devant son chevalet, le crâne dénudé, mais le visage très jeune dans le collier de barbe noire, la moustache drue, le regard vif, intense, posé sur la toile qu'il peint. C'est peut-être l'attitude de travail qui lui donne cette beauté nette et droite, cette assurance que semble illustrer la palette, plus exactement le pouce passé dans l'œil de la palette en bas du tableau tandis que la main se referme sur les pinceaux : un grand moment de vérité et d'exactitude. Mais, bien entendu, il y a, à la même époque, le Cézanne, plus vieux d'apparence, d'autres autoportraits, où ce qui prime cette fois est la calvitie — d'aspect assez philosophique, vraiment —, très noble, ainsi que la barbe, quand elles sont saisies, l'une et l'autre, selon ce profil droit légèrement incliné, qui semble être le profil favori du peintre, sinon celui qu'il saisit le plus facilement dans un miroir. Pour que la calvitie disparaisse, il suffit du chapeau. Le chapeau melon, très porté par Cézanne, semble-t-il, dans cette période-là et qui souligne, à sa manière, le vaste arrondi de la boîte crânienne. Mais le chapeau mou, aussi. Ce chapeau plat, éventuellement, à larges bords, qui frappe tant sur un portrait un peu antérieur, conservé à Berne, où c'est le profil gauche qui apparaît cette fois, dans un bel ensemble massif de peinture vert-bleu où deux petites pupilles d'un noir étincelant vrillent le visage d'un homme au poil dru dont ni le pathétique ni l'angoisse ne semblent entamer la force. Quel regard ! Cézanne y est probablement tout entier. Avec une robustesse qui semble toute se ramasser dans l'acuité de la vision. Ne tarderont pas à arriver d'autres tableaux, où le poil grisonnera, où les yeux se feront inquiets, où l'éternel chapeau semblera peser plus lourd sur un crâne chauve de vieil homme. Pour l'instant, Cézanne est là, dans sa pleine maturité. Debout, comme ses arbres.

28

Arlequin

Ce tableau s'appellera *le Mardi gras*. Il faut bien, de temps en temps, s'amuser et sacrifier aux « scènes de genre ». Le jour du *Mardi gras*, on se déguise. Donc, le « petit » Paul (qui a maintenant seize ans) va se déguiser en Arlequin et Louis, le fils du cordonnier Guillaume, se déguisera en Pierrot. Et ils tâcheront de tenir la pose ! Nous sommes en 1888, à Paris. Cézanne y est revenu. Hortense ne souhaitait, n'attendait que cela. Naturellement, on a encore changé de quartier. On s'est installé quai d'Anjou, près de chez Guillaumin, sur le bord de la Seine. Un bel appartement. On peut maintenant s'offrir, dans la capitale, une résidence honorable. Et l'atelier est à la rue du Val-de-Grâce.

C'est là que les deux gamins, camarades d'enfance, sont venus poser. L'habit d'Arlequin qu'a revêtu Paul est particulièrement seyant. Une tunique d'un tissu à losanges rouges et noirs (sont-ils vraiment noirs ? ne les dirait-on pas traversés de reflets bleus ?), bien ajustée à la taille par une ceinture à boucle dorée, moulant les bras et le buste mince de l'adolescent, prenant bien le cou, descendant jusqu'au sommet des hanches. Un pantalon du même tissu enserrant bien la cuisse, le genou, le mollet. La jambe gauche est pliée en arrière, la jambe droite est tendue, ce qui fait que tout le poids du corps semble porter sur elle, dans un gracieux équilibre. Un équilibre un peu raide toutefois, qui fait penser à celui des mannequins, des automates ou des marionnettes. Cela a été voulu ainsi. C'est une pose qui doit être particulièrement difficile à tenir. On dirait que le jeune homme se balance tout droit sur le bout de ses souliers : de fins escarpins noirs, vernis, ornés d'une sorte de pompon (fleur ou rosace qu'on distingue assez mal). Cézanne sait bien que son fils se fatigue vite et qu'il est plutôt remuant de nature. Mais il a voulu se déguiser et poser. Qu'il pose !

D'ailleurs, il a des compensations. Cette baguette blanche qu'il tient dans le creux de sa main droite en la faisant remonter contre son torse et passer sous son aisselle est un objet qui n'a pas de prix : un objet de cirque peut-être, une badine de clown, mais elle est un vrai symbole de puissance habile et acrobatique, fine et souple, propre à dompter les animaux et les hommes. Le jeune Paul ressent bien le prix de cette puissance : son visage a une grâce juvénile, mais légèrement hautaine, avec les sourcils hautement tracés et le masque un peu chinois de la mère. Un bel Arlequin, décidément. Quelle façon de rejeter le buste en arrière ! Et le bicorne noir sur la tête, qui dégage bien le front et les oreilles, c'est certainement l'emblème souverain de cette fête du cirque : vraie petite barrette païenne. Quant aux mains, elles sont si longues, si fines, surtout celle qui soutient la badine, le pouce rejoignant le bout de l'index (l'autre, le long de la cuisse, tient un objet ou un bout d'étoffe, noire comme le bicorne), qu'elles sont évidemment un régal à peindre.

Cézanne peint. Un juron lui échappe, parce que le jeune homme a bougé. Quand on pose, on ne bouge pas. Bien sûr, c'est dur. Mais la jambe droite, pour l'instant, ne doit pas fléchir d'un pouce. Hélas ! c'est toujours pareil, il faut qu'ils bougent ! Même Hortense, pourtant bien calée dans son fauteuil rouge, elle bouge. Même Chocquet, qui pourtant connaît les servitudes du métier, bien ajusté à sa chaise, les jambes croisées, de profil pour pouvoir s'appuyer d'un bras sur le dossier, il bouge. Il n'y a qu'une cafetière qui ne bouge pas. Une pomme, c'est déjà moins sûr : si la pièce de cinq sous que l'on a placée sous elle glisse, elle roule. Un arbre non plus ne bouge pas, sauf si le mistral se met à agiter ses feuilles ou à courber sa cime. Non, une cafetière, c'est le plus sûr. Ou le *Vase bleu*. Le vase bleu ne peut pas bouger. Il est long, mince, mais ainsi fait qu'il est magnifiquement posé sur la table. On croirait que c'est le bleu qui le fait tenir. Il peut arriver que le bouquet qu'il contient oscille, quoique parfaitement construit et serré, que les pétales des fleurs soient parcourus par un souffle, mais, lui, il ne tremble ni ne bouge. Hélas ! les hommes ne sont pas des choses, et il est clair que le petit Paul, dans son habit d'Arlequin, se fatigue !

A vrai dire, c'est un plaisir de tourner autour de cet Arlequin. Il y a toute sorte de façons de le saisir, et c'est bien ce que Cézanne a tenté dans différentes études. Il l'a représenté tout seul, sans le Pierrot, et il a essayé de remplacer le bicorne noir par un bicorne blanc et de le faire pencher du côté droit de la tête pour voir ce que cela donnerait, et inversement de faire passer la badine de la droite à la gauche, et le chiffon noir de la gauche à la droite. Changements à vue, variations des effets. Sur cette étude à l'huile, une collerette. Sur ce dessin au crayon, qui cerne le visage seul, une recherche plus appuyée du détail des traits du visage, le contour de la bouche et de l'oreille, l'ombre du coin du bicorne. Sur cette autre esquisse, les yeux seuls et le nez ; quatre coups de crayon. Il en aura fallu des études et des ébauches pour arriver à ce *Mardi gras* ! Et encore, parviendra-t-on au bout ? Il est visible que Paul le fils se fatigue, si Paul le père, lui, ne plie jamais.

Et Pierrot, le fils du cordonnier, n'en parlons pas. Il a encore moins l'habitude de poser que son camarade, et ce qu'on lui demande là risque d'être nettement au-dessus de ses forces. Pourtant il a été ravi, comme Paul, de se déguiser. En Pierrot, c'était un peu moins gai qu'en Arlequin, mais enfin ce grand costume enfariné avait son charme. Une grande blouse qui pend jusqu'aux genoux par-dessus un ample pantalon, d'immenses poches, une superbe collerette aussi plissée qu'une fraise, et de longs souliers, le tout somptueusement blanc, cela a tout de même une certaine allure. A quoi il faut ajouter le chapeau, d'un genre qu'un jeune homme n'a pas l'occasion de porter tous les jours ; non pas la calotte noire habituelle de Pierrot, mais un bizarre chapeau haut et pointu, un peu semblable à ceux des médecins de Molière, mais tout blanc, lui aussi. Complète symphonie en blanc. Le visage est poudré de farine. Il y a toute chance que ce blanc du Pierrot à côté de ce rouge-et-noir losangé de l'Arlequin donne quelque chose d'intéressant et d'original. Un beau signe à un peintre du passé qui s'appelle Watteau et à un peintre de l'avenir qui s'appellera Picasso. Une belle composition contrastée qui sent à la fois la *comedia dell'arte*, le cirque et la farce populaire. Ce pourrait être d'autant plus réussi que les deux personnages se découpent sur un grand fond gris-bleu au-dessous d'une tenture chamarrée, à fleurs et à feuilles, qui se relève comme un vrai rideau de théâtre.

Mais il faut que Louis, le fils du cordonnier Guillaume, lui aussi tienne la pose. Il semble que ce sera difficile, parce que le peintre a insisté pour qu'il se tienne penché en avant derrière Arlequin, une main placée sur le genou gauche, l'autre main tendue en avant comme s'il allait donner une tape dans le dos de son partenaire. C'est une attitude plutôt vivante et amusante — et indiscutablement ils sont assez drôles, tous les deux —, mais on imagine mal comment il est possible de rester longtemps ainsi, courbé en avant, le bras tendu. Cézanne ne veut pas savoir. Il est intraitable sur ce point. La pose, c'est la pose. Les séances se succèdent les unes aux autres avec de courtes interruptions, il faut bien que le tableau se fasse. Le métier de modèle n'a jamais été facile (et encore, ceux-là sont des hommes, et ils sont habillés jusqu'au cou, qu'ils ne se plaignent pas !). Il le sait très bien. Mais celui de peintre non plus.

Pourtant, là, en ce moment, il est plutôt heureux. Cette fête de couleurs ! Cette arlequinade ! Ce *Mardi gras !* Le déguisement, c'est peut-être ce qui convient le mieux aux hommes. Une façon de sortir de leur peau. Et, lui, avec son pinceau, quand il leur met du vert, du rouge ou du bleu sur la figure, il les déguise bien à sa manière. Ça ne les fait pas toujours rire. Mais ça fait rire ceux qui regardent le tableau. A Paris, on aime rire, chez les badauds. En revenant dans cette ville, il a retrouvé forcément toutes ces histoires d'expositions, de salons et de musées. Encore, les musées, il ne les a jamais autant aimés : le Louvre, une vraie passion accentuée avec l'âge, il est sûr que là est vraiment la consécration, la seule. Mais le reste ? Toutes ces expositions pour lesquelles il faut se battre ? Cela en vaut-il encore la peine, à son âge ? Aura-t-il encore des surprises ? Ou des désillusions ? Il sait que l'Exposition universelle qui doit se tenir cette année à Paris — cette fabuleuse année de la tour Eiffel, où tout l'art du monde moderne que va célébrer Apollinaire est en train de prendre son essor — a accepté, sur l'intervention de Chocquet, de présenter une toile de lui dans sa section des Beaux-Arts : mais il ne sait pas que cette toile, *la Maison du pendu*, va être hissée en haut d'un mur, sous le plafond, quasi invisible aux visiteurs. Il ne sait pas non plus qu'il va être invité bientôt, par les Vingt, à Bruxelles, à exposer au Musée royal d'art moderne de la capitale belge : cette fois, personne, ni visiteur ni journaliste, ne remarquera ses *Baigneuses*. Et Chocquet, dans quelques jours, mourra. Irréparable perte d'un ami et d'un appui. Deuil encore. Tristesse. Déboires. Lassitude.

Mais en ce moment, c'est Louis qui semble se lasser. Le Pierrot peu à peu glisse, s'effondre. Il ne tiendra sûrement pas jusqu'à la fin. Et la fin ne surviendra que lorsque ce tableau sera comme le peintre le veut. Rigoureusement cadré. Parfaitement ancré dans sa couleur. Quand on fait une fête, on ne la fait pas à moitié. Ce tableau doit être une fête. Pas un carnaval (oui, un carnaval tout de même!). Une fête. C'est-à-dire quelque chose de très sérieux, de très bien peint et de très bien fini. Le problème est bien là : ce fini, qu'il faut atteindre. Et cet équilibre, qu'il faut atteindre aussi. Le Pierrot gardera-t-il le sien? La jambe gauche fléchit, la main descend un peu trop bas sur le genou. C'est vraiment épuisant de rester ainsi debout, dans une telle posture. Mais Cézanne peut prendre des colères folles, si l'harmonie qu'il a sous les yeux et qu'il s'acharne à rendre se modifie d'un pouce et lui échappe. Cela lui est arrivé, devant le spectacle de la nature, à Aix, en compagnie de Renoir venu le voir au Jas, pour des paysages qui ne bougeaient pas, mais qui tout d'un coup lui paraissaient lui échapper, se mettre à trembler devant ses yeux et qu'il ne parvenait plus à fixer : il a éventré, lacéré des toiles entières, de fureur, là, sur le terrain, en pleine nature, devant son compagnon ébahi. A plus forte raison, maintenant, devant cette « scène de genre » qui s'exécute et dont la qualité première doit être une parfaite mise au point. Il pourrait prendre une crise folle, si quelque chose venait le déranger. Le petit Paul le sait bien, qui continue vaillamment à bomber le torse, à se balancer sur son pied et à tenir sa baguette le mieux qu'il peut. Et Louis aussi, qui commence à être si épuisé qu'on ne sait plus si son visage est blanc de farine ou d'angoisse sous sa belle frange de cheveux noirs qui dépasse du chapeau.

Pas question de bouger, pas question de lâcher la pose. Surtout maintenant. Bien sûr, cette dernière séance dure depuis déjà des heures. Mais il faut que le tableau soit mené jusqu'au bout. Paul, derrière son chevalet, peint avec une sorte de précision fébrile et de rage. Il est fatigué, lui aussi, harassé même. Il n'a plus sa vigueur d'autrefois. Et il sait, on vient de le lui apprendre, que le diabète le travaille. C'est peut-être cela qui lui donne cette lésion de l'œil dont M. Huysmans a dit qu'elle était la caractéristique la plus originale de sa peinture (ne serait-ce pas par hasard la tare héréditaire qui comblerait Zola ?). Il souffre, il lutte, mais il tient. L'Arlequin tient à peine. Le Pierrot ne tient plus. Il a touché aux limites de l'épuisement. Il s'évanouit. Il tombe. Une grande fleur blanche. Une grande corolle blanche sur le sol. C'est le tableau tout entier qui s'est effondré. Mais, heureusement, il est fini. On va chercher de l'eau, des sels pour Louis. Mais la toile est là. Ce qu'elle représente tient de la *commedia dell' arte*, du cirque, de la pantomine et du carnaval. Et surtout de la peinture, qui est tout cela à la fois. Une vraie fête. *Le Mardi gras*, Moscou, musée Pouchkine.

29

Les joueurs de cartes

Ils jouent aux cartes. Ce sont des modèles d'un type tout à fait différent. Des hommes de la campagne, des paysans. Il y a très longtemps que Cézanne tourne autour de ces *Joueurs de cartes* du musée d'Aix, que l'on attribue à Louis Le Nain. Il les a regardés souvent depuis sa jeunesse. Il aimerait bien en tirer quelque chose de neuf. L'occasion est peut-être trouvée maintenant, avec ces hommes simples et vrais qui jouent si naturellement aux cartes après le travail. Celui de gauche, qu'on appelle le père Alexandre, c'est le jardinier Paulet, de la ferme du Jas de Bouffan. La pipe lui est chevillée à la bouche. Qu'on le peigne de face ou de profil, elle est toujours là, cette pipe faite d'une espèce de terre blanche, elle est insépa-rable de sa moustache tombante, de son haut chapeau marron aux bords abaisses ou relevés selon les jours, de son masque aux beaux tons brun-jaune qui semble sortir d'on ne sait quel four de potier. Visage buriné par la terre, le soleil et l'âge, qui paraît ne trouver sa vérité que là, au-dessus de cette table vers laquelle le tire, le fait pencher l'attention requise par le jeu de cartes.

Attention grave. Cézanne aime beaucoup cela. Cette gra-vité terrienne du père Alexandre. Elle compense ce qu'il peut y avoir de ruse, et quelquefois de violence dans le jeu. Une provocation, qui n'est pas du tout absente du tableau de Le Nain. Pas plus que d'autres tableaux du passé sur le même thème, où il est souvent question de taverne, de tripot, ou de salle de corps de garde. Non, là, simplement, le café du pays. Ou, encore mieux, la salle de la ferme, une simple pièce, avec ses murs, ses meubles, ses chaises et sa table surtout, l'ensemble aussi brun que les visages ou les vêtements. Pour l'harmonie. Mais aussi parce que c'est vraiment ainsi : il arrive que les vêtements et les profils se fassent murs, bois et pierres et que les gestes des hommes aient la sérénité des meubles. Leur immobilité même. C'est bien ce qui se passe ici. On dirait que ces *Joueurs de cartes* sont aussi immobiles que la table sur laquelle ils jouent, alors même que le jeu implique le mouvement. Mais la concentration l'emporte. Ils sont graves. Ils regardent l'éventail des cartes déployé dans leurs mains. Ils calculent et réfléchissent, comme font les gens de la terre. Le père Alexandre tire sur sa pipe.

Au début, ils étaient cinq. Trois qui jouent et deux qui regardent. Car, au jeu de cartes, il y a aussi ceux qui regardent. Un homme debout, les bras croisés. Et un garçon, (peut-être Paul, le petit), assis derrière la table. Il faut beaucoup d'espace pour faire tenir tout ce monde-là. Une toile de deux mètres de long. On peut mettre le prix. De temps en temps il faut savoir faire de grandes choses. De vraies compositions. Puis, autre tentative, le garçon disparaît. Il ne reste plus que les trois hommes. Ils portent tous chapeau de paysan. Et l'un, vaste blouse de maquignon. Trop de chapeaux, trop de plis, trop de gens. Il faut sûrement réduire. On ne réduit jamais assez. Il n'y aura que deux joueurs, dans la solitude du face à face. Ce sera mieux que chez Le Nain. Deux joueurs, la table, et une bouteille. Pour celui de gauche, le père Alexandre, donc fera très bien l'affaire. Il a déjà fait ses preuves. Debout, en pied, en buste, de profil. On le connaît bien. Il suffit de lui trouver la bonne pose, le bon mouvement du bras. L'autre, on va lui mettre une sorte de petit chapeaubonnet, un peu rond, un peu pointu aussi, brun comme sa moustache, et on lui fera endosser une longue veste jaune. Comme cela, tout le monde sera dans le ton. Seules les cartes et la pipe resteront blanches.

Cézanne est en train de goûter un calme magnifique, incomparable, devant ces hommes qui jouent aux cartes. Décidément leur pays est le sien. Il est de la même argile qu'eux. Il s'en est bien rendu compte lors de ce voyage en Suisse dans lequel a voulu l'entraîner Hortense. Il fallait qu'elle se rende dans son Jura natal où son père venait de mourir et, à cette occasion, elle a voulu voir la Suisse. Faire la touriste dans les hôtels. Elle estimait avoir droit à un tel voyage d'agrément et elle en avait vraiment assez de la Provence et d'Aix. Paul a donc accepté. Rien de très agréable pour lui. Selon Paul Alexis, qui parle de ce voyage dans une lettre à Zola, « cinq mois de Suisse et de table d'hôte » ce ne pouvait être très amusant ! Tout l'été de 1890 y passe, et plus encore. Il essaie bien de planter son chevalet dans les paysages du lac de Neuchâtel, mais ce n'est pas son horizon, sa nature, ni sa matière picturale. Berne, Fribourg, Genève, Vevey, Lausanne. Hortense apprécie. Paul, non. Il se laisse traîner. Rares rencontres (un « Prussien » bavard, par exemple). Faibles centres d'intérêt. Il a parfois envie de fuir, de planter là épouse et fils. C'est ce qu'il fait un jour à Fribourg. Choqué par une manifestation antireligieuse, lui qui jadis, au temps de la bohème parisienne, brocardait les curés, se sent atteint au plus vif d'une foi qui est en train de remonter en lui comme l'eau vive d'une source. Il disparaît, purement et simplement. On le retrouve trois jours après, à Genève. Les siens ne sont pas si étonnés. On connaît ses foucades et ses sautes d'humeur. Et puis, cette escapade préfigure ce qu'il a vraiment envie de faire : partir, se retrouver seul. Qu'Hortense regagne Paris, si elle ne veut plus entendre parler d'Aix. Lui, c'est au Jas qu'il est bien.

Ces hommes, qu'il peint en ce moment, représentent très exactement ce qu'il veut, ce qu'il cherche. Des êtres si près de la matière et de la substance de la vie qu'ils ont l'air d'être eux-mêmes des choses. On peut vraiment les peindre comme des natures mortes. Sans les offenser le moins du monde dans leur dignité et leur vérité humaine. Au contraire, en respectant leur mutisme, leur discrétion, leur silence, leur conscience de fumeurs de pipes et de joueurs de cartes. Quel repos ! Et quel silence, en effet ! Il suffit d'ouvrir les yeux, de bien voir et de travailler. Ils n'ont même pas à tenir la pose, eux. Ils sont là dans leurs gestes naturels. Cézanne aime ces attitudes simples. Et pas seulement chez les *Fumeurs* ou les *Buveurs.* Il les apprécie aussi quand elles viennent du seul repos du corps, de cette détente pensive, par exemple, qui semble donner une vie secrète au *Garçon au gilet rouge,* un jeune homme italien qui s'appelait, paraît-il, Michelangelo di Rosa, qui aurait pu être un prince, mais qui était d'abord un jeune homme de la vie réelle, étincelante de couleurs. Car Paul ne peut se défendre d'une jubilation intime, chaque fois qu'il voit sur les robes, les blouses, les gilets, les foulards, les casaques, les promesses d'une fête de coloris. Pour revenir aux travailleurs qu'il aimait évoquer, retenons cette note de Rewald et Marschutz : « Partout, dans les campagnes du Midi, on trouve aujourd'hui encore, absorbés par le jeu, les paysans attablés ainsi dans les fermes et le cabaret du village, fumant, buvant et discutant tranquillement. Ils portent tous ces vieilles jaquettes, et surtout ces longues blouses bleues, aux plis multiples, avec un foulard rouge, qui donnent à ces paisibles groupes un caractère si particulièrement pittoresque. » Ceci, noté vers 1936. C'est plus vrai encore au temps de Cézanne. Il suffit alors pour le peintre d'adhérer à la vérité concrète de ces hommes et de leurs gestes. Il faut s'« assurer » à eux, comme ils ont l'air de s'assurer,

LES JOUEURS DE CARTES

de leurs coudes, à la table brune, au tapis brun sur laquelle ils abattent leurs cartes. Le problème est que ce brun-là soit un vrai bain, un vrai milieu, dans lequel le tableau trouve son unité. Ce n'est pas simple à atteindre. Au début, le père Alexandre était plus marqué par le bleu violacé d'un ton qui semblait imprégner tout son vêtement, et son partenaire était carrément installé dans le jaune. Puis des échanges ont eu lieu, des courants sont passés du violet au jaune, et le brun est venu apporter les accords nécessaires. Et tout se construit mieux. Le bras de l'un s'allonge. Le dos de l'autre se voûte. De nuance en nuance, de correction en correction, un vrai résultat est atteint.

Travail tuant, mais travail salutaire. Ici, à Aix, c'est le seul moyen d'échapper au tumulte de la famille. Car, après l'ennui de la Suisse, il y a eu fatalement le tumulte de la famille. Hortense est rentrée à Paris, ne voulant plus venir au Jas. Au Jas, la mère et Marie sont en pleine querelle. Brouillées, réconciliées, encore brouillées. Marie et Rose ont de vifs accrochages aussi, la première n'appréciant guère les manières du mari de la seconde. On ne se retrouve uni que pour « exclure » Hortense. Ce n'est pas pire que dans n'importe quelle famille, mais certains jours Paul en a assez. L'image même de lui-même, pris dans les fils de ces conflits familiaux, est d'ailleurs caractéristique. Voici comment Paul Alexis voit les choses dans cette lettre à Zola de février 1891, les croquant, pittoresquement, crûment, sur le vif :

« Hier soir, jeudi, à 7 heures, Paul nous quittait pour aller les recevoir à la gare, elle et le crapeau *(sic)* de fils ; et le mobilier de Paris, ramené pour 400 francs, va arriver aussi. Paul compte installer le tout dans un local loué rue de la Monnaie, où il leur servira leur pension (il a même dit à son rejeton : " Quelques bêtises que tu fasses jamais, je n'oublierai point que je suis ton père ").

Nonobstant, lui ne compte pas quitter sa mère et sa sœur aînée, chez lesquelles il est installé au faubourg, où il se sent très bien et qu'il préfère carrément à sa femme, là. Maintenant si, comme il l'espère, la Boule et le mioche prennent racine ici, rien ne l'empêchera plus d'aller de temps en temps vivre six mois à Paris. " Vive le beau soleil et la liberté ! " crie-t-il.

Les journées, il peint au Jas de Bouffan, où un ouvrier lui sert de modèle, et où j'irai un de ces jours voir ce qu'il fait.

Enfin, pour compléter sa psychologie : converti, il croit et pratique. " C'est la peur !... je me sens encore quatre jours sur la terre ; puis après ? Je crois que je survivrai et je ne veux pas risquer de rôtir *in aeternum.* "

D'ailleurs, nul embarras d'argent. Grâce à son paternel qu'il vénère aujourd'hui — qui lui disait : " Chaque fois que tu sors, sache où tu vas ", et ceci aussi : " Ne te passionne pas trop... prends le temps et ménage-toi ! ", il a de quoi vivre. Et il a fait d'abord de son revenu douze tranches mensuelles, puis chacune est subdivisée en trois : pour la Boule ! pour le Boulet ! et pour lui ! Seulement la Boule, peu délicate paraît-il, a de continuelles tendances à empiéter sur sa fraction personnelle. Aujourd'hui, arc-bouté sur sa mère et sa sœur — qui détestent la particulière —, il se sent de taille à résister. »

Piquant témoignage, où l'on peut retenir, en dehors des histoires de famille, la confirmation de l'attitude de Cézanne en face de la religion : volonté de croire et de pratiquer. Et son attitude aussi à l'égard du souvenir de son père : très positive. Plus question, en sa présence, de dauber sur les banquiers. Renoir, lors de son séjour au Jas de l'année précédente, s'y était risqué. Il en était résulté un pénible malaise et Renoir avait dû plier bagages. Ce qui permet au passage de constater que le caractère de Cézanne ne s'améliorait pas. Qu'il passait toujours aussi vite, au moindre froissement, de l'amitié au froid. A la même époque, le cher vieux Numa Coste résume à sa manière sa vision de l'homme, et de la vie qu'il a choisie (dans une lettre à Zola, bien sûr, toujours !) : « Il habite le Jas de Bouffan, avec sa mère, qui est du reste brouillée avec la Boule, laquelle n'est pas bien avec ses belles-sœurs, ni celles-ci entre elles. De sorte que Paul vit d'un côté, sa femme de l'autre. Et c'est une des choses les plus attendrissantes que je connaisse que de voir ce brave garçon conserver ses naïvetés d'enfant, oublier les mécomptes de la lutte et s'acharner, résigné et souffrant, à la poursuite d'une œuvre qu'il ne peut pas enfanter. » Naturellement, en s'adressant à Zola, c'est la seule chose qu'on doit répéter maintenant : un acharnement vain, une œuvre qui ne peut être enfantée. C'est vu, c'est dit.

En attendant, le *brave garçon* termine son tableau. Les deux joueurs de cartes ont atteint le point de quasi-perfection où l'exactitude calme de leurs gestes est parvenue à un degré de sobriété tel que plans, volumes et couleurs (ce brun-jaune si retravaillé et désormais vraiment « trouvé ») sont entrés sans hiatus ni défaut dans l'unité de composition recherchée. La réduction a été menée à son terme. Il n'y a plus que cette sobriété-là, qui est celle de ces hommes de la campagne jouant silencieusement aux cartes, l'un tirant sur sa pipe, après le travail, avec cette bouteille, droite et nue, sur la table, à laquelle ils ne paraissent pas songer à toucher. La table. Les chaises. Un fond si stylisé maintenant qu'on ne sait plus s'il évoque un intérieur ou un paysage dans le lointain. D'ardoisé devenu gamme diffuse de violet, bleu-gris et blanc.

Demeurent cinq versions de ces *Joueurs de cartes*, dans lesquels le peintre a projeté sa géniale patience laborieuse : deux en France, une en Grande-Bretagne, deux aux États-Unis.

30

« L'homme qui n'existe pas »

Cézanne existe-t-il bien ? N'est-il pas un mythe ? Ou simplement un nom ? Est-il vivant ? N'est-il pas un peintre mort dont a parlé un jour Zola ? Bref, qui est-il ? Qui est ce Paul Cézanne ? Telle est la lancinante rumeur qui semble se propager en ces années 1892-1893 et agiter les milieux de la peinture. On sait pourtant à quoi s'en tenir, mais c'est un fait que Cézanne, par ses échecs, ses difficultés, ses manières incommodes et son humeur fantasque, finit par créer des doutes jusque sur sa propre identité. Il est, comme il l'écrira plus tard à Gasquet, « l'homme qui n'existe pas ». Cela signifie en même temps, bien sûr, qu'une curiosité de plus en plus marquée se manifeste autour de son travail.

La boutique du père Tanguy en est toujours le lieu et le théâtre. Une nouvelle génération de peintres — Maurice Denis, Vuillard, Sérusier — la fréquente. Ils se disent symbolistes ou « nabis » : ils se réclament de Gauguin, qui vient de partir pour Tahiti, mais Cézanne les intrigue. D'autres jeunes artistes, comme Émile Bernard, professent à son endroit une admiration lucide : « un peintre qui ouvre à l'art cette surprenante porte : la peinture pour elle-même » (et il faut rendre hommage à Émile Bernard, aujourd'hui encore, d'avoir dit le premier cela en 1892, dans l'étude qu'il consacre à Cézanne chez Vanier, dans le cadre de la série des *Hommes d'aujourd'hui*.) Et de jeunes marchands de tableaux montrent à l'égard de son œuvre une attention de plus en plus en éveil. Chez Tanguy, un certain Ambroise Vollard, Créole d'une trentaine d'années, aux apparences un peu somnolentes mais à l'œil aigu, regarde beaucoup les Cézanne.

Bref, il se passe quelque chose. Cela se traduit en chiffres, d'ailleurs. On le verra en 1894, après la mort de Caillebotte et après celle de Tanguy. Le premier, qui a vécu plus longtemps qu'il ne l'avait imaginé, offre à l'État un fameux legs destiné au musée du Luxembourg, dans lequel se trouvent les œuvres de nombreux Impressionnistes, dont quatre Cézanne : deux seront acceptés, mais on sait le scandale que susciteront les tergiversations et refus opposés à ce legs. Le second meurt assez dramatiquement d'un cancer à l'estomac, en demandant d'expirer au milieu de ses tableaux : sa collection sera vendue à l'hôtel Drouot et six Cézanne y feront 902 francs de l'époque (un Monet, 3 000 francs). Théodore Duret, amené à vendre sa collection, lui aussi, verra trois Cézanne atteindre respectivement 650, 660 et 800 francs aux enchères publiques. Chiffres modestes, donc, mais attestant l'entrée de l'œuvre dans l'échelle des valeurs marchandes. Ce qui ne signifie en aucune manière une vraie reconnaissance. Au contraire. Si l'on met à part les vrais et lucides admirateurs de Cézanne, il est clair que c'est le malentendu, le doute, sinon la malveillance, qui continuent à peser sur lui. Maurice Denis, qui le célébrera plus tard, préfère pour l'instant s'abstenir de parler de son œuvre dans un article sur la peinture moderne. Gilbert Lecomte, un critique, l'évoque dans son livre sur *l'Art impressionniste*, mais le présente comme un « merveilleux instinctif » et parle de lui au passé. Lors de l'exposition des Vingt à Bruxelles, un critique belge avait laissé tomber : « Art brouillé avec la sincérité. » Et puis, il y a les adversaires, les enragés, qui ne désarment pas. Le peintre académique Jean-Léon Gérôme, à propos du legs Caillebotte, se fait leur porte-parole : « Nous sommes dans un siècle de déchéance et d'imbécillité... C'est la société entière dont le niveau s'abaisse à vue d'œil... Il y a là-dedans de la peinture de M. Manet, n'est-ce pas ? De M. Pissarro, et d'autres ? Je le répète, pour que l'État ait accepté de pareilles ordures, il faut une bien grande flétrissure morale... Des anarchistes ! Et des fous ! Ces gens-là peignent chez le docteur Blanche, ils font de la peinture sous eux, vous dis-je... On blague, on rit, on dit : " Ce n'est rien, attendez... " Eh bien non, c'est la fin de la nation, de la France. » *Anarchie. Démence.* C'est clair. Et fin de l'art. *Fin de la nation.* Fin de tout.

Cela peut-il faire encore quelque chose à Cézanne ? De toute façon, il est parfaitement catholique et bien-pensant, moins anarchiste que jamais et sera bientôt anti-dreyfusard. Mais il a atteint à l'égard de ces sottises et polémiques parisiennes un tel degré d'indifférence et même d'« absence » que cela ne le concerne plus beaucoup. S'il est revenu à Paris, c'est surtout parce qu'il sent, dans les environs, dans l'Ile-de-France qui lui reste chère, des solidarités auxquelles il est sensible. Et de vrais thèmes d'inspiration, de recherche. Fontainebleau l'attire et il s'y installe, y séjourne. Giverny plus encore, agréable village proche de Vernon, au confluent de la Seine et de l'Epte, où il aime aller rendre visite à Monet, qui s'y est fixé. Il rapportera de Giverny des souvenirs. La rencontre, par exemple, à l'auberge du bourg, de l'artiste américaine Mary Cassatt qui laisse de lui un portrait — témoignage particulièrement étonnant et vivant. Il vaut la peine de le citer :

« Il ressemble à la description d'un Méridional par Daudet. Quand je l'ai vu pour la première fois, il me fit l'impression d'une espèce de brigand (a *cut-throat*, un coupeur de gorge) avec des yeux larges et rouges à fleur de tête, qui lui donnaient un air féroce, encore augmenté par une barbiche pointue, presque grise, et une façon de parler si violente qu'il faisait littéralement résonner la vaisselle. J'ai découvert par la suite que je m'étais laissé tromper par les apparences car, loin d'être féroce, il a le tempérament le plus doux possible, comme un enfant...

De prime abord, ses manières m'ont surprise. Il gratte son assiette de soupe, puis la soulève et fait couler les dernières gouttes dans sa cuillère ; il prend même sa côtelette dans ses doigts, arrachant la viande de l'os. Il mange avec son couteau et, de cet instrument qu'il saisit fermement au début du repas et qu'il ne lâche qu'en se levant de table, il accompagne chaque geste, chaque mouvement de sa main. Pourtant, en dépit de ce mépris total du code des bonnes manières, il fait montre à notre égard d'une politesse qu'aucun des autres hommes, ici, n'aurait eue. Il ne permettra jamais à Louise de le servir avant nous, dans l'ordre dans lequel nous sommes assis à table ; il se montre même déférent envers cette stupide bonne, et il enlève la calotte dont il protège son crâne chauve dès qu'il entre dans la pièce...

La conversation au déjeuner et au dîner se tourne principalement vers l'art et la cuisine. Cézanne est un des artistes les plus libéraux que j'aie jamais vus. Il commence chaque phrase par " Pour moi, c'est ainsi ", mais il admet que d'autres puissent être tout aussi honnêtes et véridiques envers la nature, selon leurs convictions. Il ne pense pas que tout le monde doive voir de la même manière. »

Autre rencontre, à Giverny, celle du critique Gustave Geffroy. C'est une journée mémorable. Monet a invité Octave Mirbeau, Rodin et Clemenceau. Cézanne est au comble de la confusion de se trouver confronté à de tels personnages qui incarnent à ses yeux les forces montantes de la littérature, de la sculpture et de la politique. Comme toujours, il se sent totalement honoré et totalement timide. Ce qui le conduit à des comportements bizarres. Il se met presque à genoux pour remercier Rodin, « un homme décoré », d'avoir daigné lui serrer la main. Il se laisse aller à quelques mots malheureux sur Gauguin, parti, dit-il, en Océanie en emportant la seule chose qui lui appartenait, à lui, Cézanne, « une petite sensation ». Et, tandis que Monet, un peu plus tard, organisait une fête en son honneur, avec Renoir, Sisley et d'autres, prononce, à table, quelques mots flatteurs à son égard, il se met à pleurer et déclare à son hôte, le regard désolé : « Vous aussi, Monet, vous aussi, vous vous foutez de moi. »

L'essentiel, pourtant, est cette rencontre avec Geffroy. Elle est importante pour Paul, essentielle même, car ce critique dont les jugements font autorité a écrit de lui, le 25 mars précédent, dans sa chronique du *Journal* :

« Cézanne est devenu une manière de précurseur duquel se sont réclamés les symbolistes, et il est bien certain, pour s'en tenir aux faits, qu'il y a une relation directe, une continuation nettement établie entre la peinture de Cézanne et celle de Gauguin, Émile Bernard, etc. De même avec l'art de Vincent Van Gogh. A ce seul point de vue, Paul Cézanne mérite que son nom soit remis à la place qui est la sienne.

Autre chose serait de dire qu'il y a un lien d'esprit absolument marqué entre Cézanne et ses successeurs, et que Cézanne a eu les mêmes préoccupations théoriques et synthétiques que les artistes symbolistes. Aujourd'hui, pour peu qu'on le veuille, il est facile de se faire une idée de la suite d'efforts et de l'ensemble de l'œuvre de Cézanne... Or, l'impression ressentie avec une force croissante, et qui reste dominante, c'est que Cézanne n'aborde pas la nature avec un programme d'art, avec l'intention despotique de soumettre cette nature à une loi qu'il a conçue, de l'assujettir à une formule d'art qui est en lui. Il n'est pas pour cela dépourvu de programme, de loi et d'idéal, mais ils ne lui viennent pas de l'art, ils lui viennent de l'ardeur de sa curiosité de posséder les choses qu'il voit et qu'il admire.

C'est un homme qui regarde autour de lui, près de lui, qui ressent une ivresse du spectacle déployé et qui voudrait faire passer la sensation de cette ivresse sur l'espace restreint d'une toile. Il se met au travail et il cherche le moyen d'accomplir cette transposition aussi véridiquement que possible. »

Cézanne avait lu cet article à Alfort (Alfortville) et en avait été touché puisque, de là, il avait écrit aussitôt un petit billet de remerciement à Geffroy. Aussi l'idée de rencontrer le critique, surtout en présence de témoins illustres, le remplissait-elle d'une certaine émotion. Geffroy, de son côté, prévenu de la sauvagerie de caractère du peintre, se demandait en face de qui il allait se trouver. L'entrevue se révéla positive. Si positive même que Paul eut l'impression, une nouvelle fois, d'avoir trouvé un de ces rares hommes qui étaient capables de comprendre son art et dont l'appui lui était indispensable. Et il eut sa réaction habituelle dans ces cas-là : le désir de peindre Geffroy. Manière d'exprimer sa gratitude. Sans doute aussi, retour d'ambition, stratégie un peu naïve, vague idée d'obtenir les suffrages du Salon avec le portrait d'un modèle de choix. En janvier 1895, il adresse au critique une lettre très chaleureuse où il le remercie de son livre *le Cœur et l'Esprit*, dans lequel il a cru reconnaître des propos qui lui vont droit au cœur et à l'esprit, en effet. En avril, il lui envoie un message pour lui demander de poser :

« Cher monsieur Geffroy,
Les jours grandissent, la température est devenue plus clémente. Je suis inoccupé toutes les matinées jusqu'à l'heure où l'homme civilisé se met à table. J'ai l'intention de monter jusqu'à Belleville vous serrer la main et vous soumettre un projet que j'ai tantôt caressé, tantôt abandonné et que je reprends parfois... Bien cordialement à vous. »

Paul Cézanne, peintre par inclination.

Ici commence une longue aventure qui ne s'achèvera pas. Il y aura près de quatre-vingts séances de pose et cet incroyable acharnement mettra en lumière aussi bien une sorte de folie perfectionniste chez Cézanne que sa détermination, toujours plus grande, à faire passer ses modèles par l'épreuve de la pose à n'importe quel prix. Une tendance qui, sans aucun doute, s'accentue. Il est vrai que Geffroy est assis à sa table de travail. Il est assez confortablement installé dans son fauteuil, avec sa bibliothèque derrière lui et, devant lui, un livre ouvert, quelques feuillets, deux autres livres, un petit plâtre de Rodin, une rose dans un vase. Rose en papier, pour qu'elle dure. Attitude bien « arrimée », pour qu'elle dure aussi : le peintre a fait mettre sur le parquet des marques à la craie pour l'emplacement du fauteuil. Geffroy va-t-il supporter l'épreuve ? Pourra-t-il, chaque fois, retrouver le mouvement de son bras et de sa main sur le livre ? L'inclinaison exacte de son beau visage cerclé d'une barbe fine ? Il le faudra bien. Hélas, c'est Paul qui se décourage le premier ! Il ne réussit pas. Jamais son exigence n'a été si folle. Il ne parvient pas au but. En juin, après trois mois d'effort, il envoie à Geffroy un autre message, pour lui dire : « Étant sur le point de mon départ, et ne pouvant mener à bonne fin le travail qui dépasse mes forces et que j'ai eu le tort d'entreprendre, je viens vous prier de m'excuser et de faire remettre au commissionnaire que je vous adresserai les objets que j'ai laissés dans votre bibliothèque... »

Geffroy insiste. Il veut que le tableau soit terminé. Paul cède, se remet à l'œuvre. Il sent qu'il n'aboutira pas. Mais il persévère. Le tableau « a lieu ». Il existe. Il est un des plus cadrés, des plus organisés que le peintre ait jamais exécutés. Liliane Brion-Guerry, dans son livre sur *Cézanne et l'Expression de l'espace*, s'appuie sur lui pour montrer que la conception spatiale chez Cézanne rappelle celle des peintres du *Trecento* ou du *Quattrocento*, que son effort de composition est régi par des principes qui peuvent renvoyer à Piero della Francesca, Giotto ou Altichiero. Elle écrit, à propos de cette toile : « Le tableau est centré sur les mains de l'écrivain d'où rayonnent, comme du moyeu d'une roue, non pas exactement de simples obliques, mais des segments brisés de direction oblique qui découpent l'espace en compartiments d'air inégaux. C'est précisément leur inégalité qui les met en mouvement. Alors,

273

autour de ces mains immobiles, les livres, la table, le fauteuil, la cheminée, les rayons de la bibliothèque semblent se mouvoir lentement, mais cette rotation continue ne donne nullement l'impression du vertige et de l'incohérence. Cela s'explique fort bien, parce que la construction volumétrique s'appuie sur les segments brisés que constituent les arêtes de la table, le dos des livres, le rebord de la cheminée et son angle, dont les rencontres et les divergences judicieusement prévues sont articulées de façon à former une armature spatiale à la fois très souple et très rigide. L'obliquité irrégulière des segments rayonnants crée une succession de désaxements qui s'épaulent les uns sur les autres, si bien que cette poursuite instable aboutit finalement à un équilibre. »

Mais, pour Paul, ce n'est pas *fini*. Le tableau demeurera inachevé. Il ne reverra jamais Geffroy.

Indiscutablement, les difficultés caractérielles se précisent. Elles croissent en même temps que les exigences. Tous les compagnons vont en avoir la preuve avec l'épisode Francisco Oller. Le vieux camarade de jeunesse est revenu de Porto Rico, son pays natal, et d'Espagne où il a fait carrière. Cette peinture qui se fait en France et dont on parle tant excite sa curiosité. Il veut revoir tout le monde. Il veut revoir Cézanne. Mais sans doute le côté un peu ibérique de ses manières et de ses avis le conduit à une familiarité qui ne passe pas très bien. Paul, un beau jour, lui décoche ce billet :

« Monsieur, le ton d'autorité que vous prenez depuis quelque temps et la façon un peu trop cavalière dont vous vous êtes permis d'en user avec moi, au moment de votre départ, ne sont pas faits pour me plaire... Les leçons que vous vous permettez de me donner auront ainsi porté tous leurs fruits. Adieu, donc. »

Consternation générale chez tous les amis. Consternation plus grande encore quand Oller, blessé, fait état de propos décousus qu'il a cru entendre dans la bouche de Paul : « Pissarro est une vieille bête, Monet un finot, ils n'ont rien dans le ventre... Il n'y a que moi qui aie du tempérament, il n'y a que moi qui sache faire un rouge ! »

Décidément, Paris ne lui vaut rien. Mieux vaut battre en retraite. Mieux vaut, une fois de plus, regagner Aix.

31

La Sainte-Victoire

Aix, c'est la Sainte-Victoire. Pas uniquement, bien sûr.
Mais elle est le « motif » par excellence. Et chaque fois que
Cézanne revient dans sa ville natale, c'est vers elle que son
regard monte. En tant que « montagne », dans ce pays de
plaine et de collines, elle est protection, sauvegarde, rem-
part, horizon, signe, objet de lumière et surtout point de
convergence des regards. Donc, un tropisme tenace le
tourne vers elle. Inversement, tout visiteur des musées du
monde en subit un semblable, dans la mesure où il ne
peut aller à la rencontre d'une certaine peinture moderne
sans être ramené à elle. Munich, Londres, Bâle, Paris,
New York, Washington, Cleveland, Kansas City, Tokyo :
elle est partout. Il n'y a qu'à Aix qu'elle n'est pas présente.
Ou très peu. Ou depuis peu. Paradoxe magnifique qui fait
que l'objet saisi par l'art est partout sauf là où il est. Partout et hors de tout. C'est bien le destin cézannien de la
montagne Sainte-Victoire.

Pour lui, elle existait depuis l'enfance. Comme pour
tous les Aixois. Un grand *pli* géographique « jurassique »
se terminant en une muraille verticale, faisant surgir de
terre un haut massif calcaire inattendu au-dessus du socle
de collines rouges du Cengle. *Vintour* des Gaulois et *Ven-
tour* des Provençaux, piège à vent et à soleil, devenu
Sainte-Victoire par un lien tardif et légendaire avec la
fameuse victoire de Marius sur les Teutons. Lieu de pèleri-

nage et de pénitence. Puis, lieu d'excursion. Paul y allait, tout gamin, avec ses camarades. Ce qui signifie qu'il s'en approchait, dans ses promenades, mais que, parfois aussi, il la gravissait, par les itinéraires traditionnels. Plusieurs fois, dans sa vie, il a recommencé, il a eu l'occasion de faire cette grande marche et cette escalade, avec nombre de ses amis, anciens compagnons des jeunes années ou gens du pays. En 1895, justement, il retrouve une verdeur de jeunesse pour reparcourir tous ces lieux avec Emperaire, vieux bohème essoufflé, Philippe Solari, retiré à Aix, et le fils de ce dernier. Le jeune homme est le témoin, un peu abasourdi, des efforts du trio pour essayer de reconquérir le dynamisme des lointaines années, mais il constate que Cézanne est encore capable de gravir le massif. Il n'a pas oublié les sentiers, les tracés. Il les a souvent pris, sac à l'épaule et godillots aux pieds. Il a connu les haltes dans les auberges, les paillères et les refuges. Et c'est très bien qu'il y ait aujourd'hui sur la face ouest du massif, face vraiment « cézannienne », un cabanon-refuge qui porte son nom.

Mais, bien évidemment, ce qui l'intéressait, ce n'était pas d'escalader la Sainte-Victoire, c'était de la *voir*. Les angles de vue ne lui ont pas manqué. Il a su les choisir. Il la peignait de la route du Tholonet, là où elle apparaît, à la troisième descente après le pont de la Torse, du haut d'un talus, ou bien du site de Château-Noir, un peu plus loin. Il la peignait, s'approchant d'elle, en continuant la route après le Tholonet jusqu'aux environs de l'oratoire de l'Hubac. Il la peignait du plateau de Bibémus, au sud des carrières. Mais il la peignait aussi du Jas de Bouffan, de Montbriant, de Gardanne, plus tard des Lauves. Il la peignait de tous les points où il pouvait la voir. La voir, en tout cas, comme il le souhaitait. Ce choix du terrain ne se faisait pas au hasard. Il supposait certainement plus d'efforts qu'on ne peut l'imaginer aujourd'hui. Ni le temps ni la distance n'avaient le même prix, la même réalité. Dans sa jeunesse et sa maturité, Cézanne allait souvent à pied : il existe une magnifique photo de lui, à trente ans environ, le montrant dru, vigoureux, décidé, partant pour le terrain, chapeau sur la tête, bâton à la main, outillage au dos. Plus tard, surtout avec les contraintes du diabète, il prenait une « voiture », c'est-à-dire une carriole de louage. On a vu qu'il pouvait utiliser un âne. Tout un côté paysan existait en lui qui le mettait à l'aise pour organiser ce type d'expédition avec tout son matériel sur le terrain, et pourtant il ne considérait le sens de la nature et du paysage chez les paysans qu'avec beaucoup de réserves. Il aurait dit à Joachim Gasquet : « Avec les paysans, j'ai douté parfois qu'ils sachent ce qu'est un paysage ; un arbre, oui. Ça vous paraît bizarre. J'ai fait des promenades parfois, j'ai accompagné derrière sa charrette un fermier qui allait vendre ses pommes de terre au marché. Il n'avait jamais vu Sainte-Victoire. Ils savent ce qui est semé ici, là, le long de la route, le temps qu'il fera demain, si Sainte-Victoire a son chapeau ou non, ils le flairent à la façon des bêtes, comme un chien sait ce qu'est ce morceau de pain, selon leurs seuls besoins, mais que les arbres sont verts et que ce vert est un arbre, que cette terre est rouge et que ces rouges éboulés sont des collines, je ne crois pas réellement que la plupart le sentent, qu'ils le sachent en dehors de leur inconscient utilitaire. » En tout cas, lui, Paul Cézanne, sollicitait à la fois cet *inconscient utilitaire* et le dépassait. Il lui fallait parvenir à l'endroit exact où il voulait peindre. En ce sens, *aller sur le motif* était vraiment une expression à prendre au sens propre, où *motif*, certes, était important mais où *aller sur* était essentiel aussi, le verbe impliquant tout ce mouvement, tout cet effort de déplacement, incertain, aventureux, difficile, parfois pénible, qu'il fallait consentir pour arriver au point choisi, effort qui ne relevait pas de la simple promenade. Et tout cela ne s'accommodait pas d'aller et retour incessants. Il n'était pas question de rentrer à Aix pour un rien, d'y revenir dans la journée. C'est bien pourquoi Cézanne louait des cabanons : un à Château-Noir, une simple pièce à vrai dire, dès 1887, un à Bibémus plus tard.

Une fois sur le motif, la plus impérieuse tranquillité était de règle. Cézanne aimait peindre seul, sans être dérangé. Il détestait les importuns. De toute façon, on s'éloignait de lui, car on le savait peu commode. John Rewald et Léon Marschütz ont noté : « Il doit être mentionné que Cézanne ne reçut pas souvent la permission de peindre dans des propriétés privées, soit à cause de la réputation étrange qu'il avait à Aix, soit à cause de sa timidité. Ceci pourrait expliquer le nombre très élevé des œuvres peintes soit dans les propriétés de son père et de son beau-père, soit dans le Bibemus et au Château-Noir où il avait loué des pièces. Hors de ces quatre endroits, il préférait les points éloignés des routes, souvent sur la hauteur, pour apercevoir à temps ceux qui auraient pu le déranger et pour ne pas être surpris au travail. » Renoir raconte l'avoir vu, un jour qu'il l'accompagnait sur le terrain dans les environs d'Aix justement, planter là toile et chevalet et s'éloigner brusquement, parce qu'une vieille paysanne s'approchait : « La vieille vache qui vient ! », aurait-il crié avec fureur. Il lui arrivait, dans des moments de colère ou de découragement, de crever ses toiles sur place et de les abandonner là, dans la nature. Il en abandonnait aussi, comme l'on sait, dans les auberges ou les lieux où il passait. C'est dans une auberge de Tholonet que sa sœur Marie a retrouvé un jour une de ses plus belles *Sainte-Victoire*, justement.

Le moment important est celui où il se trouve seul devant le paysage. Face à face avec la montagne. La pierre du massif a une façon de capter la lumière selon les heures, de s'inonder de soleil et d'émerger dans le ciel bleu, ou au contraire de s'ombrer de nuages et de passer par toutes sortes de nuances colorées, du bleu-gris du roc aux traces rouge-violet des contrebas, qui fait que le face à face est un rituel grave qui change avec les moments et les saisons. Probablement avec les âges de la vie. Toute la carrière de Cézanne le prouve et, dans son approche de la Sainte-Victoire, s'il y a variation des points de vue, il est évident qu'il y a variation aussi des époques et des périodes. Si la première œuvre connue de lui qui s'intéresse à ce motif est *la Tranchée, avec la montagne Sainte-Victoire*, de 1870, il est certain que nous avons affaire là à un tableau qui frappe par sa légèreté : paysage clair, dégagé, avec des maisons au premier plan et les contours du massif très fins, très dessinés, sans rien d'âpre ni d'intense. On pense au travail de ces peintres aixois, Turpin de Crissé, Grésy, Gaut et même Granet qui ont représenté la Sainte-Victoire avant Cézanne et chez qui, comme l'a très bien dit Jean Arrouye, « le sujet extrapictural l'emporte sur le motif » : il y a chez eux un commentaire, une glose sur le paysage, plutôt que le paysage lui-même. A ce stade, Cézanne en est encore, lui-même, à une glose douce, légère. Dans la période de la maturité, la Sainte-Victoire, au contraire, s'installe dans son regard à la manière de cette nef dont parle Giono, « fantastique voilure de rochers blancs », fendant la plaine, fendant le jour. Il lui faut toute l'ampleur du paysage environnant pour qu'elle prenne sa dimension, son élan (élan étant le mot juste, employé par Cézanne lui-même selon Gasquet : « Regardez cette Sainte-Victoire. Quel élan, quelle soif impérieuse du soleil, et quelle mélancolie, le soir, quand toute cette pesanteur retombe ! »), dans un contexte très savamment composé où entrent les arbres ou leurs branches du premier plan, les bouquets de végétation et les détails — toits, murs, viaduc — du bas-pays, les traînées ou les effilochures du ciel. Le meilleur exemple est peut-être donné par cette *Montagne Sainte-Victoire au grand pin*, si célèbre et si souvent reproduite, de 1886-1888, de la collection Courtauld de Londres, où l'harmonie générale s'appuie sur le déploiement bleu-vert d'un paysage ensoleillé. Dans un dernier temps, enfin, dans le groupe des *Sainte-Victoire* d'après 1890 et tout particulièrement dans celles qu'on peut appeler « tardives », la matière propre du motif tend à s'unir au plus serré à la matière picturale même, et c'est ce qui donne ces constructions étonnantes où la lisibilité du thème s'efface au profit de ce qui le construit picturalement, jusqu'à la géométrie, jusqu'à l'abstraction. Michel Hoog a parfaitement saisi le sens de cette transformation : « Les couleurs sont travaillées presque à la mode impressionniste par petites touches, que la pâte soit mince ou épaisse. La partie de la toile que, par habitude mentale, nous désignons comme étant le sol, la terre, la végétation, est absolument illisible. Il est exclu, sauf exception, de chercher à y lire, comme dans les *Sainte-Victoire* plus anciennes, une maison, un arbre, un aqueduc. Une ligne horizontale nettement affirmée sépare cette surface inférieure occupée par les verts foncés, les bleus de Prusse et un peu de brun, de la Sainte-Victoire elle-même, seule, avec sa silhouette de nuance bleutée, ou violacée, ou vert foncé, tandis que le reste de la partie haute de la toile (dans laquelle nous voyons le ciel) mêle un bleu plus soutenu et un vert. Mais cette lecture est, il faut en convenir, la projection de ce que nous savons par routine, par la tradition du paysage et par le souvenir des Sainte-Victoire très lisibles de la période précédente. C'est en fonction de cet acquis que nous lisons la forme (" caractéristique ", l'a-t-on assez dit) de la montagne et que nous nommons ciel la partie haute de la toile. Or, dans un certain nombre de *Sainte-Victoire*, ainsi d'ailleurs que dans plusieurs *Château-Noir* et *Bibémus*, il y a dans le ciel des taches vertes qui ne peuvent en aucun cas, au niveau d'une représentation lisible de la réalité, figurer des branches d'arbres... Or, le vert étant une des rares couleurs que ne prennent jamais les nuages, nous avons là un exemple net de coloration arbitraire ou, si l'on veut, de rupture avec la représentation plausible. Si, depuis, Dufy, Léger et bien d'autres nous ont habitués à la dissociation du dessin et de la couleur, Cézanne, ici, est le premier à l'opérer... »

Cette tendance — qui fait passer de la lisibilité à la construction pure — ne fera que s'accentuer, jouant plus encore au niveau des formes que de la couleur, trouvant, par exemple, une de ses plus étonnantes expressions dans *la Montagne Sainte-Victoire* de 1904-1906, de la collection Tyson de Philadelphie, où la beauté formelle atteint à un éclat et une rigueur qui font oublier ceux de la nature. En un sens, à ce moment-là, Cézanne a résolu tous ses problèmes. Ceux qu'il exprimait en confiant à Gasquet : « Longtemps je suis resté sans pouvoir, sans savoir peindre la Sainte-Victoire, parce que j'imaginais l'ombre concave, comme les autres qui ne regardent pas, tandis que, tenez, regardez, elle est convexe, elle fuit de son centre. Au lieu de se tasser, elle s'évapore, se fluidise. Elle participe toute bleutée à la respiration ambiante de l'air. » Il fallait parvenir au point où ce genre de constatation peut trouver sa traduction formelle.

Cézanne y est parvenu dans la réflexion, le travail et l'effort. Les propos que Gasquet lui prête, concernant notamment la question du *motif*, même s'ils ont toujours ce côté un peu bavard et « mise en scène » qui surprend et gêne, sont tout à fait révélateurs de la tension qui porte cette recherche, de la vigilance qu'elle implique. « Si je passe trop haut ou trop bas, tout est flambé. Il ne faut pas qu'il y ait une seule maille trop lâche, un trou par où l'émotion, la lumière, la vérité s'échappent. Je mène, comprenez un peu, toute ma toile, à la fois, d'ensemble. Je rapproche dans le même élan, la même foi, tout ce qui s'éparpille... » Rapprocher ce qui s'éparpille, se disperse. Sans doute est-ce cela qui est visé obstinément. Et tout doit concourir à ce projet, converger vers lui. « Quand la couleur est sa richesse, la forme est à sa plénitude. » Exigence d'une profonde unité, toujours. C'est elle qui conduit aux épurations dont la logique est une interprétation de la nature, du réel par la géométrie, par *le cylindre, la sphère et le cône*. Encore que cette phrase, si souvent reprise, si souvent renvoyée en écho par Gasquet, doive être bien interprétée dans son vrai sens et située dans son contexte. Cézanne aurait dit, aurait même noté — propos qu'il reprend mot à mot dans une lettre à Émile Bernard du 15 avril 1904 : « Traiter la nature par le cylindre, la sphère, le cône, le tout mis en perspective, soit que chaque côté d'un objet, d'un plan, se dirige vers un point central. Les lignes parallèles à l'horizon donnent l'étendue, soit une section de la nature, ou si vous aimez mieux, du spectacle, que le *Pater omnipotens aeterne Deus* étale devant nos yeux. Les lignes perpendiculaires à cet horizon donnent la profondeur. Or, la nature, pour nous, hommes, est plus en profondeur qu'en surface, d'où la nécessité d'introduire dans nos vibrations de lumière, représentées par les rouges et les jaunes, une somme suffisante de bleutés pour faire sentir l'air. » On voit que cette théorie des figures et des formes est inséparable d'une théorie de la couleur. Une des séries de tableaux qui le montre le mieux est celle consacrée, aux environs de 1900, aux carrières de Bibémus, où le motif, géométrique par excellence, des pierres, en longues tailles verticales, ne peut s'entendre qu'en relation avec la couleur de ces pierres, les ocrejaune qui structurent les volumes et les allègent à la fois. C'est bien pourquoi Cézanne aimait ces carrières. Allègent : c'est sûrement le mot juste, si l'on se rapporte à cette autre citation, toujours extraite des conversations avec Gasquet, où Cézanne explique comment il entend la « géométrisation » : « Une logique aérienne, colorée, remplace brusquement la sombre, la têtue géométrie. Tout s'organise, les arbres, les champs, les maisons. Je vois. Par taches... Une nouvelle période vit. La vraie. Celle où rien ne m'échappe, où tout est dense et fluide à la fois, naturel. »

Il est clair que, disant cela, il se refuse à théoriser (au moment même où le mot de théorie revient, assez souvent, dans sa bouche). C'est qu'il veut que ce travail, ces découvertes se réalisent dans une sorte d'appréhension spontanée, directe, de la réalité. « Au fond, je ne pense à rien quand je peins. Je vois des couleurs. Je peine, je jouis à les transporter, telles que je les vois, sur ma toile. Elles s'arrangent au petit bonheur, comme elles veulent. Des fois, ça fait un tableau. Je suis une brute. Bienheureux, si je pouvais être une brute... » Un primitif, aussi. Il prononce volontiers le mot : « Il me semble, à certains jours, que je peins naïvement. Je suis le primitif de ma propre voie. » Mais, c'est pour ajouter aussitôt : « Je voudrais, avec la foi de ma gaucherie, écoutez un peu, atteindre la formule... » Ah, cette *formule*! Décidément, elle l'obsède, malgré tout. Il écrira à son fils, le petit Paul devenu grand, qui tendra parfois, dans sa vieillesse, à devenir son confident artistique : « Une formule d'art est parfaite quand elle est adéquate au caractère et à la grandeur du sujet interprété. »

C'est exactement cela, avec la Sainte-Victoire. La meilleure définition du *motif* que Cézanne ait pu donner à Gasquet est peut-être celle qu'il a ramassée dans un geste. A la question précise qui lui était posée, il aurait répondu : « Un motif, voyez-vous, c'est ça : *Il joint les mains, les écarte, les dix doigts ouverts, les rapproche lentement, lentement, puis les joint, les serre, les crispe, les fait pénétrer l'une dans l'autre.* » Tout à fait beau, le geste. Rilke admirait beaucoup cette impuissance de Cézanne à s'expliquer et cette façon, qu'il avait, de substituer à la parole le geste, l'acte, le fait. Dans sa lettre à Clara du 27 octobre 1907 : « Un peintre qui écrivait, donc un peintre qui n'en était pas un, a voulu inciter Cézanne aussi à s'expliquer en lui posant des questions de peinture ; mais quand on lit les quelques lettres du vieillard, on constate qu'il en est resté à une ébauche maladroite, et qui lui répugnait infiniment à lui-même, d'expression. Il ne pouvait presque rien dire. Les phrases où il s'y efforce s'étirent, s'embrouillent, se hérissent, se nouent, et il finit par les abandonner, furieux. En revanche, il parvient à écrire très clairement : " Je crois que ce qui vaut mieux, c'est le travail. " Ou bien : " Je fais tous les jours des progrès, quoique lentement. " Ou bien : " Je vous répondrai avec des tableaux. " »

Rilke a tout à fait raison. Aux questions, inépuisables, posées par la Sainte-Victoire : *Je vous répondrai avec des tableaux.*

Aujourd'hui, la route qui conduit d'Aix au Tholonet et au-delà porte le nom de route Cézanne. Elle est très empruntée et permet de découvrir le pays d'Aix dans ce qu'il a de plus caractéristique. La jonction de la campagne et de la ville se fait aux environs de l'ancien pont de la Torse où s'édifient maintenant de calmes immeubles résidentiels — Jardins d'Arcadie *ou* Jardins de la Torse — *sous le signe* « Art et Construction ». *Passé ces zones, la route plonge et remonte plusieurs fois vers le paysage de la Sainte-Victoire. Des pins, des cyprès, des oliviers, le chant des cigales, très fort, l'été. Incroyable de stridence*

quelquefois, dans le silence de midi. Des propriétés, des « campagnes » très belles, très abritées, aux noms riants. Des maisons, des résidences, qui rappellent que la peinture est présente en ces lieux, rôde partout. L'atelier de Léo Marschutz, niché dans les arbres à gauche, qui continue à recevoir des élèves. La maison d'André Masson, plus bas, à droite. Plus loin, à gauche, l'étrange bâtisse, très cachée, très enfouie, de Château-Noir : curieuse façade avec ses trois fenêtres en arc brisé à bordures de briques. Lieu assez âpre, très protégé, où viennent séjourner des artistes, des créateurs, des peintres. Cézanne y louait une pièce dans le cabanon de la cour dite « du pistachier » (un bel arbre exotique aux branches convulsées) : il rêva un moment, après la vente du Jas de Bouffan, d'acheter la propriété entière, attirante à ses yeux par son emplacement et son aspect sauvage.

Mais aussi, sur cette route, d'autres repères. Nombreux embranchements de chemins de terre. Vallonnements, tertres, tournants. Brutal et douloureux rappel de l'histoire : dans une courbe, une « plaque du souvenir placée sous la sauvegarde du passant », hommage au souvenir de six jeunes résistants fusillés là en août 1944. Et puis, bien entendu, ce qui commémore surtout Cézanne lui-même. Sur ce talus de terre rouge du côté gauche de la route où il était supposé monter, avant le chemin de Saint-Jacques, on a posé une petite stèle, très sobre, qui indique : « D'ici, Cézanne a peint le paysage de la Sainte-Victoire. » Le paradoxe est que, de cet endroit précis, aujourd'hui, en raison du développement des frondaisons, de la modification de l'implantation végétale, la Sainte-Victoire n'est plus visible. Autre stèle, véritable petit mémorial portant l'effigie du peintre en médaillon, à la sortie du Tholonet, entre le chemin

du Doudon et une propriété appelée « L'Ensou-
leiado », devant une butte où l'on a conservé et res-
tauré le corps d'un moulin à vent.

Mais, bien entendu, c'est la montagne Sainte-Victoire elle-même qui garde la plus grande valeur commémorative. Dès le point de la route où elle fait sa
première apparition, elle a cette force exceptionnelle
qui fait qu'elle est à la fois toute pierre et tout soleil,
toute massivité et toute lumière, admirablement
découpée, taillée dans la clarté de ce ciel. Et, si
habitué qu'on soit, on n'en est pas moins visité
chaque fois par la surprise sinon l'éblouissement.

Le Tholonet est d'abord une halte. Ombrage des
platanes en longue allée. Fraîcheur du site du château, maintenant dévolu aux services du canal de
Provence, cafés-restaurants aux terrasses ombreuses,
dont l'un ne pouvait que s'appeler Relais Cézanne.
Croisement de sentiers et de pistes, menant vers le
barrage Zola et les gorges de l'Infernet. Au-delà du
Tholonet, la route reprend, et la Sainte-Victoire ne
cesse plus de se cadrer dans le regard. De nouveau,
campagnes, propriétés. Embranchements des chemins de Beaurecueil et de Puyloubier. Entrée de la
forêt des Roques-Hautes, magnifiquement aménagée
aujourd'hui. Ferme et oratoire de l'Hubac. Débris
d'un aqueduc romain. Appels véhéments partout, au
milieu des pins, des terres rouges, à la protection de
la nature. Puis, au bout de la route, un endroit qui
s'appelle Le Bouquet, avec un petit pont sur les escarpements et les clairs trous d'eau du ruisseau Bayon.

Là, on a l'impression d'être au pied du massif, de
le toucher. La masse calcaire, avec ses tons roses dans
le bas, ses ombres bleues qui se creusent, s'allongent
partout dans la pierre, atteint un tel degré de présence, de relief et de transparence à la fois, qu'on est

à l'opposé à peu près absolu de la distance, de l'éloignement que requérait le travail de Cézanne. Mais la Sainte-Victoire est là, indubitable, irrécusable. On a les yeux sur elle. On peut d'ailleurs encore l'approcher davantage si l'on prend, avant Le Bouquet, la route en lacet qui monte vers Saint-Antonin-sur-Bayon et passe sur la barre du Cengle. Peter Handke a parcouru cet itinéraire et a voulu en tirer une « leçon de la Sainte-Victoire ». Rien de plus étonnant que l'instant où il se demande s'il doit regarder la terre ou le ciel, où il décide de « se faire comparaître » lui-même dans la pensée de Cézanne : « En présence de la beauté, ne pense pas toujours à des comparaisons avec le ciel. Regarde la terre, plutôt. Parle de la terre ou de ce simple endroit. Nomme-le, avec ses couleurs. »

Pour qui est arrivé à ce degré de proximité de la Sainte-Victoire, il est clair que, dans sa réalité géologique et géographique, de cette face-là, avec ses immenses parois, elle apparaît comme un prodigieux massif pour alpinistes. On découvre qu'elle est vraiment montagne, qu'elle appelle l'« ascension ». Les amateurs de simple promenade, d'escalade et de marche, la prendront par-derrière, par la face nord, à partir du chemin dit des Venturiers qu'on trouve en allant vers le village de Vauvenargues. Ils atteindront son sommet dans des conditions raisonnables et parviendront jusqu'à sa haute Croix de Provence, jusqu'à son prieuré, jusqu'au bizarre gouffre du Garagaï qui troue sa cime. Mais, là, ils auront inversé complètement la situation par rapport à Cézanne : la Sainte-Victoire non plus vue, mais offrant la vue, sans limites, c'est-à-dire perdue, disparue, pur point optique dans l'altitude.

Il faudra donc, selon le conseil de Handke, revenir

sur terre. La meilleure façon sera peut-être, en regagnant Aix, de s'avancer sur ce chemin de Bibémus, qu'on prend aussi sur la route de Vauvenargues, qui conduit vers de merveilleux sites enfouis dans la pinède, mais surtout vers un plateau — le plateau du Marin — où la Sainte-Victoire se retrouve dans toute sa beauté altière et distante au milieu d'un paysage admirablement plan. Cézanne aimait la voir et la peindre de là. Et la proximité des fameuses carrières de belle mollasse coquillière jaune le rassurait peut-être. Il n'en reste plus grand-chose aujourd'hui. Mais ce paysage, malgré tout, sent la pierre. Le chemin est caillouteux. Des blocs erratiques parsèment les sousbois. Un sculpteur qui s'appelle David Campbell y a construit une fontaine et y propose des travaux de taille de pierre à l'ancienne. Les pins. Les cigales. Une citerne entre les arbres. Le roc. Le soubassement d'un sol jaune et dur. Là-bas, entre les branches, l'horizon. Le massif, la grande nef. Oui, vraiment, le motif.

32

Portrait d'Ambroise Vollard

Ambroise Vollard. Pleinement de face. Les jambes croisées, le buste droit, le regard légèrement orienté vers le bas. Position non de lecture, malgré le journal, le feuillet ou le livre qui est serré dans la main droite, mais plutôt de méditation, de concentration intérieure. Regard abaissé sur quelque point inconnu de l'espace, de l'imaginaire.

Cézanne aime bien ces hommes assis. Celui-ci est encore jeune. Vêtu d'une façon qui dénote l'aisance, et même l'assurance dans la société : belle redingote, beau gilet, le tout ouvert sur un plastron blanc avec cravate papillon longuement étirée. Un visage à l'ovale régulier, avec des cheveux soignés, la barbe-moustache fine de tous ces messieurs de l'époque, et une lumière jaune d'une audace extraordinaire. Le peintre, visiblement, n'a pas eu peur de donner dans le chlorotique, comme il le fait si bien quelquefois ; pourquoi le vert serait-il réservé aux végétaux, à la nature ? Il y a du vert partout ici, dans ce costume, dans cette main, dans ce fond, où tout le jeu des couleurs de la palette semble évoquer le marchand de tableaux, chez lui, à pied d'œuvre.

Ambroise Vollard, marchand d'art en chambre. Il *veut* Cézanne. Depuis 1893, il a un petit magasin, rue Laffitte. Il y exposera Cézanne. Il a été impressionné par l'affaire du legs Caillebotte et a bien vu que, si l'on avait retenu son

Estaque et sa *Cour de ferme à Auvers,* on avait refusé son *Bouquet de roses* et ses *Baigneurs au repos,* c'est-à-dire son audace. De tout côté, il entend dire que Cézanne devrait enfin connaître son heure. Pissarro, Renoir, Degas insistent en ce sens auprès de lui. Il est à peu près décidé. Le seul problème est qu'il ne sait pas où trouver Paul. On dirait qu'il a disparu en cette année 1895. Est-il à Fontainebleau ? Est-il à Avon ? Quand Vollard finit par retrouver sa trace, il a déjà regagné Aix. Heureusement, son fils est à Paris avec sa mère, et ce fils-là commence à se trouver en âge d'être un jeune *manager* avisé pour son père. Il agit efficacement. Si efficacement que près de cinq cents toiles sont déposées, en vrac, rue Laffitte.

C'est une extraordinaire, une folle exposition. La provocation n'en est pas absente, puisque des nus, ces fameux *Baigneurs au repos* notamment, y sont bien en montre. Tous les amis sont là. Beaucoup achètent publiquement, en signe de soutien. Monet, Degas, Pissarro achètent, échangent. Le monde de l'art tout entier est traversé d'un certain étonnement. Geffroy reprend la parole pour dire que Cézanne ira au Louvre et dans « les musées de l'avenir ». Des gens de finance, des souverains, de riches collectionneurs ouvrent l'œil, dressent l'oreille. Et, comme il arrive toujours dans ce genre de situation, les adversaires organisent le contre-feu. Force est de constater qu'ils utilisent toujours les mêmes armes. Celle de la bêtise, énorme et sans complexes. Un certain Georges Denoinville, dans le *Journal des artistes* du 1er décembre, s'écrie : « Cézanne *(sic),* ouvre-toi ! ». Il reproche au peintre d'avoir laissé exposer certaines toiles non signées, et cette absence de signature est, selon lui, particulièrement grave dans le cas de « la cauchemardante vision de ces atrocités à l'huile, dépassant aujourd'hui la mesure de la fumisterie légalement autorisée ». Et les mythes douteux de *l'Œuvre* refont surface. Arsène Alexandre, dans *le Figaro,* se demande si l' « on va soudain découvrir que l'ami de Zola, le mystérieux Provençal, le peintre à la fois incomplet et inventif, malin et farouche, est un grand homme ». Si l'on peut ouvrir à ce propos une parenthèse, il faut constater que Zola persistera dans son point de vue, donnant encore, dans le même *Figaro* en 1896, Cézanne pour « un grand peintre avorté dont on s'avise seulement aujourd'hui de découvrir les parties géniales », mais que Paul, lui, ne parlera plus d'Émile, sinon dans des moments d'explosion. Vollard, précisément, a rapporté qu'un jour il se serait écrié avec fureur : « On ne peut pas exiger, d'un homme qui ne sait pas, qu'il dise des choses raisonnables sur l'art de peindre, mais, nom de Dieu, comment peut-il oser dire qu'un peintre se tue parce qu'il a fait un mauvais tableau ? Quand un tableau n'est pas réalisé, on le fout au feu et on en recommence un autre ! » Et Émile Bernard lui a prêté ces propos : « Zola ne voyait que lui. C'est ainsi que *l'Œuvre*, où il a prétendu me peindre, n'est qu'une épouvantable déformation, un mensonge tout à sa gloire. »

En attendant, même si les mythes ont la vie dure, c'est à lui, Paul Cézanne, que la gloire semble commencer à sourire. Ambroise Vollard jubile dans son coin.

Il est un des premiers à avoir écrit une biographie de Cézanne. Des notes, du moins, des souvenirs, des détails piquants, du pittoresque (tant de pittoresque quelquefois que René Huyghe a pu parler d'un personnage « Cézanne-Vollard-Ubu »), avec probablement une intention publicitaire. Mais il y a au moins une chose dont Vollard peut témoigner sans détour, c'est la façon dont Cézanne l'a peint. Car il a été portraituré, lui aussi, comme on l'a vu. Il n'a pas échappé à l'hommage. Et il n'a pas échappé non plus à l'épreuve. Record battu : il fallut plus de cent séances de pose. Pratiquement, tous les jours, de huit heures à onze heures et demie. Cela se passe encore à une nouvelle adresse, rue Hégésippe-Moreau, à la villa des Arts. Une estrade constituée d'une chaise sur une caisse. Un équilibre peu sûr. Mais, bien entendu, il ne faut pas bouger. Vollard note que Cézanne considère les gens « comme des pommes ». Un jour, il s'endort et tombe de l'échafaudage. Paul, courroucé, lui fait observer qu'il a « dérangé la pose ». Il essaie de la retrouver. Ainsi, de jour en jour. Voici comment il a résumé les choses :

« Lorsqu'il commençait sa séance, ou reprenait son travail interrompu, Cézanne, le pinceau levé, me regardait les yeux fixes, un peu durs ; cette fois, il semblait inquiet ; je l'entendis qui mâchait rageusement entre ses dents : " Ce Dominique est bougrement fort... ", allusion à Ingres ; puis, donnant un coup de pinceau et se reculant pour juger de l'effet : " mais il est bien em... ".

« Chaque après-midi, Cézanne allait dessiner au Louvre ou au Trocadéro, d'après les maîtres. Quelquefois, vers les cinq heures du soir, il s'arrêtait un instant chez moi et me disait, le visage respirant de bonheur : " M. Vollard, j'ai une bonne nouvelle à vous apprendre : je suis assez satisfait de mon étude de ce tantôt ; si le temps demain est gris clair, je crois que la séance sera bonne. " C'était là une de ses principales préoccupations, la journée terminée : quel temps aurait-on le lendemain ? Comme il se couchait de très bonne heure, il lui arrivait souvent de s'éveiller au milieu de la nuit. Toujours hanté par son idée, il regardait le ciel de sa fenêtre ; puis, une fois fixé sur ce point important, avant de regagner son lit, il allait, une bougie à la main, revoir l'étude qui était en train. Si l'impression était bonne, il voulait faire partager sur l'heure sa satisfaction à sa femme ; il allait donc la réveiller ; après quoi, pour la dédommager de ce dérangement, il l'invitait à faire une partie de dames avant de se recoucher. »

On notera, au-delà de l'anecdote, les indications selon lesquelles Cézanne reprenait alors le chemin du Louvre ou d'autres musées (le Trocadéro, musée de sculpture) pour retrouver la vieille discipline de « copier », de dessiner d'après les maîtres. Et une information intéressante sur son attachement au temps *gris clair*, confirmé par Maurice Denis dans son *Journal*, à peu près à la même époque : « S'il fait du soleil, il se plaint ; il lui faut le *jour gris.* » C'est aussi Ambroise Vollard qui a insisté sur son goût du silence et son horreur des aboiements de chiens : « Un autre bruit insupportable à Cézanne était l'aboiement des chiens. Il y en avait un dans le voisinage, qui donnait quelquefois de la voix, pas très fort, il est vrai ; mais Cézanne retrouvait, pour les sons qui lui étaient désagréables, une ouïe d'une extrême finesse. Un matin, comme j'arrivais, il vint à moi tout joyeux : " Ce Lépine, le préfet de police de Paris, est un brave homme ! Il a donné l'ordre d'arrêter tous les chiens : c'est dans *la Croix.* " » Aversion confirmée par Jean Royère qui raconte qu'allant un jour rendre visite à Cézanne, accompagné du fils de celui-ci, il trouva le peintre dans un état de grande exaspération, criant : « Ce chien qui aboie là-bas, depuis une heure... J'ai dû tout laisser en plan ! » Il est clair que, dans cette période, les témoignages se multiplient, qui non seulement tendent à constituer une sorte de portrait-légende collectif de Cézanne, mais font surtout apparaître la réelle considération attentive dont il commence à bénéficier.

Vollard est évidemment très sensible à cela, et la deuxième exposition qu'il organise en 1898 est une nouvelle illustration de l'importance que prend l'œuvre de Cézanne à ses yeux. Entre-temps, il est allé à Aix se rendre compte sur place de l'audience que le peintre pouvait avoir dans sa propre ville, soucieux surtout de voir s'il n'était pas possible d'y récupérer un certain nombre de toiles de lui. Le temps des « affaires » approche. Vollard est avisé et le fils de Cézanne, le petit Paul, qui a grandi non seulement en âge mais aussi en expérience, lui est, sur ce plan, un auxiliaire de plus en plus précieux. Il l'aide à arranger ce séjour. Vollard a raconté, en forçant sur le pittoresque, qu'à Aix il était allé de surprise en surprise, et il a fortement contribué à répandre la légende selon laquelle il n'y avait, là, qu'« à se baisser pour *ramasser* des Cézanne ». C'était peut-être ce qu'il pensait, ou ce qu'il attendait. Renoir n'avait-il pas affirmé avoir découvert une aquarelle de *Baigneuses* dans les collines de L'Estaque ? N'y avait-il pas ces rumeurs sur les toiles abandonnées dans les auberges ou sur le terrain ? Jetées par la fenêtre avec rage ? La réalité était un peu différente. Devant la réputation montante de Cézanne, les gens, à Aix, se butaient tout simplement, se muraient dans l'hostilité, faisaient tout pour déprécier l'œuvre de ce peintre dont on commençait à trop parler et qui, pour eux, restait un barbouilleur raté peignant « tout de travers ». Vollard le sentit, très vivement. Ici, on lui refuse de céder des tableaux que l'on préfère laisser dans un grenier, abandonnés aux rats. Là, on lui répond cyniquement que, les toiles de Cézanne, on s'en sert pour peindre par-dessus. Ailleurs, on lui montre des œuvres de l'artiste jetées pêle-mêle sur un palier, dans une atmosphère de bric-à-brac, au milieu d'objets promis au rebut. Bien entendu, ce que Vollard dit moins, c'est que ces situations piquantes sont sources de bonnes affaires. On est hostile à Cézanne, mais on ne refuse pas quelques billets, on essaie de flairer le bénéfice, tout un trafic de mauvais aloi se met en place, qui repose moins sur un pari en faveur de Cézanne que sur la constatation atterrée et sarcastique qu'une pareille peinture peut se vendre !

Quant à Paul lui-même, il est bien entendu étranger à cela, mais Vollard a le privilège de le voir au travail dans son atelier du Jas. A ses yeux — mais toujours le pittoresque publicitaire ! —, il est parfaitement conforme à son image. Il peint comme un furieux. Il larde des toiles dont il est mécontent de coups de couteau à palette. Il en jette jusqu'au milieu des branches des arbres du parc. Il en veut à tout le monde. Vollard ayant eu un jour l'imprudence de parler, lors d'un repas, de Gustave Moreau comme d'un « excellent professeur », il prend la mouche, relève le mot et se lance dans une diatribe frénétique contre les *professeurs*, allant jusqu'à poser si brusquement son verre sur la table qu'il le brise : « Les professeurs, ce sont tous des salauds, des châtrés, des jean-foutre ; ils n'ont rien dans le *venntrrre* ! » (Il se dira pourtant très heureux de « faire agréer » deux toiles par Georges Dumesnil, professeur de philosophie à la faculté des lettres.) Sans doute pensait-il à ceux qui avaient été ses maîtres ou ses condisciples à Aix, Gibert, Villevieille ? Il n'était pas question qu'ils mettent le grappin sur lui, maintenant que les choses changeaient un peu. Eux ni leurs descendants. Eux ni personne. Ni les ennemis ni les amis. Personne. Même ce cher Ambroise Vollard ne mettrait pas le grappin sur lui.

33

« Je suis comme mort »

Sur le cours Mirabeau, un jour de 1896, alors qu'il se trouve avec quelques amis au café Oriental, Paul est abordé par un jeune homme timide et distingué, qui lui dit, tout de go, son admiration pour sa peinture et en particulier pour deux toiles qu'il vient de voir exposées aux « Amis des Arts », un *Champ de blé* et une *Sainte-Victoire* (ce n'est rien moins que *la Sainte-Victoire* Courtauld, de Londres). Car, les « professeurs » et leurs élèves, constitués en société artistique de province, avec Villevieille à leur tête, ont décidé de faire une petite place parmi eux à ce peintre dont on parle et qui a au moins une qualité indéniable, celle d'être leur concitoyen. Ils lui ont donc demandé deux toiles, puisque « c'est cela qu'on aime à Paris », et il a accepté. Le jeune homme a vu. Il est conquis.

C'est une chance sans prix d'être admiré par un jeune homme. Sur le moment, Paul pense qu'une fois de plus « on se fiche de lui ». Mais ce garçon a l'air sincère. Non seulement sincère, mais amical. Il se révèle d'ailleurs que c'est le fils d'un ami. Le boulanger Henri Gasquet, retiré maintenant, mais qui a été un camarade de collège de Paul, est toujours resté un fidèle compagnon. Le fils, lui, s'appelle Joachim. Il est très doué, il fait déjà dans la poésie, la littérature, il anime un cercle, il a fondé une petite revue. Entre le vieux peintre et le jeune poète va naître une amitié qui sera importante, pendant quelques années, et éclairera la vie et le travail de Cézanne d'une manière originale. Sur le coup, ils se voient presque tous les jours et parlent, discutent, font ensemble des excursions dans la campagne, sur le terrain. Gasquet est fébrile, il fait partager son enthousiasme à son père, tout étonné de voir son camarade d'autrefois bénéficier sur le tard d'une telle promotion « admirative », et à sa jeune femme, Marie Girard, reine du félibrige : car Joachim Gasquet est félibre, régionaliste, de sensibilité de droite, entouré d'hommes comme Joseph et Charles Maurras, Xavier de Magallon, Emmanuel Signoret, Paul Souchon, Jean Royère, José d'Arbaud, qui se réclament d'une renaissance de l'art et du beau. Paul, de son côté, est ému. Profondément ému de se sentir enfin admiré pour la réalité de son travail de peintre. Il faut citer tout entière, à ce propos, la lettre qu'il adresse à Gasquet le 30 avril 1896 et qui est justement porteuse d'une charge singulière d'émotion vraie. C'est un étonnant document sur Cézanne vieillissant. D'autant plus étonnant qu'elle a été écrite après un malentendu (une fois de plus, les surprises de l'humeur de Cézanne !) et une autre rencontre sur le cours Mirabeau :

« Cher monsieur Gasquet,
Je vous ai rencontré au bas du Cours ce soir, vous étiez accompagné de Mme Gasquet. Si je ne me trompe, vous m'avez paru fortement fâché contre moi.
Si vous pouviez me voir en dedans, l'homme du dedans, vous ne le seriez pas. Vous ne voyez donc pas à quel triste état je suis réduit. Pas maître de moi, l'homme qui n'existe pas, et c'est vous qui voulez être philosophe, qui voulez finir par m'achever ? Mais je maudis les Geffroy et les quelques drôles, qui, pour faire un article de 50 francs, ont attiré l'attention du public sur moi. Toute ma vie, j'ai travaillé pour arriver à gagner ma vie, mais je croyais qu'on pouvait faire de la peinture bien faite sans attirer l'attention sur son existence privée. Certes, un artiste désire s'élever intellectuellement le plus possible, mais l'homme doit

rester obscur. Le plaisir doit résider dans l'étude. S'il m'avait été donné de réaliser, c'est moi qui serais resté dans mon coin avec les quelques camarades d'atelier avec qui nous allions boire chopine. J'ai encore un brave ami de ce temps-là [Emperaire ?], eh bien, il n'est pas arrivé, n'empêche qu'il est bougrement plus peintre que tous les galvaudeux à médailles et à décorations, que c'est à faire suer ; et vous voulez qu'à mon âge je croie encore à quelque chose ? D'ailleurs, je suis comme mort. Vous êtes jeune, et je comprends que vous vouliez réussir. Mais, à moi, que me reste-t-il à faire dans ma situation ? C'est de filer doux et, n'eût été que j'aime énormément la configuration de mon pays, je ne serais pas ici.

Mais je vous ai assez embêté comme ça et, après que je vous ai expliqué ma situation, j'espère que vous ne me regarderez plus comme si j'avais commis quelque attentat contre votre sûreté.

Veuillez, cher Monsieur, et en considération de mon grand âge, agréer mes meilleurs sentiments et souhaits que je puisse faire pour vous. »

Paul Cézanne.

Cette lettre, d'une grande sincérité, est à l'origine d'une correspondance où, visiblement, Cézanne sera heureux de confier à son jeune ami quelques-unes des réflexions qui lui tiennent le plus à cœur (« L'art est une harmonie parallèle à la nature — que penser des imbéciles qui vous disent que l'artiste est toujours inférieur à la nature ? », du Tholonet, 26 septembre 1897), de lui faire part de ses lectures — Flaubert qu'il relit —, de son intérêt pour les revues qu'il lui envoie. Il aura en outre, vraiment, de très longues et passionnantes conversations avec lui. Enfin, il trouvera dans son foyer, dans sa famille, une amitié vraie. Cela durera ce que cela durera. Il y a toujours un moment, avec Cézanne, où les meilleures relations se dégradent ou butent sur quelque chose. En 1904, les rencontres avec Gasquet (devenu « châtelain » à Éguilles !) cessèrent, et l'accord prit fin. Il en demeura deux choses. Un portrait. Car Joachim, bien sûr, n'échappa pas au pinceau du maître : on peut donc le voir aujourd'hui, à la galerie Národní de Prague, altier, noble, visage clair et ferme, œil ouvert, abondante chevelure, une belle construction d' « homme de lettres ». Et un livre. Ce *Cézanne*, plein de conversations rapportées, qui sont une mine. Elles touchent à des sujets essentiels, on a eu l'occasion de le voir. Mais elles n'évitent pas la mise en scène dialoguée où, comme le notait Edmond Jaloux, Gasquet veut un peu trop être Platon en face de Cézanne-Socrate. Le résultat, c'est qu'un homme réputé taciturne semble ne faire là que parler. Mais, après tout, n'était-il pas intéressant de faire remonter à la parole tout ce que Cézanne *taisait*?

Il est en tout cas à retenir que Paul se montre très sensible au regard que les générations montantes semblent porter sur lui (à Gasquet, précisément: « Je suis peut-être venu trop tôt. J'étais le peintre de votre génération plus que de la mienne. »). Il aime avoir à faire avec des jeunes poètes comme Jean Royère, des jeunes artistes, avec les enfants de ses vieux amis, le fils de Philippe Solari, Émile, par exemple, avec lequel non seulement il excursionne, mais aussi correspond volontiers. Les jeunes n'ayant pas toujours la manière et connaissant parfois mal les humeurs du maître, il arrive que des épines se mêlent aux fleurs. C'est ce qui se produisit avec le jeune peintre Louis Le Bail, envoyé par Pissarro. Premier contact enthousiaste — Paul se confie, s'épanche, « se débonde », comme il dit —, puis, parce qu'un jour Le Bail est entré dans sa chambre pendant qu'il faisait la sieste et l'a sans doute imprudemment « touché », un billet à peu près identique à celui adressé naguère à Oller: « Monsieur, la façon un peu trop cavalière avec laquelle vous vous permettez de vous présenter chez moi n'est pas pour me plaire. Vous voudrez bien vous faire annoncer à l'avenir. »

Il est vrai que cela se passait à Montgeroult, près de Pontoise. De temps en temps, en effet, Paul aime revenir dans la région parisienne. Mais il devient de plus en plus réservé et prudent en fait de voyages. En 1896, il est allé faire une cure à Vichy, puis a séjourné quelque temps à Talloires, sur le lac d'Annecy : il en a rapporté une vue du lac qui est une de ses plus belles œuvres (et montre au passage qu'il pouvait saisir des paysages, à l'occasion, hors de la Provence et hors de l'Ile-de-France). Mais il écrit à Solari : « Quand j'étais à Aix, il me semblait que je serais mieux autre part ; maintenant que je suis ici, je regrette Aix. » Petite phrase assez révélatrice d'un sentiment que Cézanne éprouve en permanence à propos d'Aix, un mouvement plutôt qui l'agite pendant toute sa vie et qui est un vrai mouvement de diastole-systole : battement d'un cœur qui, à chaque éloignement de la ville natale, ressent le besoin de s'y recharger d'un sang neuf.

Pourtant, et il le sait, tout n'est pas gratifiant dans cette ville. Le souvenir de Louis-Auguste rôde, et l'on comprend mal que le fils d'un si âpre banquier puisse faire dans la peinture — activité marginale entre toutes — hors des vraies responsabilités professionnelles ou sociales, à moins d'être un peu « toqué ». Il en résulte un sourd, mais tenace ressentiment. Paul a cru, un jour, entendre dans la rue, à son passage : « Au mur ! On fusille des peintres pareils. » Et puis, il y a cette histoire, probablement arrangée, mais qui a circulé longtemps, des garnements qui le poursuivent en lui jetant des pierres ou en lui criant : « *Vaï pintrar de gabi !* » (« Va peindre des cages ! »). Sans parler, bien entendu, de l'hostilité officielle des milieux des beaux-arts chez qui la manifestation-exposition des « Amis des Arts » n'était vraiment que l'exception qui confirme la règle : on ne peut oublier l'anathème lancé par Henri Pontier, qui avait juré qu'aucun tableau de Cézanne n'entrerait de son vivant au musée d'Aix. Cézanne, il est vrai, ne voyait en lui qu'un « sale mufle », comme il le dit dans une lettre à son fils. Et il rendait bien à ses concitoyens leur animosité, à l'occasion : c'est encore dans une lettre à son fils, on s'en souvient, qu'il parle de ce « tas d'ignares, de crétins et de drôles » que sont à ses yeux les « intellectuels » de son pays. Il aimait pourtant profondément Aix, mais l'image qu'il aurait voulu en garder était celle de sa jeunesse, celle du temps de la camaraderie avec Zola. Celui-ci, probablement, était un grand moment de sa mémoire. Mais un moment effacé. On raconte qu'ils auraient pu se revoir tous les deux, en cette année 1896, à l'occasion d'un passage de l'écrivain à Aix, chez Numa Coste. Paul était prêt à la rencontre, aux retrouvailles : mais un mot malheureux d'Émile, rapporté avec malveillance sans doute, l'aurait de nouveau blessé et éloigné. L'Affaire Dreyfus ne le rapprocha pas : à l'heure où Zola se battait, Cézanne se sentait plutôt à l'aise dans le camp des gardiens de la « bonne pensée » qui rassurait ses vieux jours. Non, décidément, cet Aix de leur jeunesse commune était loin. C'était à Aix pourtant que Cézanne vivait, respirait. Phrase étonnante de lui, à Jules Borély, en 1902 : « Je vis dans la ville de mon enfance et c'est dans le regard des gens de mon âge que je vois le passé. » La permanence, est-il besoin de le dire, il la trouve dans les lieux, les sites et les paysages. Le motif, toujours. Pas de fléchissement sur ce point. Toujours la verdeur, la disposition « matinale » des jeunes années. A Solari (le père), ce court billet d'août 1897 : « Dimanche, si tu es libre, et si ça te fait plaisir, viens déjeuner au Tholonet, restaurant Berne. Si tu viens le matin, tu me trouveras vers huit heures auprès de la carrière où tu faisais une étude l'avant-dernière fois que tu vins. »

Mais une coupure était prévisible. Celle que devait signifier la mort de la mère. En 1897, justement. A quatre-vingt-trois ans. Elle était devenue infirme et perdait un peu la tête. Il l'emmenait quelquefois en promenade dans une voiture de louage, selon Gasquet, et l'entretenait de

« mille plaisanteries affectueuses ». Selon Gasquet toujours, il la voit « fluette comme une enfant » sur son lit de
mort, il a envie de la peindre, il n'ose pas : il va chercher
Villevieille, un peintre « sérieux »... D'un seul coup, c'est
aussi la fin du Jas de Bouffan. La propriété sera mise en
vente deux ans après. Exigences de famille. Impossibilité
de continuer à vivre dans ces lieux que la mort a dépeu-
plés. Arrachement. Déchirement. Heureusement, la
nature est partout. Le souvenir partout.

34

Femmes, baigneuses, pommes

Il y a pourtant cette tête de vieille femme. Ce n'est pas la mère de Paul. C'est une ancienne religieuse, une sœur tourière, que Marie Cézanne connaît et qu'elle aide de sa charité. Elle s'est échappée du couvent, dit-on, et sert, comme bonne, chez un notable. Paul l'aide aussi, comme il peut. Et il la peint. Dix-huit mois qu'il tourne autour de ce visage hagard et douloureux, de ces épaules voûtées.

Cela donne cette admirable *Vieille au chapelet*, où semble s'être enclose, résumée, toute la douleur de la vieillesse et de la déréliction. On ne peut pas dire qu'elle a les mains fermées sur son chapelet : elle a les *poings* fermés sur son chapelet, ce sont vraiment ses poings, frêles et osseux, qui égrènent la prière (les grains rouge sombre sur ce tablier bleu). Elle est toute tendue et, en même temps, toute cassée, dans ce geste de piété qui paraît être la seule chose qui la retienne au monde. Une sorte de cape, de mante noire, couvre ses épaules et ses bras. Une coiffe festonnée, blanche traversée de traces mauves, protège sa tête. Et c'est là que, sous la coiffe, si l'on regarde de près, si l'on pose l'œil sur le tableau, on voit ce visage jaune, comme aveugle, incroyablement parcheminé, les lèvres serrées, avec seulement une ou deux taches ou filaments rouges, pour relever les ombres des orbites creusées, de la joue creusée. Éternelle vieille, dans sa méditation. La mort proche. Tout le poids de la vie. Cézanne, sous ce poids. Cézanne se penchant peut-être sur lui-même. Cette absence un peu hagarde. Mais ce fantastique recueillement.

Selon Gasquet, le peintre déclarait avoir cherché dans ce tableau « un ton à la Flaubert, une atmosphère, quelque chose d'indéfinissable, une couleur bleuâtre et rouge qui se dégage, il me semble, de *Madame Bovary* ». Étrange. *Madame Bovary* et *Un cœur simple*, quelque part accordés peut-être. Cézanne, à ce moment-là, se replonge volontiers dans des lectures primordiales. Non seulement Flaubert, mais Stendhal, Baudelaire et, le plus naturellement du monde, Virgile. En fait, l'important, c'est que cette vieille servante, portraiturée avec tant d'amour et de respect, soit très loin de la littérature et qu'elle soit pourtant aussi une *femme*. Le mot aurait-il alors perdu pour Cézanne son sens profane ? Certainement pas. Et l'étonnant est que, dans la même période, la grande évocation fantasmatique et nostalgique des *Baigneuses* se poursuit. Sans rémission. Sans véritable interruption. Il faut bien en convenir : c'est le thème auquel le vieil homme qu'est devenu Cézanne (c'est du moins lui qui le dit, le répète, signant de plus en plus fréquemment ses lettres : « votre vieil ami », « votre vieux confrère », « ton vieux père », etc.) continue à se vouer avec le plus de ferveur et d'allégresse. Aurait-il une fois pour toutes conjuré ses démons ? Il ne semble pas. Émile Bernard a rapporté la petite histoire que voici. « Il me narra un jour le fait suivant : " J'avais un jardinier que j'employais depuis quelque temps ; il était père de deux filles et, quand il venait arranger mon jardin, il me parlait toujours d'elles. Je feignais de m'y intéresser comme je m'intéressais à lui qui me semblait être un brave homme. J'ignorais donc l'âge de ces deux pucelles et je les imaginais plutôt fort jeunes. Un jour, il se présente chez moi planté de deux magnifiques créatures entre dix-huit et vingt ans, et me les présente en me disant : ' Monsieur Cézanne, voici mes filles. ' Je ne sus comment interpréter cette présentation, mais j'ai beaucoup à me méfier des hommes, me sachant faible. Je fouillai dans la poche pour ouvrir la maison et m'y enfermer, mais, par un hasard inexplicable, j'avais oublié ma clé à Aix. Ne voulant pas être exposé à jouer un rôle ridicule, je dis alors à ce jardinier : ' Allez me chercher la hache dans le hangar au bois. ' Il me l'apporta. ' Veuillez, lui dis-je, enfoncer de suite cette porte. ' Ce qu'il fit en quelques coups. Alors, je pénétrai chez moi et je courus m'enfermer dans l'atelier. " »

Curieuse histoire, que Bernard prolonge par celle-ci : « Un jour, en sortant de l'église, il me dit : " Avez-vous vu Mme X..., comme elle s'était plantée devant le bénitier, en m'attendant ? Elle avait auprès d'elle ses enfants. C'est une veuve. J'ai compris ce que cela voulait dire, à son regard. " »

Quant aux baigneuses, il précise un jour à Vollard heureusement surpris d'apprendre que, pour mieux mettre au point ces figures qui l'obsèdent, il se décide à revenir au modèle nu, que, vu son âge, il ne pourra s'agir désormais d'autre chose que d' « une très vieille carne ». On se souvient en outre de ses confidences à Osthaus, à qui il indique qu' « en raison de l'étroitesse de l'opinion en province », il renonce en fait au modèle féminin pour s'arranger des services d' « un vieil invalide qui pose pour toutes ces femmes », et à son fils Paul auquel il parle d'un homme du pays venu lui offrir de « poser une figure de baigneur au bord de l'Arc » : ces nus au bord de la rivière, rêvés depuis la jeunesse, vont-ils trouver leur substitut dans ce personnage ? En fait, non, il ne rêve pas. Les baigneuses sont très réelles, très présentes. Il suffit d'ouvrir les yeux sur la nature pour les voir. « Poussin en Provence, dit-il à Gasquet... ça m'irait comme un gant... Je voudrais, comme dans *le Triomphe de Flore*, marier des courbes de femmes à des épaules de collines. »

Ce *mariage* existe pour lui. Il a toujours existé. Même si les courbes des collines sont parfois les flexions des branches d'arbres, les ondulations de l'herbe ou, tout simplement, les vibrations du paysage. Il lui suffit, en effet, à soixante-deux ou soixante-trois ans, d'aller se promener sur les bords de l'Arc comme il le faisait dans son adolescence pour retrouver cette union, cette harmonie. Les *Baigneuses* sont là. Il n'a jamais cessé de les voir et de les rencontrer. En 1885 — ce n'est pas si ancien —, elles ont pris la forme de six femmes qu'on voit debout devant une tente de fortune, au bord de l'eau, d'une « féminité » si réelle, si pleine, qu'on peut à juste titre se demander si les modèles sortent vraiment de l'imagination ou du rêve. L'une d'elles, aux cheveux roux qu'elle est en train de nouer en torsade au-dessus de sa tête, pour les sécher sans doute, a un tel poids de vie et de réalité dans le ventre bombé, les cuisses amples, les seins, superbes, qui remontent, le mouvement du bras qui découvre l'aisselle, qu'elle est comme une image de fécondité tranquille. Les autres, la brune assise au premier plan, aux longues cuisses serrées, la blonde à la chevelure relevée qui semble se masser doucement le mollet, les trois autres qui sont encore dans l'eau ou en sortent à peine, forment un ensemble d'une grande présence sensuelle. Les chairs se découpent avec une luminosité particulière sur les verts du fond, celui de la tente accrochée à la branche d'un arbre, celui de l'eau et du feuillage. Symphonie de chair et de vert, ces *Baigneuses devant la tente* sont en effet une fête de la couleur autant qu'une fête païenne de la sensualité. Et les courbes, là, l'emportent vraiment sur la géométrie.

Mais — merveille ! —, quand la géométrie revient, les baigneuses-femmes ne disparaissent pas pour autant. *Les Grandes Baigneuses II* de la National Gallery de Londres

— pour revenir à elles — ont ceci d'extraordinaire que, fantastiques hachures obliques de formes et de couleurs dans un paysage resserré, elles n'en gardent pas moins leur superbe lumière vert et jaune de chair traversée de soleil. Ce bain lumineux qui imprègne et modèle tout le tableau, loin de gommer les structures dans leur force nette, les unifie au contraire, donnant à la composition ce côté fluide qui atteste un effort continu, persévérant, inlassable de reprise, à travers une vie entière, d'un sujet qui ne trouverait pas là son accomplissement s'il n'y avait eu d'abord les multiples œuvres qui en ont été, mieux que le travail préparatoire, la répétition antérieure, pourrait-on dire. Répétition, au sens du théâtre : se reproduit et recommence ce qui n'a pas encore été totalement réalisé, ce qui n'a pas atteint sa perfection. Le Cézanne de 1900-1906 sait d'ailleurs, d'expérience, que cette perfection-là ne saurait être atteinte. Mais il sait aussi qu'elle exige que l'ouvrage soit remis sur le chantier sans relâche. C'est ce qu'il fait avec ses *Baigneuses*. Et le miracle, c'est que cette remise sur le chantier n'intéresse pas seulement la discipline créatrice : elle intéresse le *temps* et la vie même. Car, en se vouant à l'évocation de ces nudités, Cézanne devenu vieux (comme il le croit) coïncide évidemment plus que jamais avec celui qu'il était dans sa jeunesse, au temps des « trois inséparables », au temps de la découverte émerveillée des rives de l'Arc. Il se peut que les bords de la rivière aient changé (pas tellement, sans doute). Les baigneuses, elles, sont toujours les mêmes. Toujours prises dans cette pénombre bleutée, dans ce vert réverbéré par les feuilles. Et celle qui est étendue sur le ventre, en bas de ce tableau splendidement construit, n'est pas seulement un trait d'union, comme l'ont dit de perspicaces analystes, entre la surface et le fond, le premier et le second plan, le groupe de droite et celui de gauche, mais aussi entre le passé de Cézanne, son présent et son éternité. Il est bien que ce trait d'union soit un corps de femme. Que cette *figure* soit un corps de femme. Ce qui *baigne* les *Baigneuses* ici, c'est d'abord la mémoire, avec son appareillage de couleur et de lumière. Peu importe qu'elles aient jamais existé ou non, dans la campagne aixoise. Elles sont devenues visibles grâce à lui. Cela, il l'a voulu avec un acharnement sans bornes. On comprend qu'il n'ait jamais abandonné.

Pour les pommes, il n'a jamais abandonné non plus. Il faut bien constater que, dans cette dernière période, elles continuent à être magnifiquement dominantes dans son travail. Et, pourtant, les possibilités de variations étaient *a priori* moins grandes que dans le cas des baigneuses. Mais on a compris depuis longtemps que la pomme cézanienne est autant un objet de fixation qu'un objet de variation. Fixation de l'attention, bien sûr, de toute la capacité de concentration que porte en lui le peintre. Mais fixation aussi de l'espace qui vient s'organiser, se bâtir — forme et couleur — à travers ces objets simples sur lesquels tout roule, s'enveloppe, glisse et luit. Dans un curieux propos à Gasquet où il explique que l'œil « s'éduque » au contact de la nature, apprend à maîtriser l'espace et même devient « concentrique, à force de regarder et de travailler », il déclare à son interlocuteur qui lui demande des précisions : « Je veux dire que dans cette orange que je pèle, tenez, dans une pomme, une boule, une tête, il y a un point culminant, et ce point est toujours, malgré le terrible effet, lumière, ombre, sensations colorantes, est toujours le plus rapproché de notre œil. Les bords des objets fuient sur un autre placé à votre horizon. Lorsqu'on a compris ça... »

Cette recherche du point culminant se fait, dans de vraies constructions, de vrais échafaudages de pommes. Telles ces *Grosses Pommes* qui, avec la tasse qui les fait légèrement vibrer, le cornet à piston (celui des jeunes années) qui, lui, les fait carrément claironner de force ronde, rayonnent dans leur plénitude. Ou ces *Pommes et Oranges* de 1895-1900 qui, du compotier à la nappe, semblent rouler comme des sphères dans la double abondance des couleurs et des structures volumétriques. Il faut en convenir. La récurrence thématique est aussi insistante, aussi obstinée que pour les *Baigneuses*. Et la recherche, dans les deux cas, participe certainement de la même joie éblouie. Faut-il l'appeler érotique ? Et, une fois encore, bousculer la belle tranquillité, la calme sérénité des pommes ? Mais c'est précisément dans certaines de celles qu'il peint à ce moment-là qu'il met parfois le plus de « crudité ». Jean Arrouye l'a bien montré, non sans une certaine drôlerie, à propos de l'aquarelle du Louvre, *Pommes, Poires et Casseroles*, exécutée dans la période 1900-1904 où, dit-il, « une pomme par exception d'une silhouette extrêmement irrégulière et marquée d'un profond repli de peau installe sa présence fessue au plus près de la queue de la casserole ». Ce qui est parfaitement exact. Il ajoute : « Cette aquarelle est une débauche exubérante de couleurs, une merveille de luminosité sensible. » Ce qui est tout à fait exact aussi. Cézanne dans son vieil âge n'était pas insensible à ce genre d'amusement, comme le montrent déjà les *Quatre Pêches sur une assiette*, antérieures de quelques années. Et il avait bien droit à l'exubérance, et même à la débauche.

D'autant plus que la mort approchait. Indissociable de la vie. Pour bien le marquer, dans cette époque, il s'est lancé avec fougue dans la peinture des têtes de mort. Pourquoi pas ? Un modèle aussi parlant qu'un autre. Et un objet aussi intéressant que n'importe lequel. Souvenons-nous : *une pomme, une boule, une tête*. Cézanne, lui, n'oublie pas. Voilà qui se traite incomparablement par la sphère, sinon par le cône et le cylindre. Têtes de mort, donc. Et même à foison. Dans un tableau de 1900, les voici jusqu'en pyramides : il s'intitule en effet *Pyramide de crânes*. Exactement comme des pyramides de pommes. Cela n'a rien de macabre. Paul Cézanne simplement s'interroge avec la même rigueur, la même exactitude, le même bonheur de peindre, sur les « formes » de la vie et celles de la mort. A Gasquet (encore), très tranquillement : « En cernant de touches pulpeuses la peau d'une belle pêche, la mélancolie d'une vieille pomme, j'entrevois dans les reflets qu'elles échangent la même ombre tiède de renoncement, le même amour du soleil, le même souvenir de rosée, une fraîcheur... Pourquoi divisons-nous le monde ? »

35

L'atelier des Lauves

L'atelier des Lauves sera le dernier lieu de travail de Cézanne. Il acquiert en 1901 au nord de la ville, sur un flanc de colline, un terrain d'un demi-hectare planté d'oliviers, d'amandiers et de cerisiers, et, sur le vieux « cabanon » qui s'y trouve, il fait construire un vrai atelier. La vue est belle. Le cadre est beau. Le chemin qui conduit là s'appelle chemin des Lauves — un nom (autre forme de *lauses*) qui désigne certaines pierres plates de Provence. Cette décision est devenue impérative depuis que Paul s'est installé au cœur du vieil Aix, au 23 de la rue Boulégon, pas très loin de l'hôtel de ville, une rue où avait siégé un temps la banque de son père. Du Jas de Bouffan, plus question. Dès le lendemain de la mort de sa mère, il a éprouvé une impossibilité quasi physique d'y retourner. Il n'aurait pas souhaité vendre. Mais Marie et le ménage Conil l'ont voulu, pour faire cesser l'indivision de l'héritage. De surcroît, ils ont brûlé un peu hâtivement, non ses tableaux, Dieu merci, mais un certain nombre d'affaires, de vieux meubles, dont ils jugeaient bon de se débarrasser et qui, pour lui, étaient autant de souvenirs du « père ».

Le voilà donc orphelin et célibataire. Célibataire, en tout cas, par le mode de vie qu'il choisit rue Boulégon. Une gouvernante âgée d'une quarantaine d'années, Mme Brémond, personne dévouée et excellente cuisinière, va veiller sur lui. Hortense et le fils préfèrent vivre à Paris ou à Fontainebleau. Il est redevenu complètement le vieux garçon qu'en un sens il n'a jamais cessé d'être. Il essaie bien d'aménager un atelier à l'étage. Mais il est évident qu'il lui en faut un au grand large, aux grands souffles. Il choisit ce terrain des Lauves.

Le Cézanne qui va travailler là est, à y réfléchir, un curieux homme. Il a réussi cette performance de se vouer totalement au travail de la peinture — qui est évidemment la seule chose qui l'ait jamais intéressé —, tout en opérant une double délégation des responsabilités liées à ce travail. Responsabilités pratiques : à son fils, Paul. Responsabilités théoriques : à de jeunes amis peintres, de plus en plus nombreux autour de lui. Cette situation, ce statut a quelque chose de frappant dans la dernière période de sa vie. Côté pratique, le jeune Paul est devenu, en effet, aux yeux de son père, l'agent le plus qualifié pour veiller à ses affaires et à ses intérêts : « Mon cher Paul, pour conclure je te dirai que j'ai la plus extrême confiance dans tes sensations, qui impriment à ta raison l'orientation nécessaire à la direction de nos intérêts, c'est-à-dire que j'ai la plus grande confiance dans la direction que tu donnes à nos affaires » (8 septembre 1906). Et, mieux encore : « Mon cher Paul, je t'ai déjà dit que je me trouve sous le coup de troubles cérébraux, ma lettre s'en ressent, d'ailleurs, je vois assez en noir, je me sens donc de plus en plus obligé de me reposer sur toi, et de trouver en toi mon orient » (22 septembre 1906). Mon *orient*! On voit que ce langage de l'affection paternelle va plus loin qu'un simple acte de confiance à l'égard d'un héritier qui sait s'entretenir avec les Bernheim et les Vollard. (« Je suis heureux d'apprendre les bons rapports qui existent entre toi et les intermédiaires d'art avec le public, que je désire voir persister dans ces bonnes intentions à mon égard », août 1906.) De fait, on a l'impression que, dans sa dernière année, Cézanne n'a plus pour vrai correspondant que ce fils à qui il voue non seulement de la tendresse mais une certaine admiration (« il a du génie » : on sait que c'est ce qu'il pensait déjà de son père).

Côté théorique, il saute aux yeux que Cézanne devenu vieux est entouré par de jeunes artistes dont l'amitié lui est précieuse et réconfortante, mais qui tendent, parfois avec une certaine exagération, à le faire théoriser sur son art plus qu'il n'y serait porté spontanément. Ils s'appellent Émile Bernard, Charles Camoin, jeune peintre originaire de Marseille, Léo Larguier, Louis Aurenche, venu de Lyon. Ils l'entourent. Ils viennent quelquefois dîner rue Boulégon. Ils le font parler et réfléchir. Pour être juste, il faut reconnaître que cela se fait parfois sur le mode de l'attachement sincère et de la convivialité pure. A Camoin, il propose de venir travailler avec lui aux Lauves ou sur le motif et de « faire apporter le déjeuner pour deux ». A Larguier, il exprime sa gratitude pour toutes sortes d'attentions. Il est vrai que ce dernier, accomplissant son service militaire dans la région d'Aix, lui a fait un jour présenter les armes, sur le terrain, par son escouade. Et l'a invité, un autre jour, à venir faire un petit voyage en famille dans les Cévennes — un des ultimes déplacements du peintre, avec un court séjour à Fontainebleau, dans cette période — où les siens l'ont chaleureusement reçu et traité. Mais ces amitiés avec les jeunes ont parfois pour contrepartie de conduire Cézanne à leur livrer avec complaisance ce qu'ils appellent ses *théories,* à donner de lui-même une image de peintre *conscient* un peu forcée. Il y aurait à discuter là-dessus. Il se peut que cela lui convienne. Il se peut que cela soit aussi une réponse à une pression de plus en plus nettement exercée sur lui. Elle n'est pas négative en soi. Il est même possible qu'elle soit à l'origine d'une très intense *modernité* du peintre. Mais, à lire ses lettres de cette époque, on sent bien qu'il les ponctue constamment d'aperçus théoriques pour aller dans le sens de ses jeunes correspondants et les satisfaire. Surtout ses lettres à Émile Bernard. Celui-ci, devenu alors très proche du peintre — se voulant même son adepte — et comme désireux de lui faire révéler vraiment les principes de son art — la fameuse « formule » —, est allé le plus loin dans cette voie. Il le connaît depuis les temps de la boutique du père Tanguy, mais, après un long séjour en Égypte, débarquant en Provence avec femme et enfants, il a envie de le revoir et d'enfin le comprendre. Cézanne répondra à l'amitié des Bernard et essaiera de s'expliquer. Non sans quelques frictions passagères, comme il arrive toujours avec lui (Bernard, on s'en souvient, commettra, comme Le Bail, l'imprudence de le « toucher » un jour !). Il en résultera une série de confidences qui prennent la relève de celles recueillies par Gasquet, mais sensiblement infléchies dans le sens théorique : témoignages, articles et *souvenirs* importants, mais qui donnent l'impression qu'Émile Bernard a parfois réussi ce paradoxal tour de force de faire, de celui qui affirmait « redouter l'esprit littérateur » et ne vouloir connaître que l'étude du concret (lettre à Émile Bernard, justement, du 12 mai 1904), un théoricien assez prolixe. Et, d'un solitaire, un bavard. Heureusement que Cézanne ne prend pas tout à fait cela au sérieux. Dans une lettre à son fils, il dit : « On peut, il est vrai, avec Bernard, développer des théories indéfiniment, car il a un tempérament de raisonneur. » Et, dans une autre, au même destinataire, avec un peu plus d'ironie et un peu moins d'aménité : « Je t'adresse une lettre que je viens de recevoir d'Emilio Bernardinos, esthète des plus distingués que je regrette de ne pas avoir sous ma coupe pour lui suggérer l'idée si saine, si réconfortante et seule juste d'un développement de l'art au contact de la Nature. » De toute façon, *nature* ou *théorie*, comment oublier que Cézanne avait déclaré à un autre de ses jeunes visiteurs de l'époque, Francis Jourdain, venu lui demander quel était le meilleur conseil à donner à un peintre débutant pour l'amener à prendre conscience de l'exigence de sa tâche, ceci, qui rattrape tout : « Copier le tuyau de son poêle » ?

En dehors de cela, la situation de Cézanne en face du public est ce qu'elle a été toute sa vie : un mélange de reconnaissance partielle et d'outrages. Il est vrai que la reconnaissance partielle tend à devenir réelle, si l'on totalise le nombre de manifestations ou de signes d'adhésion à son art qui peuvent être recensés dans cette période. Participation au Salon des Indépendants — l'institutionnalisation, sur le plan d'une organisation autonome, des Refusés de jadis — de 1899, avec trois œuvres. Participation à l'Exposition universelle de Paris de 1900. La même année, un *Hommage à Cézanne* de Maurice Denis (autre confident « théorique » insistant) : quelques nouveaux peintres d'alors et Ambroise Vollard autour d'une nature morte du maître, tableau qui sera acheté par le jeune André Gide. En 1901, présence au Salon des Indépendants, de nouveau, puis à celui de la Libre Esthétique, à Bruxelles. En 1902, les Indépendants, encore. En 1904, une salle entière au Salon d'Automne. En 1905 et 1906, le Salon d'Automne, avec d'autres œuvres. Indiscutablement, quelque chose se passe. Même si à ce Salon, autrefois si convoité, se sont substitués de multiples salons. Mais, curieusement, Cézanne voit cela de loin, maintenant. Les honneurs officiels ne le font plus guère palpiter (et, d'ailleurs, on continue à les lui refuser : la Légion d'honneur, sollicitée pour lui par Octave Mirbeau, ne lui est pas accordée).

Persistance, en revanche, des outrages, inévitable contrepartie. On peut dire que jusqu'à son dernier souffle Cézanne en est abreuvé. La sottise est toujours là, sur son chemin, inlassable, inépuisable. Cette fois par le fait de Henri Rochefort et à l'occasion de la mort de Zola. La nouvelle de cette mort — bêtement accidentelle — en septembre 1902 le remplit d'un chagrin muet, mais profond, qui fait refluer tout le passé à la mémoire. Elle lui vaut, par ricochet inattendu, une attaque de la plus grande bassesse. Mme Veuve Zola, ayant décidé l'année suivante de liquider une importante partie des collections du romancier — et notamment certaines œuvres de peinture qu'elle n'aimait pas —, une vente a lieu à l'hôtel Drouot, dont certains adversaires profitent pour régler leurs comptes. Rochefort est de ceux-là. Dans un article de *l'Intransigeant* du 9 mars 1903, intitulé « L'amour du laid », développant l'idée que ceux qui aiment Dreyfus et l'ont défendu ne peuvent aimer que le laid, il reprend à propos de la vente-exposition le vieux thème de l'hilarité déclenchée par certains tableaux :

« On se tordait notamment devant une tête d'homme brun et barbu dont les joues martelées à la truelle semblaient la proie d'un eczéma. Les autres peintures du même artiste avaient tout l'air d'un défi non moins direct à Corot, à Théodore Rousseau, et aussi à Hobbema et à Ruysdael.

Pissarro, Claude Monet et les autres peintres les plus excentriques du plein air et du pointillé — ceux qu'on a appelés les " peintres à confetti " — sont des académiques, presque des membres de l'Institut, à côté de cet étrange Cézanne dont Zola a ainsi récolté les productions.

Les experts chargés de la vente ont éprouvé eux-mêmes un certain embarras à cataloguer ces choses fantastiques et ont accompagné chacune d'elles de cette note pleine de réticences : " Œuvres de la première jeunesse ".

Si M. Cézanne était en nourrice quand il a commis ces peinturlurages, nous n'avons rien à dire ; mais que penser du chef d'école que prétendait être le châtelain de Médan et qui poussait à la propagation de pareilles insanités picturales ? Et il écrivait des " Salons " où il se donnait les gants de régenter l'art français !

Le malheureux n'a donc jamais vu d'un peu près un Rembrandt, un Vélasquez, un Rubens ou un Goya ? Car, si Cézanne a raison, tous ces grands pinceaux-là ont tort. Watteau, Boucher, Fragonard, Prud'hon n'existent plus, et il ne reste, comme suprême manifestation de l'art cher à Zola, qu'à mettre le feu au Louvre.

Nous avons longtemps affirmé qu'il y avait des dreyfusards longtemps avant l'Affaire Dreyfus. Tous les cerveaux malades, les âmes à l'envers, les louchons et les estropiés étaient mûrs pour la venue du Messie de la Trahison. Quand on voit la nature comme l'interprètent Zola et ses peintres ordinaires, il est tout simple que le patriotisme et l'honneur vous apparaissent sous la forme d'un officier livrant à l'ennemi les plans de défense du pays.

L'amour de la laideur physique et morale est une passion comme une autre. »

Cézanne a donc eu droit à ce dernier coup bas avant de mourir. Il a l'habitude. Il est tout de même curieux qu'il serve, lui, non-dreyfusard, à ce genre d'opération. C'est, en un sens, un comble. Mais Rochefort ne savait rien de ses positions et avait décidé de toute façon, comme il le dit très clairement, qu'on pouvait être « dreyfusard » par nature, par essence. Le triste est que ce lamentable article fut aussitôt largement diffusé à Aix. A son fils qui, sans doute, l'informe, Cézanne répond laconiquement : « Inutile de me l'envoyer, chaque jour j'en trouve sous porte, sans compter les numéros de *l'Intransigeant* m'adresse par la poste. » Malveillance allant de pair avec l'envie et le désir de récupération. Il en est certains jours profondément dégoûté. A son fils encore, qui lui parle de ces mœurs de « basse province » : « Je suis très énervé de l'aplomb qu'ont eu mes compatriotes de vouloir s'assimiler à moi en tant qu'artiste, et de vouloir mettre la main sur mes études. » Plus magistralement, et avec l'orgueil souverain qui sauve : « Tous mes compatriotes sont des culs à côté de moi ! » (lettre à Paul, du 15 octobre 1906).

Ces conflits ne l'empêchent pas malgré tout d'accepter, avec une relative émotion, des hommages amicaux, lorsqu'il s'en présente. D'autres gestes d'ouverture des

« Amis des Arts ». Une cérémonie commémorative à la bibliothèque de la ville, pour l'inauguration d'un buste de Zola exécuté par Solari : Gabrielle Zola est là, qui a légué des manuscrits. Le maire, qui s'appelle Cabassol, est le fils de l'ancien associé du banquier Louis-Auguste Cézanne. Victor Leydet, maintenant vice-président du Sénat, est présent. Paul écoute Numa Coste évoquer le passé, leur jeunesse. Il médite. Zola n'a pas été le seul à disparaître. Sont morts aussi Marion, Valabrègue, Paul Alexis. Et Solari lui-même. Les compagnons d'autrefois s'en vont les uns après les autres. La solitude se creuse.

Le vieil homme qu'est devenu Cézanne à ce moment-là mène la plus simple des vies. Une vie marquée par ce côté un peu rustique des habitudes et des rythmes, qui a toujours été dans sa nature. « Je me lève, écrit-il à Paul, et ce n'est guère qu'entre cinq et huit heures que je vis de ma vie propre. » Ou : « J'ai fait ce matin une petite promenade à pied, je suis rentré vers dix ou onze heures, j'ai déjeuné et, à trois heures et demie, je suis parti, comme je te le dis plus haut, pour les bords de l'Arc. » Il parle de Mme Brémond — ou de « la mère Brémond » — qui prend si bien soin de lui et, certains jours, à cause d'une bronchite, lui « applique du coton iodé », de son jardinier, Vallier, qui s'occupe des Lauves mais aussi de sa personne — qui le « frictionne » par exemple. Du docteur Guillaumont, qui vient le visiter et soigner son diabète. Maladie dont il souffre vraiment, se plaignant d'une grande fatigue, de troubles de toutes sortes, d'une fatigue du système nerveux. Mais pour ajouter aussitôt, et sans la moindre hésitation, que la peinture est le seul et unique remède qui le soulage : « La peinture est ce qui me vaut le mieux », « Il n'y a que la peinture à l'huile qui puisse me soutenir ». Touchant ses maux, il note curieusement un certain nombre de répercussions sur sa vision, sur sa rétine (le vieux thème huysmansien, curieusement repris par lui-même, qui semble de plus en plus réfléchir à ces problèmes de clinique oculaire), notant la particularité de ses « sensations colorantes », poussant même l'analyse jusqu'à dire : « Or, vieux, soixante-dix ans environ [il se vieillit considérablement], les sensations colorantes qui donnent la lumière sont chez moi causes d'abstractions qui ne me permettent pas de couvrir ma toile, ni de poursuivre la délimitation des objets quand les points de contact sont ténus, délicats ; d'où il ressort que mon image, ou tableau, est incomplète. » La persistante obsession de l'inachèvement, de l'incomplétude. Le seul recours est, malgré les fatigues de l'âge, la persévérance et la patience. Rester écolier : « J'étudie toujours la nature et il me semble que je fais de lents progrès. » Attitude de modestie sans faille, d'extrême humilité même. Tout sentiment de révolte semble effacé, aboli. La famille, du moins la famille directe, est loin, mais elle est traitée avec affection, tendresse. Lettres où il est question de « tante Hortense » (quant il écrit à ses nièces, Marthe ou Paule Conil), de « tante Marie » ou « tante Rose » (quand il écrit à son fils). Lettres où il est question de la vie quotidienne dans tous ses aspects. Il raconte qu'il va à la messe à la cathédrale Saint-Sauveur, mais qu'il n'a aucune sympathie pour « un crétin d'abbé » qui tient les orgues et joue faux (en revanche, il fait volontiers l'aumône au portail de l'église et il a laissé une fois tomber une pièce de 5 francs, à l'indignation de sa sœur Marie, dans la sébile d'un étrange pauvre hère : n'aurait-ce pas été par hasard Germain Nouveau ?). Il raconte surtout ses sorties dans la nature. Un jour, il note qu'on lui a pris un peu trop cher pour lui louer une voiture devant le conduire à Château-Noir, ou qu'il a reçu l'hospitalité d'un riverain de l'Arc. Un autre jour, qu'il a rencontré un enfant très pauvre, déguenillé, au bord de la rivière, qui lui a demandé s'il était riche, ou des ouvriers qui sont venus vers lui et l'ont regardé travailler. Il n'a même plus son vieux réflexe d'irritation, semble-t-il, à l'égard de ceux qui s'approchent trop de son chevalet. Le regarder peindre serait-il une forme de reconnaissance, d'acquiescement ? Une anecdote raconte qu'en d'autres lieux le baron Denys Cochin accompagné de son fils l'aurait surpris sur le terrain et aurait demandé au jeune homme (qui s'était écrié : « Papa, regarde Cézanne ! ») : « Comment sais-tu que c'est Cézanne ? — Mais, voyons, papa, puisqu'il peint un Cézanne ! » La petite histoire a au moins l'avantage d'établir qu'à ce moment-là Cézanne est en situation de peindre *un Cézanne* et rien d'autre. Ce qu'a parfaitement montré Denis Coutagne dans une étude qui s'intitule justement *Qu'est-ce qu'un Cézanne ?* et donne un contenu exact à cette intuition de Van Gogh : « Il faut sentir l'ensemble d'une contrée, n'est-ce pas là ce qui distingue un Cézanne d'autre chose ? »

Et puisque, justement, il faut toujours en revenir au peintre, les lettres les plus émouvantes de ce Cézanne vieillissant, mais inépuisable, ne sont-elles pas celles qu'il adresse à ses « fournisseurs », les auxiliaires indispensables de son art. Celui-ci, par exemple, à qui il demande l'envoi de « cinq bleus de Prusse, plus un flacon de siccatif de Harlem », en s'excusant de ne pouvoir lui réexpédier des « verts de cinabre » qu'il lui avait adressés par erreur. Ou celui-là, à qui il écrit : « J'attends avec impatience ma boîte que je vous avait prié de me faire raccommoder en y ajoutant une palette avec un trou suffisant pour y passer le pouce... » Dans un autre message, c'est à Paul qu'il réclame des « pinceaux en émeloncile ».

Mais de tous les propos que Cézanne puisse alors tenir, le plus beau dans son dépouillement n'est-il pas simplement cette courte phrase, adressée une fois de plus à Paul : « Je vais au paysage tous les jours, les motifs sont beaux et je passe ainsi mes jours plus agréablement qu'autre part. » Là est sans doute la très simple vérité de Cézanne. Une de ses vérités, en tout cas. Celle, peut-être, qui définit le mieux la vie qu'il a choisi de se donner à cette époque de l'atelier des Lauves. C'est dans ce cadre qu'il continue à peindre en effet le *paysage*, pré, jardin, et, bien sûr, toujours la Sainte-Victoire au loin. C'est dans ce cadre qu'il peint encore les hommes. Vallier, le jardinier, assis sur une chaise, chapeau de paille sur les yeux, traité en quelques superbes touches de jaune et de vert, posées en mouvements rapides, nerveux, sur la toile. Et même quelqu'un qui serait peut-être Vallier, peut-être pas, combiné avec un mendiant dont Cézanne lui-même aurait revêtu la défroque après son départ, raconte Gasquet, pour pouvoir finir le tableau. L'artiste et ses masques, jusqu'au bout. C'est aussi dans cet atelier, qu'il a voulu vaste pour pouvoir y mener à bien de grandes constructions, que, jusqu'au bout encore, il travaille à ces *Grandes Baigneuses I*, mises et remises sur le chantier pendant sept ans.

Comment s'étonner de voir que c'est là que la mort le surprend? Il avait écrit dans une lettre à Émile Bernard un mois avant : « Je suis vieux, malade, et je me suis juré de mourir en peignant, plutôt que de sombrer dans le gâtisme avilissant qui menace les vieillards qui se laissent dominer par des passions abrutissantes pour leurs sens. » Non seulement il va *mourir en peignant,* mais il va mourir en *cherchant.* Dans la même lettre : « Arriverai-je au but tant cherché et si longtemps poursuivi? » Écho à ce message adressé à Vollard trois années avant: « Je travaille opiniâtrement, j'entrevois la Terre promise. » Le 20 octobre 1906, Marie Cézanne écrit à son neveu Paul :

« Mon cher Paul,

Ton père est malade depuis lundi ; le docteur Guillaumont ne croit pas qu'il soit en danger, mais Mme Brémond ne pourra suffire à le soigner. Tu devrais venir le plus vite possible. Il a des moments de faiblesse où une femme ne peut le soulever seule ; avec ton aide, ce sera possible. Le docteur a dit de prendre un homme comme garde-malade ; ton père n'en veut pas entendre parler. Je crois ta présence nécessaire pour qu'on puisse le soigner le mieux possible.

Il est resté exposé à la pluie pendant plusieurs heures, lundi ; on l'a ramené sur une charrette de blanchisseur, et deux hommes ont dû le monter dans son lit. Le lendemain, dès le grand matin, il est allé au jardin de l'atelier des Lauves travailler à un portrait de Vallier sous le tilleul ; il est revenu mourant. Tu connais ton père ; il faudrait en dire long... »

Marie n'aura pas à en dire très long. Deux jours après, un télégramme de Mme Brémond suffisait : « Venez de suite, tous deux. Père bien mal. » Cézanne mourait le mardi 23 octobre 1906, avant l'arrivée de sa femme et de son fils. Son dernier tableau — en dehors du portrait de Vallier sous le tilleul — évoquait un cabanon, dit de Jourdan : les murs, géométriques, jaunes, les arbres, fous, bleus, violets, rouges. Le tout peint avec une sorte de rage hâtive. Émile Bernard raconte qu'il ne reçut que huit jours après sa mort le billet suivant :

Vous êtes prié d'assister aux obsèques de

Paul CÉZANNE

décédé à Aix-en-Provence, muni des sacrements de notre Sainte-Mère l'Église, le 23 octobre 1906, à l'âge de 67 ans.

Et il ajoute : « Je sus qu'il était tombé en travaillant. » Il fut toutefois répondu à l'employé de mairie qui demandait le métier du défunt : « rentier ».

*

L'atelier des Lauves aujourd'hui est un espace de riante clarté. On y accède par une avenue qui s'appelle avenue Paul-Cézanne, ancien chemin vicinal, autrefois simple « traverse des Lauves ». Elle grimpait à travers les collines qui dominent la bordure nord d'Aix. Le lieu s'appelait « quartier des resquillades », peut-être parce qu'on y « resquillait », le soir, les derniers rayons de soleil. C'est dire la qualité de l'emplacement, de la lumière. Marianne Bourges, conservatrice de l'atelier, écrit : « A mi-hauteur, sur le vieux chemin des Lauves, à quelques minutes de son panorama de Sainte-Victoire, Cézanne fait construire son atelier, au milieu des oliviers. Il l'oriente et l'ouvre à l'espace, plein nord-plein sud. Si la lumière le traverse de part en part, ce n'est pas un hasard. La traditionnelle conception de l'atelier seulement éclairé du nord a éclaté. Cézanne recrée aux Lauves des conditions d'éclairage qui sont celles-là même qu'il affronte sur nature. L'impératif d'une lumière enveloppante, ni trop chaude, ni trop froide, se trouve satisfait par les deux sources lumineuses qui établissent l'équilibre harmonieux. Si d'immenses volets de bois et des voilages blancs et bleus sont là pour intervenir à certaines heures du jour et suivant les saisons, l'atelier n'en demeure pas moins conçu comme un dehors. »

Oui, mais dehors très protégé. C'est l'impression que l'on ressent en y arrivant aujourd'hui. La ville a remplacé la campagne sur ces hauteurs. Les immeubles, les groupes de maisons ont poussé partout. Les autos s'engagent à vive allure dans la montée de la large avenue. Mais, derrière son mur, l'atelier semble préservé. Il l'est d'ailleurs réellement par celles et ceux qui en ont charge depuis que, acquis en 1921 par l'écrivain Marcel Provence, il fut ensuite, sur proposition notamment de John Rewald, cédé à l'université, puis à la ville. On découvre qu'il est toujours pleinement en campagne, car ce sont des «campagnes», en effet, qui le séparent de l'avenue Philippe-Solari, autre voie montante parallèle portant le nom du vieux compagnon de Cézanne. Pour combien de temps? Il est clair que l'urbanisation et l'immobilier cernent ces lieux (Cézanne écrivait à sa nièce, Paule Conil, en 1902, ces lignes : «Malheureusement, ce qu'on appelle le progrès n'est que l'invasion des bipèdes, qui n'ont de cesse qu'ils n'aient tout transformé en odieux quais avec des becs de gaz et — ce qui est pis encore — avec éclairage électrique!»). Mais enfin, le jardin est là. Et ce jardin compte. Il comptait beaucoup dans la vie de Cézanne, et plus encore, peut-être, dans sa peinture d'alors : «Foisonnement d'arbustes: lauriers, lilas sauvages mêlés à ceux de Perse et d'Espagne, grenadiers et arbres de Judée, cerisiers et pruniers sauvages, les sauges royales dans leurs pourpres et bleus, et ceux des pétunias et des pensées. Et sur le muret construit en demi-lune pour épargner l'olivier poussé à cet endroit, tous les roses et les rouges des géraniums géants. Le tout faisait alors un foisonnement diapré "d'aurore aux doigts de rose" — Cézanne citait volontiers Homère — que les aquarelles de ce moment expriment avec un bonheur comblé » (Marianne Bourges, le Jardin de Cézanne). Le visiteur, aujourd'hui, pourra se promener à travers les étagements ombreux de ce magnifique espace, avant d'accéder au bâtiment même de l'atelier.

Là, dans la vaste salle lumineuse, il verra surtout des objets. C'est une excellente chose d'avoir conservé la mémoire de Cézanne à travers des objets. On lui devait bien cela et, en un sens, on ne pouvait faire mieux. Dans le « coin portemanteau », il y a sa vieille redingote et son vieux chapeau melon, sa besace. Tout à côté, une chaise longue, une chaise simple, une table sur laquelle sont posés une bouteille et un verre. Un peu plus loin, une commode de bois blond avec des têtes de mort (en pyramide) et, bien entendu, des pommes. Il faut évidemment les renouveler assez souvent (mais, lui-même, n'était-il pas obligé de les renouveler au cours des interminables séances de « pose » qu'il leur imposait et qui ne pouvaient que les faire mûrir, se gâter, pourrir, mourir ?). En tout cas, elles sont bien là, comme dans un vers de Guillevic :

> Cette pomme sur la table,
> Laisse-la jusqu'à ce soir.

Un peu plus loin encore, une immense échelle double, avec d'autres chaises, un vase de fleurs (qu'il faut changer aussi), un compotier garni, une autre bouteille. Ailleurs, un « amour en plâtre » et le moulage d'un « écorché ». Un poêle à long tuyau et un paravent. Et puis, tout simplement, une série d'objets qu'il suffit de nommer :

> *un pichet en étain,*
> *un pot en terre vernissée verte,*
> *des assiettes en faïence blanche,*
> *un carafon bleu,*
> *un cruchon vert,*
> *une bouteille de verre noir,*

une bouteille portant des traces de peinture,
une bouteille paillée,
une carafe rafraîchissoir,
un chapelet,
un compotier de faïence blanche,
un panier,
un plat blanc creux,
un pot à lait,
un pot en terre cuite vernissée verte,
un tabouret vert taché de peinture,
une théière blanche,
un verre à pied.

On peut regarder toutes ces choses dans la belle lumière qui traverse la grande verrière. Qui passe partout, et par exemple par cette haute fente verticale qu'on appelle « passe-tableau » et que le peintre avait fait ouvrir dans le mur pour faire passer, justement, les Grandes Baigneuses Dans cette lumière, on pourra se souvenir de ces propos prêtés par René Char à Braque, dans son atelier, « sous sa verrière », justement : « Si j'interviens parmi les choses, ce n'est pas, certes, pour les appauvrir ou exagérer leur part de singularité. Je remonte simplement à leur nuit, à leurs nudités premières. Je leur donne désir de lumière, curiosité d'ombre, avidité de construction. Ce qui importe, c'est de fonder un amour nouveau à partir d'êtres et d'objets jusqu'alors indifférents. »

En sortant de l'atelier, on pourra se rendre dans le cellier voisin, aménagé et équipé maintenant de telle sorte que la conservatrice peut vous offrir, à l'occasion, le privilège de découvrir, en diapositives, des détails infimes de l'œuvre peint de Cézanne, des « analyses » de parcelles de son travail réalisées par elle dans toutes les expositions, dans tous les musées. Révélation éblouissante, fascinante — le « petit pan de mur jaune » de Proust, multiplié par mille —, qui permet de vérifier, pratiquement à la lettre, cette parole rapportée par Gasquet : « L'immensité, le torrent du monde dans un petit pouce de matière. »

Après quoi, il ne sera peut-être pas inutile de revenir dans l'atelier pour voir le chevalet et la palette. « Une palette, disait Émile Bernard, la question captivante de la vie d'un peintre ! ». Et il ajoutait : « Voici comment était composée celle de Cézanne, lorsque je le trouvai à Aix. » Énonçons, pour conclure, cette composition avec lui :

Les jaunes :
    Jaune brillant
    Jaune de Naples
    Jaune de chrome
    Ocre jaune
    Terre de Sienne naturelle

Les rouges :
    Vermillon
    Ocre rouge
    Terre de Sienne brûlée
    Laque de garance
    Laque carminée fine
    Laque brûlée

Les verts :
    Vert Véronèse
    Vert émeraude
    Terre verte

Les bleus :
  Bleu de cobalt
  Bleu d'outremer
  Bleu de Prusse
  Noir de pêche

Bibliographie et sources

Les ouvrages de base, concernant la « biographie » cézannienne, qui ont pu servir à la documentation de ce livre
sont les suivants :

— Gerstle Mack, *La Vie de Paul Cézanne*, Gallimard, 1938.
— John Rewald, *Cézanne, sa vie, son œuvre, son amitié
  pour Zola*, Albin Michel, 1939.
— Henri Perruchot, *La Vie de Cézanne*, Hachette, 1956.

Sans oublier, bien entendu :

— La *Correspondance* de Cézanne, nouvelle édition complète et définitive, établie par John Rewald, Grasset,
  1978.

Pour la peinture proprement dite :

— Lionello Venturi, *Cézanne, son art, son œuvre*, catalogue descriptif, 2 vol., Paul Rosenberg, Paris, 1936.
— *Tout l'œuvre peint de Cézanne*, introduction de Gaëtan
  Picon, documentation de Sandra Orienti, « Les classiques de l'art », Flammarion, 1975.
— *Cézanne*, collection « Génies et réalités », Hachette,
  1966.

A quoi il faut ajouter une documentation plus précise
intéressant un certain nombre de chapitres particuliers :

CHAPITRE 1 :

— La citation de Jean Arrouye est extraite de son étude « Le dépassement de la nostalgie », comprise dans le remarquable volume *Cézanne ou la peinture en jeu*, Actes du colloque Cézanne tenu à Aix-en-Provence, au musée Granet, en juin 1982, à l'initiative de Denis Coutagne, conservateur du musée, Critérion, 1982.

— Pour les témoignages de Vollard et de Osthaus, voir *Conversations avec Cézanne*, présentées par P. M. Doran, Macula, 1978.

CHAPITRES 2 et 3 :

— Ces chapitres doivent beaucoup à l'excellent ouvrage de Jean Arrouye, *La Provence de Cézanne*, Édisud, 1982.

CHAPITRE 4 :

— Ce chapitre doit une large part de sa documentation à l'important catalogue *Cézanne au musée d'Aix*, publié en 1984 à l'occasion de l'entrée de huit tableaux de Cézanne au musée Granet d'Aix-en-Provence, grâce à un dépôt de l'État. Ce catalogue, qui apporte de nombreux renseignements sur le destin posthume de Cézanne à Aix, comporte une précieuse section intitulée « Cézanne, l'École de dessin et le musée d'Aix », due à Bruno Ély, conservateur au musée.

— La citation de Meyer Schapiro est tirée de l'étude de J. Arrouye déjà citée « Le dépassement de la nostalgie ».

— Le poème de Guillevic est tiré de *Sphère*, Gallimard.

CHAPITRE 5 :

— Les lettres de Zola à Cézanne ou à d'autres correspondants pour la période 1859-1862 figurent, sous la forme d'importants extraits, dans la *Correspondance* de Cézanne, éditions Grasset.

CHAPITRE 6 :

— Le catalogue Cézanne au musée d'Aix comporte un chapitre de Denis Coutagne sur « Le Jas de Bouffan ou l'utopie cézannienne ».

CHAPITRE 8 :

— Le « montage » proposé dans ce chapitre a pu être fait à partir des propos supposés de Cézanne à Gasquet que l'on trouvera dans : Joachim Gasquet, *Cézanne*, Bernheim jeune, 1921-1926, et dans *Conversations avec Cézanne*, déjà cité.

CHAPITRE 11 :

Ce chapitre, comme beaucoup d'autres, doit beaucoup aux biographies de Cézanne mentionnées plus haut, mais aussi à diverses histoires du mouvement impressionniste, notamment à l'*Histoire de l'Impressionnisme* de John Rewald, 2 vol., Albin Michel, 1955.

CHAPITRE 14 :

— L'importante suite des lettres de Rilke à Clara Rilke sur Cézanne se trouve dans la *Correspondance* de R. M. Rilke, Éd. du Seuil, t. 3, p. 102-123.

CHAPITRE 15 :

— Pour l'ouvrage de Peter Handke, voir chapitre 31.

CHAPITRE 19 :

— A propos des aquarelles de Cézanne, voir *Les Aquarelles de Cézanne, catalogue raisonné*, par John Rewald, Flammarion, 1984. Pour les dessins, *Paul Cézanne, carnets de dessins*, Quatre Chemins-Éditart, Paris, 1951, et

Paul Cézanne, dessins, par Jiri Siblik, Éd. Cercle d'Art, 1971.

— De façon générale, pour une « bibliographie rewaldienne » détaillée, voir le catalogue *Cézanne au musée d'Aix*, p. 81-82 (indications de très nombreuses monographies cézanniennes de Rewald).

CHAPITRE 22 :

— Pour tout ce qui touche aux relations Cézanne-Zola, voir surtout l'ouvrage déjà cité de John Rewald, mais aussi sa thèse complète *Cézanne et Zola*, Éd. Sedrowski, 1936. Voir également : Sophie Monneret, *Cézanne, Zola, la fraternité du génie*, Denoël, 1978.

CHAPITRE 26 :

— Sur *l'Œuvre*, de Zola, on pourra consulter : Patrick Brady, « *L'Œuvre* » *d'Émile Zola, roman sur les arts, manifeste, autobiographie, roman à clef*, Droz, Genève, 1968, et l'édition de *l'Œuvre* présentée par Antoinette Ehrard, chez Garnier-Flammarion, 1974, qui contient une excellente bibliographie.

CHAPITRE 29 :

— Voir John Rewald et Leo Marschutz, *Cézanne et la Provence*, « Le Point », Colmar, 1936.

CHAPITRE 30 :

— Le texte de Liliane Brion-Guerry se trouve dans l'ouvrage *Cézanne et l'Expression de l'espace*, Albin Michel, 1966. De la même : « Le paysage cézannien et le paysage chinois », in *Cézanne ou la peinture en jeu*, déjà cité.

CHAPITRE 31 :

— Pour tout ce qui touche à la Sainte-Victoire, voir l'étude de Michel Hoog, « Le motif de la Sainte-Victoire », in *Cézanne ou la peinture en jeu*, déjà cité.
— D'un point de vue pratique, l'opuscule *Sainte-Victoire, guide des excursions*, par Henry Imoucha, DGDL, 1980, apportera des indications utiles.
— De Peter Handke, *La Leçon de la Sainte-Victoire*, « Arcades » Gallimard, 1985.

CHAPITRE 32 :

— Sur les relations Cézanne-Ambroise Vollard, voir : Ambroise Vollard, *Cézanne*, Vollard, 1914, et l'ouvrage déjà cité *Conversations avec Cézanne*. Voir aussi : Ambroise Vollard, *En écoutant Cézanne, Degas, Renoir*, préface de Maurice Rheims, Grasset, 1938 (rééd. 1985).

CHAPITRE 33 :

— Les conversations de Cézanne avec Joachim Gasquet se trouvent dans : Joachim Gasquet, *Cézanne*, Bernheim jeune, 1921-1926. Elles sont reprises en grande partie dans l'ouvrage *Conversations avec Cézanne*, où la partie consacrée à Gasquet se divise en trois thèmes : 1) le motif, 2) le Louvre, 3) l'atelier. Ces entretiens sont très riches — un peu trop riches, comme nous l'avons plusieurs fois suggéré.

— Autres témoignages : Léo Larguier, *Le Dimanche avec Paul Cézanne*, L'Édition, 1926, et surtout : Émile Bernard, *Souvenirs sur Paul Cézanne et Lettres*, Société des Trente, 1916. Les témoignages d'Émile Bernard se trouvent aussi largement cités dans les *Conversations avec Cézanne*. Ils sont très précieux sur le plan « théorique », mais laissent la même impression que ceux de Gasquet : un Cézanne qui parle trop (ou que l'on fait trop parler).

CHAPITRE 34 :

— Pour ce chapitre, voir encore l'étude de Jean Arrouye, « Le dépassement de la nostalgie », et son livre *La Provence de Cézanne*.

CHAPITRE 35 :

— Pour tout ce qui touche à l'atelier des Lauves, voir les trois excellentes monographies de Marianne R. Bourges, conservateur de l'atelier : *Cézanne en son atelier*, ville d'Aix, 1977 ; *Itinéraires cézanniens*, 1982 ; *Le Jardin de Cézanne*, 1984.

— La toute dernière partie de la vie de Cézanne est éclairée par de nombreuses lettres de sa *Correspondance*, notamment à son fils Paul, à Émile Bernard et à divers jeunes amis.

— Pour la peinture de Cézanne dans cette période, voir l'ouvrage catalogue *Cézanne, les dernières années (1895-1906)*, exposition du Grand Palais, avril-juillet 1978, Éditions de la réunion des musées nationaux, 1978.

— L'étude de Denis Coutagne « Qu'est-ce qu'un Cézanne ? » se trouve dans l'ouvrage *Cézanne ou la peinture en jeu*.

— La citation de Guillevic est tirée de *Térraqué*, Gallimard.

— Le texte de René Char fait partie de l'ensemble *En vue de Georges Braque, recherche de la base et du sommet*, Gallimard.

*

Nous adressons nos remerciements pour les informations qu'ils ont pu nous apporter et les entretiens qu'ils ont bien voulu nous accorder à :

BIBLIOGRAPHIE ET SOURCES

— M. Denis Coutagne, conservateur du musée Granet d'Aix-en-Provence.
— Mme Marianne R. Bourges, conservateur de l'atelier de Cézanne, à Aix.
— M. Jean Arrouye, professeur à l'université de Provence.
— Le Dr F. Corsy, propriétaire du Jas de Bouffan.
— Le personnel du syndicat d'initiative d'Auvers-sur-Oise.

Si notre documentation s'est faite partiellement dans des livres, c'est à Aix-en-Provence, sur le terrain, sur le *motif*, dans la réalité des sites et paysages cézanniens, qu'elle s'est surtout « accomplie ».

Table

IMPRIMERIE AUBIN A LIGUGÉ (VIENNE).
DÉPÔT LÉGAL FÉVRIER 1986. No 9084 (L 25517).

John Ashbery, Fragment
Donald Barthelme, Le Père Mort
Simone Benmussa, Le prince répète le prince
Jean-Luc Benoziglio, La Boîte noire ;
Béno s'en va-t'en guerre ;
L'Écrivain fantôme ; Cabinet Portrait
Le jour où naquit Kary Karinaky
Alain Borer, Rimbaud en Abyssinie
Pascal Bruckner, Lunes de fiel ;
Parias
Pascal Bruckner et Alain Finkielkraut,
Le Nouveau Désordre amoureux ;
Au coin de la rue, l'aventure
Margarete Buber-Neumann, Milena
William S. Burroughs, Le Métro blanc
Antoine Compagnon, Le Deuil antérieur
Robert Coover, Le Bûcher de Times Square
La Bonne et son maître
Hubert Damisch, Fenêtre jaune cadmium
Michel Deguy, Jumelage *suivi de* Made in USA
Jean-Philippe Domecq, Robespierre, derniers temps ;
Sirènes, Sirènes
Lucette Finas, Donne
Alain Finkielkraut, Ralentir : mots-valises ! ;
Le Juif imaginaire ;
L'Avenir d'une négation
Viviane Forrester, La Violence du calme ;
Van Gogh ou l'Enterrement dans les blés
Georges-Arthur Goldschmidt, Un jardin en Allemagne
Serge Grunberg, « A la recherche d'un corps »
Nancy Huston, Les Variations Goldberg ;
Histoire d'Omaya
Nancy Huston et Sam Kinser,
A l'amour comme à la guerre
Jeanne Hyvrard, Le Corps défunt de la comédie

Kurt Vonnegut, Le Breakfast du champion ;
R. comme Rosewater ! ;
Le Cri de l'engoulevent dans Manhattan désert ;
Gibier de potence ; Rudy Waltz
Tom Wolfe, Acid Test